LA RONDE DES SOUVENIRS

Danielle Steel, jeune femme dont le charme n'a d'égal que l'élégance, est née à New York en 1949. Elle a vécu une grande partie de son enfance en France et reçu une éducation à la française. Puis elle est retournée à New York achever ses études. Elle a suivi à la fois les cours de l'université et ceux d'une grande école new-yorkaise de stylisme de mode. Mais c'est finalement vers l'écriture qu'elle se tournera. 19 best-sellers en douze ans... 50 millions de livres imprimés, dont 30 millions aux Etats-Unis... Trois livres simultanément sur la liste des best-sellers du *New York Times*. Ses livres sont publiés dans 27 pays... A la renommée et au succès de Danielle Steel se sont ajoutés les honneurs et les hommages. En 1981, elle a été élue l'une des « dix femmes les plus influentes du monde » par les étudiants d'une université. Ses romans ont occupé quatre places prestigieuses parmi les dix premières des « meilleures ventes » 1984 du *New York Times*. Danielle Steel a toujours fait passer sa vie de famille avant son œuvre d'écrivain. John Traina, son mari, est l'un des administrateurs les plus en vue de Californie, et les Traina aiment rester chez eux, avec leurs enfants, dans leur domaine de Napa Valley.

DANIELLE STEEL

La Ronde des souvenirs

**TRADUIT DE L'AMÉRICAIN
PAR ISABELLE MARRAST**

PRESSES DE LA CITÉ

Titre original :

FULL CIRCLE

Edition originale en langue anglaise.
© Benitreto Productions, Ltd, 1985
© Presses de la Cité, 1987, pour la traduction française.

A Alex Haley,
mon frère,
mon ami,
avec tout mon amour.

A Isabella Grant,
avec mon amour, mon admiration
et mon immense gratitude.

Avec un hommage tout particulier
et mes remerciements
à Lou Blau.

Et toujours,
toujours,
à John
avec tout mon cœur
et toute mon âme.

PREMIÈRE PARTIE

LES JEUNES ANNÉES

CHAPITRE PREMIER

L'après-midi du jeudi 11 décembre 1941, le pays était encore plongé dans la stupeur. On connaissait déjà la liste des blessés, le nom des victimes, et ce n'est que peu à peu, dans les jours qui suivirent, que le désir de vengeance naquit dans les cœurs. Sous chaque poitrine, une pulsation jusqu'alors inconnue se mit à battre, non seulement parce que le Congrès venait de déclarer la guerre, mais surtout parce que chaque Américain était désormais atteint dans sa chair. Et cela allait même encore plus loin : c'était une nation emplie de terreur et de rage, craignant tout à coup que la guerre ne vienne la surprendre chez elle. Les chasseurs japonais pouvaient survoler le pays n'importe quand, de jour comme de nuit, et anéantir d'un coup des villes comme Chicago, Los Angeles, Omaha, Boston, New York... La vision était terrifiante. Cette fois, la guerre ne se déroulait pas ailleurs, chez les « autres » ; les Américains y étaient directement impliqués.

Andrew Roberts rentrait chez lui à la hâte, dans le vent glacé, le col de son manteau relevé. Il se demandait ce que Jane allait dire. Lui savait déjà depuis deux jours et, lorsqu'il avait signé, il était sûr de bien faire. Pourtant, à l'idée de se retrouver devant elle, les mots lui restaient dans la gorge. Mais il n'avait plus le choix : il devait lui annoncer la nouvelle. Andrew partait pour San Diego dans trois jours.

Le métro aérien de la 3ᵉ Avenue gronda au-dessus de sa tête, tandis qu'il gravissait les marches du petit immeuble où ils habitaient. Cela avait été dur, les premiers temps. Lorsque les wagons passaient à toute vitesse, faisant trembler les suspensions, Jane et lui se serraient instinctivement l'un contre l'autre, la nuit, dans leur lit. Mais ils n'y prêtaient plus guère attention. Andy s'était même mis à aimer le petit appartement, que Jane tenait rigoureusement propre. Elle se levait quelquefois à cinq heures du matin pour lui préparer des biscuits roulés aux myrtilles et tout nettoyer avant de partir travailler. Tout en mettant la clef dans la serrure, il se dit en souriant qu'elle s'était révélée encore plus merveilleuse qu'il ne l'avait imaginé avant de l'épouser. Un courant d'air glacial soufflait dans le couloir, en outre, deux des ampoules étaient grillées, mais à l'instant où il pénétra chez lui, tout lui parut gai et lumineux.

Jane avait confectionné elle-même les rideaux d'organdi blanc empesés, un joli tapis bleu, et les housses pour lesquelles elle avait suivi des cours du soir. Les meubles, achetés d'occasion, brillaient comme neufs, grâce à l'attention qu'elle y portait. En regardant tout autour de lui, le cœur lui manqua pour la première fois depuis qu'il s'était engagé. A l'idée d'avoir à lui annoncer qu'il quittait New York dans trois jours, il éprouva une douleur presque viscérale. Ses yeux s'emplirent de larmes lorsqu'il réalisa qu'il ignorait quand il reviendrait... quand... et même si... Mais là n'était pas la question. Si lui n'allait pas se battre contre les Japonais, alors qui diable le ferait ? Et si personne ne partait, ces salauds pourraient bien arriver un jour et bombarder New York... sa maison... et Jane.

Il s'assit dans le fauteuil vert sombre qu'elle avait

recouvert elle-même, pour se perdre dans ses pensées... San Diego... Le Japon... Noël... Jane... Il ne savait pas depuis combien de temps il était là lorsqu'il entendit brusquement un bruit de clef dans la serrure qui le fit sursauter. Elle ouvrit la porte en grand, les bras chargés de sacs du supermarché. Se croyant seule, elle alluma la lumière et eut un mouvement de surprise à sa vue. Il la regardait en souriant, sa mèche rebelle dissimulant comme toujours une partie de son œil vert, aussi beau qu'au premier jour de leur rencontre. Il était âgé de dix-sept ans alors, et elle de quinze... cela faisait six ans déjà.

— Bonjour, chéri, qu'est-ce que tu fais là ?
— Je suis rentré pour te voir.

Il la rejoignit pour la débarrasser de ses provisions. Elle leva vers lui ses grands yeux noirs, un peu intimidée, car il l'avait toujours impressionnée. Andrew avait étudié deux ans en faculté, en suivant les cours du soir. Il avait appartenu à l'équipe de football universitaire pendant quelques mois, jusqu'à ce qu'il se blesse au genou. Quand elle l'avait rencontré, il était le champion de son équipe de basket-ball. Il s'était trouvé un bon métier : il vendait des Buick chez le plus gros concessionnaire de New York. Et Jane savait qu'il pourrait en devenir le patron, un jour... à moins qu'il ne reprenne ses études, ce dont ils avaient déjà parlé. Mais dans l'immédiat, il gagnait un salaire confortable qui, ajouté au sien, leur permettait de bien vivre. Jane avait de plus l'art de tirer vingt dollars d'un seul cent, et cela depuis toujours. Ses parents étaient morts dans un accident de voiture, quand elle avait dix-huit ans. Depuis lors, elle s'était prise en charge. Elle venait de terminer ses études de secrétariat lorsqu'elle s'était retrouvée seule. Comme elle était intelligente, elle avait trouvé un emploi dans un cabinet juridique, où elle travaillait depuis trois ans. Andy était fier d'elle. Elle était tellement ravissante, lorsqu'elle partait le matin, vêtue de tailleurs qu'elle confectionnait elle-même, portant des chapeaux et des gants qu'elle achetait toujours avec le plus grand soin, après avoir feuilleté les magazines de mode et demandé son avis à Andy. Il lui sourit à nouveau tandis qu'elle ôtait ses gants et lançait son chapeau de feutre noir sur le fauteuil.

— Comment s'est passée ta journée, jolie poupée ?

Quand il rentrait du travail, il aimait la taquiner, la pincer, fourrer son nez dans ses cheveux, faire mine de vouloir abuser d'elle. Cela la changeait sans aucun doute de son bureau, où elle se montrait toujours stricte. Andy était venu la voir là-bas une fois. Il lui avait trouvé l'air si sérieux et si posé qu'elle l'avait presque effrayé. Mais elle avait toujours été comme ça. En fait, elle était déjà beaucoup plus gaie depuis leur mariage. Elle commençait enfin à se détendre. Il l'embrassa dans le cou ; aussitôt elle sentit un frisson la parcourir.

— Attends que j'aie rangé les courses...

Elle essaya en souriant de prendre un des sacs, mais il l'écarta pour déposer un baiser sur ses lèvres.

— Pourquoi attendre ?

— Andy... s'il te plaît...

Ses mains commençaient à vagabonder avec passion sur elle, enlevant le lourd manteau, déboutonnant les boutons de jais de son tailleur. Ils s'enlacèrent, jusqu'à ce que Jane se dégage pour reprendre son souffle. Elle se mit à pouffer de rire, ce qui ne découragea pas Andy.

— Andy... qu'est-ce qui t'arrive... ?

Il se contenta de sourire d'un air plein de sous-entendus, de peur de lâcher un aveu qui n'aurait pas manqué de la blesser.

— Ne me le demande pas.

Il lui imposa le silence par un autre baiser, puis, d'une main, il la débarrassa de sa veste et de son corsage ; ensuite, la jupe tomba par terre, révélant le porte-jarretelles de dentelle blanche, les bas de soie à couture, et des jambes superbes. Il laissa courir la main le long de son dos, avant de la presser contre lui, Elle ne fit aucune objection lorsqu'il la renversa sur le divan. Au contraire, elle lui enleva ses vêtements, au moment même où le métro aérien passait à toute vitesse, ce qui les fit rire.

— Au diable cet engin ! marmonna-t-il tout en dégrafant son soutien-gorge.

— Tu sais, je crois que j'en suis arrivée à aimer ce bruit, répondit-elle gaiement.

Ce fut Jane qui l'embrassa, cette fois, et un instant plus tard, leurs corps se confondirent.

Plusieurs heures semblèrent s'écouler avant que Jane se mette à parler dans l'obscurité. La lumière de la cuisine était restée allumée, mais la chambre et le salon étaient plongés dans le noir. Pourtant, Andy avait l'impression de sentir le regard de Jane posé sur lui.

— Quelque chose te tracasse, n'est-ce pas ?

La jeune femme avait eu une barre sur l'estomac toute la semaine. Elle connaissait trop bien son mari.

— Andy... ?

Il ne savait toujours pas quoi dire. Cela ne se révélait pas plus facile que deux jours auparavant, et ce serait pire à la fin de la semaine. Mais il fallait qu'il le lui dise, en dépit du fait qu'il aurait préféré s'en acquitter plus tard. Pour la première fois, depuis trois jours, il se demanda soudain s'il avait bien agi.

— Je ne sais pas vraiment comment te l'annoncer.

Mais elle comprit, instinctivement. Elle sentit son cœur chavirer tout en le regardant dans l'obscurité, les yeux agrandis, le visage déjà triste. Jane était très différente de lui, qui avait toujours les yeux rieurs, la réplique facile, une bonne histoire à raconter, une idée amusante. Andy avait le regard gai, le sourire engageant, car la vie avait été toujours bonne pour lui, ce qui n'était pas le cas de Jane. Elle avait la nervosité de ceux qui ont souffert depuis l'enfance. Née de parents alcooliques, sœur d'une épileptique morte à treize ans dans le même lit qu'elle lorsqu'elle en avait neuf, orpheline à dix-huit ans, habituée à devoir se battre pour ainsi dire depuis sa naissance, elle possédait pourtant une certaine joie de vivre qui n'avait jamais pu s'exprimer, mais qu'Andy espérait bien faire éclore à force de sollicitude. Hélas, ce n'était plus possible et le chagrin qu'il avait perçu dans ses yeux dès leur première rencontre était réapparu tout à coup.

— Tu pars, c'est ça ?

Il acquiesça, tandis que les grands yeux noirs se mouillaient de larmes. Elle reposa la tête sur le divan où ils venaient de s'aimer.

— Ne te mets pas dans cet état, ma chérie, je t'en prie...

Elle lui donnait un tel sentiment de culpabilité que, incapable de supporter la peine qu'il lui infligeait, il se leva et traversa rapidement la pièce pour aller chercher le paquet de Camel, dans la poche de son manteau. D'une main nerveuse, il en sortit une cigarette, qu'il alluma avant d'aller s'asseoir dans le fauteuil, face au divan. Elle s'était mise à pleurer, mais lorsqu'elle le regarda, elle ne parut pas surprise.

— Je savais que tu partirais.

— Il le faut, chérie.

Elle opina ; pourtant le fait de comprendre ses raisons ne la consolait en rien. Elle lui demanda enfin la seule chose qu'elle voulait savoir.

— Quand ?

Andy Roberts avala avec difficulté. Jamais il n'avait eu à faire une réponse aussi pénible.

— Dans trois jours.

Il la vit tressaillir. Elle referma les yeux, tandis que les larmes roulaient sur ses joues.

Durant les trois jours suivants, plus rien ne fut comme avant. Elle resta à la maison, prise d'une frénésie de préparatifs pour son départ. Ses mains s'activaient sans relâche, car elle pensait qu'en restant occupée elle pourrait arriver à se maîtriser. Mais c'était en pure perte. Le samedi soir, après l'avoir forcée à cesser d'emballer des vêtements dont il n'aurait pas besoin, de confectionner des gâteaux qu'il ne mangerait jamais et d'empiler des paires de chaussettes inutiles, Andy la prit dans ses bras. Elle s'effondra.

— Oh, mon Dieu, Andy... c'est impossible... Comment vais-je faire pour vivre sans toi... ?

La gorge serrée, il lut dans ses yeux la douleur qu'il lui infligeait. Mais il n'avait pas le choix... pas le choix... il était un homme... il devait se battre... son pays était en guerre. Le pire était que, lorsqu'il oubliait son sentiment de culpabilité vis-à-vis d'elle, la perspective de partir pour la guerre provoquait en lui une étrange excitation, comme s'il saisissait là l'occasion inespérée d'accomplir un acte nécessaire, une sorte de rite qui lui permettrait de devenir un homme. De cela aussi, il se sentait coupable, à tel point qu'il souhaitait presque être déjà parti. Il devait se présenter à cinq heures à la gare centrale. Lorsqu'il se leva enfin pour s'habiller, dans la petite chambre, il se retourna et la regarda. Jane était plus tranquille à présent, ses larmes étaient taries, ses yeux rouges et gonflés ; elle paraissait un peu plus résignée qu'auparavant. Elle ressentait l'impression terrifiante, effroyable, de perdre une nouvelle fois sa sœur ou ses parents. Andy était tout pour elle. Elle aurait préféré mourir plutôt que de le voir partir.

— Ça ira, n'est-ce pas, chérie ?

Il s'assit au bord du lit et la regarda, cherchant à tout prix à se rassurer. Elle sourit tristement avant de lui prendre la main.

— Il le faudra bien, non ? fit-elle avec un sourire presque mystérieux. Tu sais ce que je voudrais ?

Ils connaissaient tous deux la réponse : qu'il ne parte pas. Mais elle ajouta, comme si elle lisait dans ses pensées :

— Non, c'est autre chose... J'espère que j'attends un enfant de toi...

Au milieu des émotions de ces derniers jours, ils avaient omis de prendre les précautions habituelles. Andy s'en était aperçu, mais tout était si chaotique qu'il s'était contenté d'espérer que cela resterait sans conséquence. A présent, il se posait des questions. Ils s'étaient mis d'accord pour attendre quelques années, jusqu'à ce que leur situation s'améliore.

— Cette semaine a été si agitée... Tu crois que tu aurais pu... ?

Il ne désirait pas qu'elle se retrouve enceinte pendant qu'il était à la guerre, Dieu sait où.

Elle haussa les épaules.

— Ça se pourrait...

Elle ajouta en souriant :

— Je te tiendrai au courant.

— Ça ne serait vraiment pas le moment.

Il parut contrarié, tout à coup, et jeta un coup d'œil rapide au réveil. Il était quatre heures dix, il devait partir.

— Peut-être que si.

Puis elle ajouta subitement, comme si elle devait absolument le lui dire avant son départ :

— J'étais sincère, tu sais, Andy. J'aimerais beaucoup porter ton enfant.

— Maintenant ?

Il resta interdit tandis qu'elle répondait dans un murmure :

— Oui.

CHAPITRE II

Seul le métro aérien qui passait en vrombissant devant la fenêtre ouverte donnait à Jane un peu d'air. La chaleur étouffante du mois d'août rendait le petit appartement presque invivable. Quelquefois, la nuit, Jane était obligée de se lever et d'aller sur la terrasse pour respirer un peu d'air lorsque la rame passait à toute vitesse. Ou bien elle s'asseyait dans la salle de bains, enveloppée dans un drap humide, pour essayer de se rafraîchir. Mais rien ne semblait y faire, et le bébé n'arrangeait rien. Elle avait l'impression que son corps était sur le point d'exploser. Plus il faisait chaud, plus le bébé lui donnait des coups de pied, comme s'il étouffait lui aussi. Cette pensée la fit sourire. Il lui tardait de le voir... il ne restait plus que quatre semaines, quatre semaines jusqu'à ce qu'elle puisse le tenir dans ses bras. Elle espérait qu'il ressemblerait à Andy. Celui-ci se trouvait dans le Pacifique, accomplissant exactement ce qu'il avait voulu, « combattre les Japonais », comme il le disait dans ses lettres, même si ces mots peinaient toujours un peu la jeune femme. Une de ses jeunes collègues de travail, une Japonaise justement, s'était montrée très bonne pour Jane lorsqu'elle s'était aperçue qu'elle était enceinte. Elle l'avait même protégée au début de sa grossesse, lorsqu'elle se sentait trop mal pour bouger. Jane se traînait au bureau et fixait désespérément sa machine à écrire, en priant le ciel de ne pas vomir avant d'avoir atteint les toilettes. Ils l'avaient gardée six mois, ce qui était bien de leur part, surtout comparé à d'autres sociétés qui l'auraient renvoyée bien avant. Ils avaient estimé faire ainsi leur devoir de patriotes, à cause d'Andy, comme elle le lui avait écrit dans une de ses lettres. La jeune femme lui écrivait presque tous les jours, même si elle recevait rarement de ses nouvelles plus d'une fois par mois. La plupart du temps, il était trop fatigué pour écrire ; par ailleurs, les lettres mettaient une éternité pour lui parvenir. Il était loin le temps où il vendait des Buick, comme il le lui écrivit un jour dans une lettre, où il l'amusa à propos de la nourriture, qui était mauvaise, et de ses compagnons d'armes. Même à travers ses lettres, il continuait à la faire rire, parce qu'il avait l'art d'enjoliver les choses. Après les avoir lues, Jane était toujours beaucoup moins angoissée. Elle avait été terrifiée au début, surtout quand elle s'était sentie si mal, en proie à un terrible conflit intérieur. L'idée d'attendre un enfant lui avait paru merveilleuse, quelques jours avant le départ d'Andy. Mais lorsque c'était devenu une réalité elle avait été prise de panique : cela signifiait qu'elle devrait abandonner son travail et qu'elle serait seule pour assumer son existence et celle de son enfant. Elle avait eu terriblement peur, aussi, de la réaction d'Andy, jusqu'au jour où il lui avait enfin répondu, fou de joie.

Durant les derniers mois de sa grossesse, Jane avait eu tout le temps d'aménager la chambre pour le bébé. Elle avait confectionné de ses propres mains toute la layette. Elle avait même peint quelques motifs sur les murs de la chambre et des nuages au plafond, en dépit des remontrances d'un de ses voisins qui avait jeté des hauts cris en la découvrant juchée en haut d'une échelle. Mais elle n'avait rien d'autre à faire depuis qu'elle ne travaillait plus. Elle avait économisé sou à sou, et se privait même maintenant d'aller au cinéma, de peur d'entamer ses économies. La jeune femme recevait la moitié de la solde mensuelle d'Andy, argent qui lui serait nécessaire pour élever son enfant, d'autant qu'elle avait projeté de rester chez elle les premiers mois. Il lui faudrait ensuite trouver une nourrice pour recommencer à travailler. Elle espérait que Mme Weissman, sa voisine du quatrième, qui était bonne et aimait les enfants, accepterait de le lui garder. Celle-ci habitait l'immeuble depuis des années. Depuis qu'elle avait appris que Jane était enceinte, elle passait la voir tous les jours, et même quelquefois tard le soir lorsque la chaleur l'empêchait elle aussi de dormir. Elle frappait à la porte si elle voyait de la lumière chez Jane.

Mais, ce soir-là, Jane resta assise dans le noir, cherchant de l'air. Après quelques heures de silence, elle entendit à nouveau les métros passer à toute vitesse et vit le soleil se lever. Elle se demanda si elle pourrait jamais respirer normalement ou s'étendre sans avoir l'impression de suffoquer. Certains jours étaient très éprouvants, la chaleur et le métro n'arrangeant rien. Lorsqu'elle entendit frapper, vers huit heures du matin, elle pensa que c'était Mme Weissman. Elle enfila son peignoir rose, avec un soupir las, avant de se diriger lourdement vers la porte, pieds nus. Dieu merci, elle n'avait plus que quatre semaines à attendre. Elle commençait à se dire qu'elle ne pourrait pas aller au-delà.

16

— Bonjour...

La jeune femme ouvrit la porte, s'attendant à voir son amie, et rougit quand elle se trouva face à un inconnu vêtu d'un uniforme marron qui lui tendait une enveloppe jaune. Elle le regarda interrogativement, sachant trop bien pourtant ce que cela signifiait. Elle se saisit de l'enveloppe et la déchira sans dire un mot. C'était bien ce qu'elle avait tant redouté. Elle regarda à nouveau le jeune messager de la mort, fixant alternativement les mots puis l'uniforme. Au moment où sa bouche allait laisser échapper un cri, elle s'effondra sans bruit à ses pieds. Il resta d'abord muet, puis appela au secours. Deux portes s'ouvrirent à l'étage et, un instant plus tard, on entendit des pas précipités au-dessus. Tandis que Mme Weissman tamponnait le visage de Jane avec un linge humide, le garçon recula doucement et partit en dévalant l'escalier. Il n'avait qu'une envie : quitter le petit immeuble étouffant. Jane s'était mise à gémir. Mme Weissman, aidée de deux voisines, la porta sur le canapé, celui-là même où son enfant avait été conçu, le soir où Andy et elle s'étaient aimés... Andy... Andy...

« Nous avons le regret de vous informer que votre mari est mort en servant sa patrie, tué au combat à Guadalcanal... »

La tête lui tournait. Elle ne parvenait pas à voir les visages qui l'entouraient.

— Jane... ? Jane... ?

Les voisines l'appelaient, se consultant du regard et observant le visage figé. Helen Weissman, qui avait lu le télégramme, l'avait rapidement montré aux autres. Jane revint à elle lentement, respirant avec difficulté. Les trois femmes l'aidèrent à s'asseoir et la forcèrent à boire un peu d'eau. La jeune femme lança d'abord à Mme Weissman un regard sans expression, puis la mémoire lui revint. Elle se mit à sangloter, sans pouvoir reprendre sa respiration, agrippée à la vieille femme qui la soutenait. Il était mort... exactement comme les autres... comme son père, sa mère et Ruthie... parti... il était parti... elle ne le reverrait plus jamais... Elle se mit à geindre, écrasée de douleur. Les trois femmes essayèrent de l'apaiser, en vain.

Les deux voisines regagnèrent leur appartement, mais Helen Weissman resta auprès de Jane. Elle n'aimait pas le regard fixe de la jeune femme, la façon dont elle restait assise, comme hébétée, et se mettait tout à coup à pleurer puis à sangloter. Elle ne quitta Jane que quelques instants cette nuit-là et revint la veiller comme elle l'avait fait toute la journée. Elle avait même appelé le médecin de Jane, avant qu'il quitte son cabinet ; il avait chargé Mme Weissman de l'assurer de toute sa sympathie, avant de préciser qu'un accouchement précoce était tout à fait possible. Les craintes de la vieille femme se confirmèrent lorsqu'elle vit Jane appuyer ses poings sur ses reins plusieurs fois dans la soirée, après quoi elle se mit à arpenter sans trêve le petit appartement. Son univers s'était écroulé, elle n'avait nulle part où aller. Le corps ne serait même pas rapatrié à la maison... il ne lui restait que le souvenir d'un grand et beau jeune homme blond... et le bébé qu'elle portait.

— Ça va ? Vous avez des contractions ?

Ses yeux cherchèrent ceux de Jane, qui secoua la tête. Tout son corps lui faisait mal, après cette journée passée à pleurer. Pourtant, à l'intérieur, elle se sentait engourdie. Elle ne savait même pas ce qu'elle éprouvait, si ce n'est qu'elle était fiévreuse et agitée. Elle se cambra à nouveau, comme pour s'étirer.

— Non, ça va bien. Pourquoi vous n'allez pas dormir un peu, madame Weissman ? demanda-t-elle d'une voix que les larmes avaient enrouée.

Elle regarda la pendule de cuisine et réalisa que quinze heures s'étaient écoulées depuis qu'elle avait reçu le télégramme... quinze heures... qui lui paraissaient quinze ans... mille ans... Elle se remit à arpenter la chambre.

— Vous voulez faire une promenade dehors ? demanda Mme Weissman.

Le métro passa à toute vitesse et Jane secoua la tête. Il faisait trop lourd pour sortir, même à onze heures du soir, d'autant que la jeune femme avait l'impression de n'avoir jamais eu aussi chaud de la journée.

— Je crois que je vais boire quelque chose de frais.

Elle se versa un verre de limonade, dont elle gardait une carafe dans la glacière. Mais après en avoir savouré la première gorgée, elle fut prise d'une nausée qui l'obligea à se précipiter dans les toilettes où elle vomit à plusieurs reprises.

— Vous devriez vous étendre, lui conseilla la voisine lorsqu'elle en ressortit dans un piteux état.

Elle accepta avec soumission, mais comme elle ne se sentait pas bien allongée, elle essaya le vieux fauteuil vert, si confortable. Elle ne put y rester que quelques minutes. Des douleurs la lançaient dans le bas du dos et la tête lui tournait. Helen Weissman la quitta à minuit, après lui avoir fait promettre de venir la chercher si elle avait un problème. Mais Jane était persuadée que ce ne serait pas nécessaire. Elle éteignit la lumière pour rester assise solitaire dans l'appartement silencieux en songeant à son mari... avec ses grands yeux verts, ses cheveux blonds... le roi du football... son premier et unique amour... ce garçon qui lui avait fait perdre la tête la première fois qu'elle l'avait vu. Tout à coup, une douleur fulgurante la transperça, lui coupant la respiration. La jeune femme se mit péniblement debout, envahie par la nausée. Cependant, elle s'obligea à gagner les toilettes, où elle resta courbée près d'une heure, en proie à d'atroces douleurs et à de terribles haut-le-cœur. Puis elle se mit à appeler Andy d'une voix faible. C'est là qu'Helen Weissman la trouva à une heure et demie du matin. Elle avait décidé de passer la voir une dernière fois avant d'aller se coucher, car il faisait tellement chaud qu'elle était encore debout à cette heure tardive, ce dont elle remercia le ciel. Elle se précipita chez elle pour téléphoner au médecin de Jane et à la police, qui promit d'envoyer immédiatement une ambulance. Ensuite, après avoir enfilé une robe et pris son porte-monnaie, elle retourna à la hâte auprès de Jane et lui passa un peignoir autour des épaules. Dix minutes plus tard, elles entendirent les sirènes.

Durant le trajet, Helen essaya de la calmer, mais elle se tordait toujours de douleur en appelant Andy. Les infirmières l'emportèrent immédiatement sur une civière, dès leur arrivée à l'hôpital. Mais elles n'eurent pas le temps d'intervenir, car la petite fille aux cheveux noirs avait déjà fait son apparition, les poings serrés, en criant de toutes ses forces. Helen Weissman put les voir toutes les deux, à peine une heure plus tard. Jane dormait enfin, sous l'effet des calmants, et le bébé sommeillait paisiblement.

En retournant chez elle, cette nuit-là, Helen songea à toutes les années de solitude qui attendaient Jane Roberts, veuve à vingt-deux ans, avec une petite fille à élever. Elle dut essuyer les larmes qui coulaient sur son visage. Cette femme pleine d'expérience savait quelle dose de dévouement, de zèle presque religieux, de passion solitaire, lui serait nécessaire pour assurer l'éducation de cette enfant qui ne connaîtrait jamais son père.

Le lendemain, lorsqu'on lui porta enfin son bébé pour qu'elle lui donne le sein, Jane regarda le petit visage, les cheveux noirs, doux comme de la soie, qui, au dire des infirmières, tomberaient bientôt. Elle sut immédiatement tout ce qu'elle serait obligée de faire pour sa fille, mais cela ne l'effraya pas le moins du monde. Son désir avait été exaucé : avoir un enfant d'Andy. Ce dernier cadeau qu'il lui avait fait, elle le protégerait toute sa vie, elle lui donnerait tout sans compter. Elle allait vivre, respirer, travailler pour son enfant, se dévouer pour elle corps et âme.

Tandis que la petite bouche rose tétait son sein, provoquant en elle une sensation encore inconnue qui la fit sourire, Jane réalisait avec peine que vingt-quatre heures seulement la séparaient de l'annonce de la mort d'Andy. A ce moment, une infirmière entra pour voir si tout allait bien. Heureusement, le nouveau-né avait un poids raisonnable pour un prématuré de quatre semaines.

— On dirait qu'elle a bon appétit.

L'infirmière, dans son uniforme blanc empesé, regardait tour à tour la mère et la fille.

— Son papa est déjà venu la voir ?

Ils ne pouvaient pas savoir... personne d'ailleurs, sauf Mme Weissman. Les larmes aux yeux, Jane secoua la tête. L'infirmière lui tapota le bras sans comprendre la raison de son chagrin. Non, son père ne l'avait pas encore vue et ne la verrait jamais.

— Comment allez-vous l'appeler ?

Ils s'étaient écrit plusieurs fois à ce sujet et s'étaient mis d'accord sur un prénom de fille, même s'ils pensaient tous deux préférer un garçon. Mais une fois le premier moment de déception passé, la jeune femme avait été heureuse d'avoir une fille. Elle répondit, les yeux brillants de fierté, en tenant son enfant dans ses bras :

— Elle s'appelle Tana Andrea Roberts. Tana...

Elle aimait la sonorité du prénom, qui semblait convenir à la petite fille.

L'infirmière reprit délicatement le nouveau-né, puis lissa d'une main experte les draps du lit.

— Reposez-vous un peu maintenant, madame Roberts. Je vous ramènerai Tana quand ce sera l'heure.

Dès que la porte se referma, Jane laissa reposer sa tête sur l'oreiller. Les yeux clos, elle essayait de ne pas penser à Andy, mais seulement à leur enfant... Elle ne voulait pas savoir comment il était mort, ni ce qu'ils lui avaient fait, ou même s'il avait crié son nom... Elle laissa échapper un faible sanglot et, pour la première fois depuis des mois, se coucha sur le ventre, le visage enfoui dans les oreillers. Elle resta étendue et pleura de longues heures, puis, lorsqu'elle s'endormit enfin, elle rêva du jeune homme blond qu'elle avait tant aimé, et de cet enfant qu'il lui avait laissé... Tana... Tana...

CHAPITRE III

Lorsque le téléphone sonna sur son bureau, Jane répondit aussitôt. Le travail de titan qu'elle accomplissait depuis de longues années l'avait amenée à offrir l'image même de l'efficacité. Un concours de circonstances était à l'origine de l'emploi qu'elle occupait maintenant depuis douze ans. Elle avait vingt-huit ans à l'époque, Tana six, et elle n'en pouvait plus de travailler dans un cabinet juridique. En six ans elle en avait enduré trois qui étaient plus ennuyeux les uns que les autres. Mais le salaire était bon, et il lui fallait songer à Tana, qui était le centre du monde pour elle.

— Pour l'amour du ciel, laisse cette petite respirer un peu... lui avait dit un jour une de ses collègues.

Depuis, Jane lui battait froid. Elle savait exactement ce qu'elle faisait : elle emmenait Tana au théâtre, voir des ballets, visiter des musées, des bibliothèques, des galeries d'art, écouter des concerts aussi, lorsque ses moyens le lui permettaient, pour lui donner la culture la plus étendue possible. Presque chaque centime gagné était consacré à l'éducation, à l'entretien, aux loisirs de Tana. Et pourtant Tana n'était pas gâtée. Non, elle ne l'était pas. Mais Jane voulait qu'elle reçoive le meilleur, tout ce dont elle avait manqué et qui était si important selon elle. Il était difficile de savoir si elles auraient eu le même genre de vie avec Andy. Il était plus vraisemblable d'imaginer qu'il aurait loué un bateau pour les emmener naviguer du côté de Long Island et qu'il aurait appris très tôt à Tana à nager, à ramasser des palourdes, à courir dans le parc, à monter à bicyclette... Il aurait été fou de cette adorable petite fille blonde, élancée et mince comme lui, qui avait ses yeux verts et le même sourire éblouissant. Les infirmières à l'hôpital avaient eu raison : les petits cheveux bruns et soyeux étaient tombés, puis un duvet blond était apparu qui plus tard s'était transformé en longues mèches souples, couleur de blé mûr. C'était une très jolie petite fille, dont Jane était très fière. Elle avait même réussi à la retirer de l'école publique, à l'âge de neuf ans, pour la faire admettre au collège de Miss Lawson. Cela comptait beaucoup pour Jane, qui estimait que Tana avait une chance extraordinaire. Arthur Durning l'y avait aidée. Il savait lui-même à quel point les bonnes écoles étaient importantes pour les enfants. Les siens, respectivement de deux ans et de quatre ans plus âgés que Tana, fréquentaient les deux meilleures écoles de Greenwich.

Ce fut à l'occasion d'une série de réunions avec Martin Pope qu'Arthur Durning fit la connaissance de Jane. Elle s'ennuyait alors depuis deux ans chez Pope, Madison et Watson, mais ne pouvait se permettre de se mettre à la recherche d'un travail « amusant ». Elle devait toujours penser à Tana, à qui elle avait consacré son existence, comme elle l'expliqua à Arthur Durning qui l'invita un jour à prendre l'apéritif, après l'avoir observée durant ces deux mois d'entretien, avec Martin Pope.

A cette époque, Arthur et sa femme, Marie, étaient séparés. En fait, cette dernière se trouvait dans un « établissement privé », en Nouvelle-Angleterre. Jane, devinant qu'il n'aimait pas en parler, n'insista pas. Elle avait elle aussi ses problèmes et n'éprouvait aucune envie d'ennuyer les gens à propos de son mari disparu, de sa fille qu'elle élevait seule, de ses craintes et de ses responsabilités. Elle se représentait exactement la vie, l'éducation, les amis dont elle rêvait pour Tana, quoi qu'il puisse en coûter, ce qu'Arthur Durning parut comprendre très bien sans qu'elle ait beaucoup à s'en expliquer.

Il était à la tête de l'une des plus importantes sociétés polyvalentes du pays, spécialisée dans le plastique, le verre, l'emballage alimentaire. Il possédait même de très gros intérêts dans le pétrole, au Moyen-Orient. Il avait une fortune colossale, ce qui ne l'empêchait pas d'être simple, ce qu'apprécia beaucoup Jane.

En fait, Arthur Durning lui plaisait tellement qu'elle accepta sans hésiter son invitation à dîner. Ils se revirent plusieurs fois, et au bout d'un mois, ils étaient amants. Jane était complètement sous le charme. Il émanait de lui une puissance presque tangible, une force qui cachait pourtant une vulnérabilité due aux tourments que sa femme lui faisait endurer. Il avait fini par lui en parler.

Marie était devenue alcoolique presque immédiatement après la naissance de leur second enfant. Jane connaissait trop bien ce sujet douloureux, ayant assisté au lent suicide de ses parents, qui avaient fini par se tuer, ivres morts au volant de leur voiture sur une route verglacée, un 31 décembre. Marie avait eu un accident elle aussi, un soir qu'elle transportait plusieurs petites filles dans sa voiture. Ann et ses amies avaient une dizaine d'années à l'époque, et l'une d'elles avait failli mourir. Marie Durning avait alors accepté d'entrer dans un établissement spécialisé, mais Arthur avait perdu presque tout espoir. A trente-cinq ans, elle n'avait pas cessé de boire depuis dix ans et Arthur n'en pouvait plus. C'est pour cette raison qu'il fut séduit par Jane. Agée de vingt-huit ans, cette dernière avait une sorte de dignité qui lui plut, ce qui ne l'empêchait pas de poser sur ses semblables un regard plein de douceur et de bonté. Elle se préoccupait de tout ce qui l'entourait, en particulier de sa fille. Le tempérament spontané d'Arthur avait enfin l'occasion de s'exprimer. C'était justement ce dont il avait le plus besoin à ce moment-là. Il avait été dérouté au début, car ce qu'il éprouvait pour elle l'embarrassait. Il était marié avec Marie depuis seize ans, aujourd'hui, il en avait quarante-deux. Tout lui posait des problèmes, ses enfants, l'entretien de sa maison, Marie. Sa vie était bouleversée, à la merci d'un événement imprévisible, et il en souffrait. Au début, il n'emmena pas Jane chez lui de peur de perturber les enfants, mais il finit par la voir presque tous les soirs, si bien qu'elle commença peu à peu à prendre les choses en main. Elle engagea de nouvelles bonnes et un jardinier, organisa quelques-uns des repas d'affaires qu'il aimait offrir, ainsi qu'un goûter d'enfants pour Noël, et elle l'aida à choisir sa nouvelle voiture. La jeune femme prit même quelques jours de congé pour faire de petits voyages avec lui. Brusquement, elle s'était mise à planifier la vie d'Arthur. Quant à lui, il ne pouvait plus rien faire sans elle. Elle commença à se demander de plus en plus souvent ce que cela signifiait, mais elle ne le savait que trop au fond de son cœur : ils étaient amoureux l'un de l'autre. Dès que Marie serait rétablie, Arthur divorcerait pour épouser Jane.

Pourtant, six mois plus tard, c'est une situation qu'il lui proposa. Elle commença par hésiter. Elle n'avait pas vraiment envie de travailler pour lui. Elle en était amoureuse et il était déjà si bon pour elle. Mais la façon dont il lui dépeignit son futur emploi ouvrit une fenêtre sur une vision dont elle rêvait depuis de longues, de très longues années. Elle pourrait continuer à faire exactement ce qu'elle accomplissait pour lui depuis six mois par amitié : organiser des réceptions, engager du personnel, s'assurer que les enfants avaient les vêtements, les amis, les bonnes qui leur convenaient. Arthur trouvait qu'elle avait un goût prodigieux. Il ne s'était jamais douté qu'elle confectionnait elle-même ses habits, ainsi que ceux de Tana. Elle avait même capitonné les meubles de leur petit appartement, situé près du métro aérien. Helen Weissman continuait à garder Tana en son absence. Mais, grâce à cette situation dont lui parlait Arthur, elle pourrait envoyer Tana dans une meilleure école, d'autant qu'il l'aiderait à l'y faire inscrire. Elle pourrait déménager dans un appartement plus grand, puisque Arthur possédait même un immeuble en haut de l'East Side. Ce n'était pas Park Avenue, avait-il précisé avec son petit sourire, mais c'était beaucoup mieux que le quartier où elles habitaient. Quand il lui parla du salaire qu'il pensait lui donner, elle faillit s'évanouir.

Si elle n'avait pas eu Tana, la jeune femme n'aurait

peut-être pas accepté, car il aurait été plus simple de ne rien devoir à Arthur, mais d'un autre côté, c'était une chance merveilleuse, de pouvoir être constamment à ses côtés... et puis, quand Marie irait mieux... Il avait déjà une secrétaire de direction, à Durning International, mais elle disposerait d'un petit bureau juste derrière la salle de conférence. Elle le verrait chaque jour, serait toute proche de lui et lui deviendrait officiellement indispensable, comme elle l'était déjà dans les faits. Ce serait à peu près la même chose, lui expliquait Arthur tout en la suppliant d'accepter, lui offrant même de nouveaux avantages et un salaire plus élevé. Elle était la première personne sur laquelle il pouvait se reposer depuis des années. Habitué depuis près de vingt ans à ce que tout le monde compte sur lui, il venait de rencontrer quelqu'un à qui se fier. Arthur y avait beaucoup réfléchi, et il était certain de la vouloir pour toujours auprès de lui.

En fin de compte, même si elle avait paru hésiter, le choix avait été facile. Aujourd'hui, sa vie lui paraissait un rêve lorsqu'elle partait travailler, quelquefois après avoir passé la nuit avec lui. Ses enfants s'étaient habitués à ce qu'il dorme ailleurs de temps à autre. La maison de Greenwich disposait de suffisamment de personnel, maintenant, si bien qu'Arthur ne se faisait plus de souci pour eux, même si au début Ann et Billy avaient pâti de l'absence de leur mère. Dès qu'ils firent la connaissance de Jane, ils la considérèrent comme une amie. Elle les emmenait au cinéma avec Tana, leur achetait des jouets, choisissait leurs vêtements, les conduisait à l'école, assistait aux fêtes de fin d'année lorsque Arthur était absent, et s'occupait encore davantage de lui. Il se sentait comme un coq en pâte et, un soir qu'il se trouvait chez elle, dans le nouvel appartement, il lui sourit de plaisir. Ce n'était pas un appartement somptueux, mais pour Tana et elle, c'était plus que suffisant. Il comportait deux chambres à coucher, un salon, une salle à manger et une belle cuisine. L'immeuble était moderne, bien entretenu, et les fenêtres du salon donnaient sur l'East River.

— Tu sais, lui dit-elle gaiement, je n'ai jamais été aussi heureuse de ma vie.

— Moi non plus.

Celà se passait quelques jours avant que Marie Durning attente à ses jours. Quelqu'un lui apprit qu'Arthur avait une liaison, sans mentionner de nom, et elle faillit en mourir. Six mois plus tard les médecins commencèrent à parler de la laisser rentrer chez elle. A ce moment-là, Jane travaillait pour Arthur Durning depuis plus d'un an, elle était heureuse, tout comme Tana. Et voilà que brusquement tout semblait s'arrêter. Arthur alla voir Marie. Lorsqu'il revint, il était lugubre.

— Qu'est-ce qu'elle a dit ?

Jane le scrutait, les yeux agrandis par la peur. Elle avait maintenant trente ans. Elle avait envie de stabilité, de sécurité, et non d'une liaison clandestine pour le restant de sa vie. Elle n'avait jamais protesté jusqu'à présent, car elle savait combien l'état de santé de Marie Durning, qui était très préoccupant, donnait du souci à Arthur. Lui qui avait parlé mariage, seulement une semaine auparavant, la regardait à présent avec un air de tristesse qu'elle ne lui avait jamais vu, comme si tous ses espoirs et ses rêves venaient de s'envoler.

— Elle a dit que, si elle ne pouvait plus revenir à la maison, avec nous, elle essaierait à nouveau de se suicider.

Jane avait eu envie de hurler.

— Mais elle ne peut pas te faire ça. Elle n'a pas le droit d'exercer ce chantage !

Marie revint effectivement trois mois plus tard, repartit à l'hôpital pour Noël, puis rentra chez elle au printemps, où elle se maintint jusqu'à l'automne, mais elle buvait énormément dès qu'elle le pouvait. Sept ans passèrent ainsi.

Lorsqu'elle sortit de l'hôpital, la première fois,

Arthur était si déprimé qu'il demanda à Jane d'aider sa femme.

— Elle est totalement désespérée, tu ne comprends pas... Elle n'est pas comme toi, chérie. Elle est incapable d'affronter la réalité... Elle peut à peine penser.

Et, pour l'amour d'Arthur, Jane se retrouva dans la situation peu enviable de la maîtresse qui dorlote l'épouse. Elle passait deux ou trois jours avec elle, à Greenwich, pour l'aider à tenir la maison. Marie était terrorisée par le personnel ; ils savaient tous qu'elle buvait, ses enfants y compris. Ces derniers la considérèrent d'abord avec désespoir, puis plus tard avec mépris. Ann la détestait bien plus que Billy, qui pleurait chaque fois que sa mère était ivre. C'était une situation de cauchemar, si bien qu'au bout de quelques mois Jane, tout comme Arthur, se retrouva prise au piège. Elle ne pouvait pas la laisser tomber... elle aurait eu la sensation d'abandonner ses propres parents. Et cette fois, elle avait la sensation d'être utile. Mais, pour finir, Marie connut presque la même mort que les parents de Jane : l'accident eut lieu un soir où elle allait rejoindre Arthur en ville. Jane jura ses grands dieux qu'elle était à jeun quand elle était partie, mais Marie devait avoir emporté une bouteille avec elle. La voiture dérapa sur une plaque de verglas, à mi-chemin de New York, et elle mourut sur le coup.

Jane et Arthur se félicitèrent de ce que Marie n'ait jamais découvert leur liaison, mais le pire de tout fut que Jane s'était attachée à elle. Elle pleura plus aux obsèques que les enfants. Par la suite, il lui fallut plusieurs semaines avant de pouvoir passer une nuit avec Arthur. Leur liaison durait depuis huit ans, mais il redoutait à présent la réaction de ses enfants.

— De toute façon, il faut que j'attende un an, lui dit-il après l'enterrement.

Elle en convint, d'autant qu'il lui consacrait tout de même beaucoup de temps. En outre, il se montrait toujours attentionné et prévenant. Elle n'avait jamais à se plaindre de lui. De son côté, il lui semblait important que Tana ne soupçonne rien. Pourtant, un an après la mort de Marie, Tana fit des reproches à sa mère.

— Je ne suis pas stupide, tu sais, maman. Je sais ce qui se passe.

Elle était comme son père, grande, mince et belle, et elle possédait cette même lueur narquoise dans les yeux, comme si elle était toujours sur le point d'éclater de rire. Elle ajouta avec colère :

— Il te traite mal, depuis des années. Pourquoi il ne t'épouse pas, au lieu de s'introduire ici et d'en ressortir comme un voleur au milieu de la nuit ?

Jane l'avait giflée, mais Tana ne s'était pas démontée. Elles avaient passé trop de fêtes toutes seules, il y avait eu trop de Noël où elles avaient dû se contenter de cadeaux somptueux achetés dans des magasins de luxe tandis que lui partait à la campagne avec des amis. Cela s'était encore produit cette année, alors qu'Ann et Billy passaient pourtant les vacances chez leurs grands-parents.

— Il n'est jamais là quand c'est important ! Tu ne t'en rends pas compte, maman ?

De grosses larmes avaient roulé sur ses joues, obligeant Jane à se détourner.

— Ce n'est pas vrai, avait-elle répondu d'une voix altérée.

— Si, c'est vrai. Il te laisse toujours toute seule et il te traite comme une bonne. Tu tiens sa maison, tu emmènes ses enfants partout, et lui t'offre des montres serties de diamants, des bracelets en or, des sacs à main, des parfums. Et puis après ? Où est-il, lui ? Tu ne crois pas que c'est ça qui compte le plus ?

Que pouvait-elle faire ? Nier l'évidence devant sa propre fille ? La clairvoyance de Tana lui brisa le cœur.

— Il agit comme il le doit.

— Non. Il agit selon son bon plaisir, affirma Tana avec une lucidité extraordinaire pour ses quinze ans. Ce qu'il veut, c'est être à Greenwich avec ses amis, aller à Bal Harbour l'été et à Palm Beach l'hiver. Quand il va à Dallas pour affaires, alors là, il t'emmène. Mais est-ce que tu l'as déjà accompagné à Palm Beach ? Est-ce qu'il nous a jamais invitées ? Est-ce qu'il a jamais fait comprendre à Ann et Billy à quel point tu comptais pour lui ? Non. Il vient ici en cachette pour que je ne sache pas ce qui se passe ; eh bien, je le sais... bon Dieu... je le sais.

Tout son corps tremblait de rage. Elle avait trop souvent discerné de la tristesse dans les yeux de sa mère, au long des années, et elle frôlait dramatiquement la vérité. Jane en était bien consciente. La vérité, c'était que cette manière de vivre l'arrangeait, lui. Il n'était pas assez fort pour tenir tête à ses enfants, et il était terrifié par le jugement qu'ils porteraient sur sa liaison avec Jane. C'était un battant en affaires, mais, chez lui, il n'était pas le maître. Il n'avait jamais eu le courage de dénoncer le chantage de Marie ni de la quitter. Il avait cédé à ses lubies d'alcoolique jusqu'à la fin. Aujourd'hui il agissait de la même façon avec ses enfants. Mais Jane avait elle aussi des soucis. Elle n'appréciait pas ce que lui avait dit Tana, à tel point qu'elle essaya d'en parler à Arthur, un soir. Mais il coupa court, avec un sourire las. Il avait eu une dure journée ; en outre, Ann lui donnait de l'inquiétude.

— Ils ont tous leurs idées bien à eux, à cet âge-là. Bon sang, regarde les miens !

Billy, qui était âgé de dix-sept ans, avait été condamné déjà deux fois cette année pour conduite en état d'ivresse. Ann venait d'être renvoyée de l'université de Wellesley, où elle effectuait sa deuxième année. Elle voulait aller en Europe avec des amis, alors que son père souhaitait qu'elle reste quelque temps à la maison. Jane l'avait invitée à déjeuner pour essayer de la raisonner, mais Ann l'avait envoyée promener en lui disant que son père céderait avant la fin de l'année.

Et c'est ce qui arriva. Elle passa l'été suivant dans le sud de la France, où elle dégota un play-boy français de trente-sept ans, qu'elle épousa à Rome. Elle attendit un enfant, fit une fausse couche et revint à New York avec de grands cernes sous les yeux et un penchant pour les tranquillisants. Son mariage avait évidemment fait les choux gras de la presse internationale. Arthur, que sa rencontre avec le « jeune homme » avait rendu malade, avait payé une véritable fortune pour qu'il accepte de disparaître. Il avait laissé ensuite Ann à Palm Beach, pour lui permettre de « récupérer », c'étaient ses propres termes. Mais là encore les ennuis continuèrent : elle faisait la fête toutes les nuits, sortant avec des garçons de son âge, ou avec leur père, selon les cas. Elle avait vingt et un ans. Arthur se sentait désarmé en face d'elle. Elle avait perçu une très grosse part de l'héritage de sa mère, si bien qu'elle disposait de l'argent nécessaire pour s'offrir toutes ses fantaisies. Elle repartit d'ailleurs rapidement pour l'Europe afin d'y continuer ses frasques. La seule petite satisfaction d'Arthur fut que Billy réussit à rester à Princeton, cette année-là, bien qu'il eût trempé dans plusieurs affaires louches.

— Je dois admettre qu'ils ne sont pas un repos pour l'esprit, c'est certain, avoua-t-il à Jane.

Ils passaient maintenant des soirées paisibles à Greenwich, mais le plus souvent Jane insistait pour rentrer chez elle, même s'il était très tard. Lui n'avait plus ses enfants, mais Tana était toujours là, et Jane ne pouvait se résoudre à découcher, à moins que sa fille soit chez des amis ou partie en week-end. Elle avait quelques principes auxquels elle tenait, ce qu'Arthur trouvait touchant.

— Tu sais, Jane, de toute façon, ils ne font que ce qu'ils veulent, en fin de compte, même si tu essaies de leur donner le bon exemple, lui disait-il parfois.

Il avait raison dans un sens, mais il ne s'acharna pas à la convaincre. Il avait l'habitude de dormir seul maintenant, et n'en appréciait que davantage les quelques nuits entières passées au côté de Jane. Leur liaison s'était beaucoup assagie, mais ils se sentaient bien ensemble, lui surtout. Elle ne lui demandait rien de plus que ce qu'il voulait bien lui accorder. Il savait combien elle lui était reconnaissante de tout ce qu'il lui avait apporté au long des années. Il lui avait donné une sécurité qu'elle n'aurait peut-être jamais connue sans lui, il lui avait trouvé une bonne situation, une excellente école pour sa fille, et lui offrait de petits extras chaque fois qu'il le pouvait : des voyages, des bijoux, des fourrures. Ces cadeaux n'étaient que des broutilles pour lui, mais Jane, même si elle avait gardé ses doigts de fée, avait cessé grâce à lui de capitonner ses fauteuils et de coudre ses vêtements. Elle avait même engagé une femme de ménage, deux fois par semaine. Arthur savait que Jane l'aimait. Ce sentiment était réciproque, mais il avait pris ses habitudes, de sorte que, durant des années, ni l'un ni l'autre ne reparlèrent de mariage. Ce n'était plus nécessaire à présent ; leurs enfants étaient presque élevés, Arthur avait cinquante-quatre ans, ses affaires étaient prospères. Jane était encore jeune et séduisante, même si elle prenait une allure de femme épanouie, depuis quelques années, ce qui d'ailleurs ne déplaisait pas à Arthur. Mais il avait du mal à croire que douze ans déjà s'étaient écoulés. Pour ses quarante ans, il l'avait emmenée à Paris, où elle avait passé une semaine de rêve. Elle avait rapporté à Tana des dizaines de petits cadeaux et lui avait fait d'interminables récits éblouis de son séjour, sans oublier son dîner d'anniversaire chez *Maxim*. Après de tels voyages, elle trouvait toujours plus dur de rentrer chez elle et de devoir se coucher seule dans son lit, ou bien d'arriver chez lui au milieu de la nuit, pour ne pas le trouver. Mais elle vivait ainsi depuis si longtemps qu'elle n'y prêtait plus attention, du moins s'en persuadait-elle.

Depuis leur dispute, trois ans auparavant, Tana ne lui avait jamais adressé d'autres reproches. Elle avait eu honte de sa conduite, car sa mère avait toujours été très bonne envers elle.

— Je veux simplement que tu sois le mieux possible, c'est tout... Je veux que tu sois heureuse... que tu ne sois pas seule tout le temps...

— Je ne le suis pas, chérie, avait répondu Jane, les larmes aux yeux, puisque je t'ai.

— Ce n'est pas la même chose.

Elle s'était agrippée à sa mère, après quoi le sujet défendu n'avait plus été évoqué. Mais les relations d'Arthur et de Tana étaient loin d'être chaleureuses, au grand désespoir de Jane. En fait, la situation aurait empiré si Arthur avait fini par insister pour épouser Jane, car Tana était persuadée qu'il se servait d'elle depuis douze ans, sans rien lui donner en échange.

— Comment peux-tu dire ça ? Nous lui devons tant !

Elle se souvenait de l'appartement tout près du métro aérien, que Tana ne se rappelait pas, de la maigre pension, des soirs où elle ne pouvait même pas se permettre d'acheter de la viande pour la petite. A cette époque, lorsqu'elle se payait des côtelettes de mouton ou un steak, elles en étaient réduites à manger des macaronis pendant trois ou quatre jours.

— Qu'est-ce qu'on lui doit ? De nous avoir procuré cet appartement ? Et alors ? Tu travailles, tu pourrais t'en offrir un, sans son aide. Il y a beaucoup de choses, d'ailleurs, que tu pourrais faire sans lui.

Mais Jane n'en était pas certaine. Elle aurait eu peur de le quitter à présent, de ne plus travailler pour Durning International, de ne plus être son bras droit, de perdre son appartement, sa situation, la sécurité... la voiture aussi, qu'il lui changeait tous les deux ans pour qu'elle puisse facilement aller à Greenwich. Mais au-delà du confort matériel, il y avait autre chose de beaucoup plus important ; c'était l'assurance de le savoir là si jamais elle avait besoin de lui. Contrairement à ce que pensait Tana, il lui était impossible à présent de renoncer à tout cela.

— Et s'il meurt, qu'est-ce qui se passe ? avait demandé Tana, un jour, à brûle-pourpoint. Tu te retrouves toute seule, sans travail, sans rien. S'il t'aime, pourquoi il ne t'épouse pas, maman ?

— Eh bien, parce que nous sommes heureux ainsi.

Tana eut la même expression de dureté dans les yeux que son père quand il était en colère contre Jane.

— Ce n'est pas suffisant. Il te doit bien plus que ça, maman. C'est si simple pour lui !

— Pour moi aussi, c'est simple, Tana.

Elle ne s'était pas sentie capable de se quereller ce soir-là.

— Je ne suis pas obligée de me plier à quelqu'un d'autre. Je vis comme je veux. Je dicte mes propres lois. Et quand j'en ai envie, il m'emmène à Paris, à Londres ou à Los Angeles. Ce n'est pas une vie si désagréable que ça.

Elles savaient toutes deux que ce n'était pas entièrement vrai, mais la situation ne changerait plus maintenant. Ils avaient chacun leurs habitudes.

Un après-midi, Jane, qui rangeait des papiers sur son bureau, sentit tout à coup la présence d'Arthur dans la pièce. Elle savait toujours quand il était là, comme si quelqu'un, des années auparavant, lui avait planté dans le cœur un radar capable de déceler uniquement sa présence. Il était entré silencieusement et la regardait. Elle leva les yeux et le vit devant elle.

— C'est toi ? demanda-t-elle avec ce sourire qu'elle adressait à lui seul depuis plus de douze ans. Comment s'est passée ta journée ?

— Mieux, maintenant.

Il ne l'avait pas vue à midi, ce qui était inhabituel. Mille raisons les faisaient se voir une demi-douzaine de fois dans la journée. Ils prenaient un café ensemble le matin, et il l'emmenait souvent déjeuner avec lui. On avait beaucoup parlé à leur sujet, surtout après la mort de Marie Durning, mais les bavardages avaient fini par cesser. Les gens les croyaient simplement amis, et même s'ils étaient amants, leur discrétion avait fait taire les rumeurs. Il s'assit dans son fauteuil favori, avant d'allumer sa pipe. C'était une odeur qu'elle avait fini par aimer, parce qu'elle faisait partie de lui, et qu'elle était présente partout où il vivait, y compris dans la chambre à coucher de Jane.

— Qu'est-ce que tu dirais de passer la journée à Greenwich, demain, Jane ? Pourquoi ne pas faire l'école buissonnière pour changer ?

Il se le permettait rarement, mais la fusion de plusieurs de ses sociétés l'avait obligé à travailler très dur pendant les sept dernières semaines. Jane était contente qu'il s'accorde un jour de repos. Elle aurait aimé qu'il le fasse plus souvent, mais elle sourit avec regret.

— J'aurais beaucoup aimé. Mais demain, c'est notre grand jour.

Il oubliait souvent ce genre de choses. Elle ne s'attendait pas à ce qu'il se souvienne que Tana avait sa remise de diplôme. Il la regarda sans comprendre, si bien qu'elle ajouta en souriant :

— Tana...

— Oh ! Bien sûr !

Il agita sa pipe, prit un air embarrassé, puis se mit à rire.

— Que je suis stupide ! Heureusement que tu ne te reposes pas sur moi, comme je le fais avec toi ! Tu aurais constamment des ennuis.

— Je n'en suis pas si sûre.

Elle lui sourit amoureusement. Une douce complicité passa entre eux. Même les mots semblaient maintenant superflus. Et malgré tout ce que lui avait dit Tana, au fil des années, Jane Roberts ne souhaitait rien de plus. Assise là, en face de l'homme qu'elle aimait depuis si longtemps, elle se sentait comblée.

— Ta fille est très excitée par la cérémonie de demain ?

Arthur regardait Jane en souriant. Elle était très séduisante, à sa façon. Ses cheveux étaient entremêlés de quelques fils d'argent, elle avait de beaux yeux, grands et noirs, et il émanait d'elle une impression de grâce et de délicatesse. Tana était plus grande, plus élancée. Sa beauté ferait certainement s'arrêter les hommes dans la rue, dans quelques années. Elle allait entrer au collège de Green Hill, situé en plein cœur du sud des Etats-Unis. C'était elle qui l'avait voulu. Arthur avait trouvé curieux un tel choix pour une fille du Nord, mais il savait que cette université jouissait d'une grande réputation. Tana avait obtenu une bourse et partirait en automne, après avoir travaillé dans un camp de vacances en Nouvelle-Angleterre.

— Si on peut considérer comme un indice la façon dont elle fait hurler son tourne-disque, alors je crois qu'elle est au comble de l'excitation depuis un mois.

— Mon Dieu, ça me fait penser... Billy et quatre de ses amis viennent à la maison, la semaine prochaine. J'ai oublié de t'en parler. Ils veulent s'installer dans la chambre aménagée du jardin. Ça ne m'étonnerait pas qu'ils finissent par y mettre le feu. Il m'a appelé hier soir. Heureusement, ils ne resteront que quinze jours.

Billy Durning avait vingt ans et d'après les lettres qu'envoyait le collège, il ne s'était pas amélioré. Mais Jane était persuadée que son comportement était dû à la mort de sa mère. Cela avait été dur pour tout le monde, surtout pour lui, qui avait seize ans à l'époque, l'âge difficile par excellence. La situation commençait tout juste à s'arranger.

— Il donne une soirée la semaine prochaine. Samedi soir, je crois. J'en ai été « informé », et il m'a demandé de te communiquer la nouvelle.

Elle sourit.

— J'en prends bonne note. Des souhaits particuliers ?

Arthur eut un petit rire. Elle les connaissait tous si bien !

— Il désire un orchestre. En outre, il faut prévoir des vivres pour deux ou trois cents invités. A propos, parles-en à Tana. Ça devrait lui plaire. Billy peut demander à un de ses amis de venir la chercher.

— Je le lui dirai. Je suis sûre qu'elle sera ravie.

Jane savait à quel point c'était faux. Tana avait toujours détesté Billy, mais sa mère l'avait forcée à se montrer polie chaque fois qu'ils se rencontraient. Après tout ce que le père de Billy avait fait pour elles deux, Tana se devait d'aller à sa soirée. Jane comptait bien l'y obliger.

– ... Je n'irai pas.

Tana regardait sa mère d'un air buté tandis que la chaîne stéréo vociférait depuis sa chambre. Paul Anka clamait « *Put your head on my shoulder* » pour la septième fois.

— S'il est assez gentil pour t'inviter, tu pourrais au moins aller y passer un moment.

Elles s'étaient déjà disputées à ce sujet, mais cette fois, Jane était décidée à l'emporter. Elle ne voulait pas que Tana ait l'air mal élevée.

— Comment veux-tu que j'y aille pour un moment ? Il faut une heure pour y aller, et autant pour revenir... Alors, je fais quoi ? Je reste dix minutes ?

Elle rejeta en arrière ses cheveux dorés, l'air désespéré. Elle savait à quel point sa mère se montrait opiniâtre lorsqu'il s'agissait des Durning.

— Ecoute, maman, nous ne sommes plus des enfants. Pourquoi devrais-je y aller si je n'en éprouve pas l'envie ? Pourquoi est-ce mal élevé de refuser ? Je n'ai pas le droit d'être prise ailleurs ? Je pars dans quinze jours de toute façon, et je veux voir mes amis. Et puis, nous n'aurons plus l'occasion de nous trouver ensemble...

Elle semblait si désemparée que sa mère répondit en souriant :

— Nous en reparlerons une autre fois, Tana.

Mais Tana ne se faisait pas d'illusions. Elle savait que sa mère persisterait à vouloir l'envoyer à la soirée de Billy, pour lequel elle n'avait que du mépris. Et Ann était encore pire à ses yeux : elle était snob, gâtée et hautaine, même si elle faisait semblant d'être polie avec Jane. Tana l'avait vue se soûler pendant une soirée donnée par Billy, et elle traitait Jane avec une telle condescendance que Tana avait envie de la gifler. Mais ce soir-là, Tana n'était pas d'humeur à se battre avec sa mère.

— Je veux simplement que tu comprennes, maman, que je n'irai pas à cette réception.

— Ce n'est que dans une semaine. Tu n'es pas obligée de te décider ce soir.

— Je viens de te dire...

Les yeux verts se faisaient menaçants, Jane la connaissait trop bien pour la contrarier dans ces moments-là.

— Qu'est-ce qu'on mange pour dîner ?

Tana connaissait l'art d'esquiver de sa mère, mais elle décida de jouer le jeu et la suivit dans la cuisine.

— Je t'ai sorti un steak du congélateur. Je dîne avec des amis, précisa-t-elle, l'air penaud.

Son désir d'indépendance ne l'empêchait pas de détester laisser sa mère seule. Elle mesurait tout ce que sa mère lui avait donné, et combien elle s'était sacrifiée pour elle. Elle lui devait tout, elle ne le comprenait que trop, mais elle ne devait rien à Arthur Durning, ni à ses enfants égoïstes et gâtés.

— Ça t'ennuie, maman ? Je ne suis pas obligée de sortir, tu sais, ajouta-t-elle gentiment.

— Je veux que tu t'amuses avec tes amis, chérie. Demain est un jour très spécial pour toi.

Elles allaient dîner au *21* le lendemain soir. Jane s'y rendait toujours en compagnie d'Arthur, mais la remise des diplômes était un événement suffisamment important pour justifier cette petite folie, d'autant que Jane n'avait plus besoin de compter à présent. Elle percevait un très gros salaire chez Durning, du moins comparé à ce qu'elle avait gagné auparavant, comme simple secrétaire juridique. Cependant, elle était prudente de nature et toujours un peu anxieuse. Elle s'était fait beaucoup de souci depuis la mort d'Andy. Elle disait quelquefois à Tana que c'était grâce à ça qu'elles s'en étaient sorties. A l'inverse, Tana possédait la même nonchalance que son père, elle était plus gaie, plus malicieuse, plus rieuse, plus calme devant les événements, mais elle avait eu une vie protégée, grâce à l'amour de sa mère.

Jane sortit une poêle pour faire cuire le steak.

— Il me tarde d'être à demain soir, remarqua Tana, touchée que sa mère l'emmène au *21*.

— Moi aussi. Où allez-vous ce soir ?

— A Greenwich Village, manger une pizza.

— Sois prudente.

Elle s'inquiétait toujours, où que sa fille aille.

— Oui, maman.

— Est-ce qu'il y aura des garçons pour te protéger ?

Sa propre naïveté la fit sourire. Les garçons pouvaient aussi bien constituer une menace. Lisant dans ses pensées, Tana se mit à rire.

— Oui. Tu vas te faire plus de souci, n'est-ce pas ?

— Evidemment.

— Tu es bête, mais je t'aime quand même.

Elle se jeta à son cou, l'embrassa et disparut dans sa chambre où elle augmenta le volume de son tourne-disque. Jane fit une petite grimace, mais elle avait entendu la chanson tant de fois qu'elle se surprit à la chantonner. Lorsque Tana réapparut, vêtue d'une robe à pois noirs, Jane savoura le silence tout en réalisant au même moment à quel point l'appartement serait tranquille lorsque Tana serait partie, trop tranquille en fait.

— Amuse-toi bien.

— Merci. Je rentrerai de bonne heure.

— Je n'y compte pas trop.

Jane ne lui imposait plus d'horaire maintenant qu'elle avait dix-huit ans ; d'ailleurs Tana se montrait raisonnable la plupart du temps. Elle l'entendit rentrer vers onze heures et demie, ce soir-là. La jeune fille frappa doucement à la porte de sa mère en murmurant :

— Je suis rentrée.

Puis elle gagna sa chambre, et Jane s'endormit.

Jane ne devait jamais oublier ce qu'elle vit le lendemain : une longue file de jeunes filles reliées entre elles par des guirlandes de fleurs, suivies des garçons, l'air solennel, chantant tous d'une seule voix, forte et puissante. Ils étaient si pleins d'innocence, de fraîcheur, comme s'ils venaient de naître au monde, un monde plein d'intrigues, de ruses, de mensonges, de désespoir, qui attendait de les blesser. Jane, les larmes aux yeux, devinait que plus jamais la vie ne leur serait aussi douce. Elle était gênée d'avoir laissé échapper un sanglot, mais elle n'était pas la seule : les pères pleuraient autant que leurs femmes. Puis, tout à coup, le désordre fut indescriptible, les étudiants se mirent à hurler, à se congratuler, à s'embrasser, à se faire des promesses qu'ils ne pourraient certainement pas tenir ; ils reviendraient, ils voyageraient ensemble, ils ne s'oublieraient jamais... jamais... on se reverrait l'an prochain, un jour ou l'autre... Jane observait Tana en silence, son visage animé, ses yeux d'un vert d'émeraude, et elle les regardait tous, si exaltés, si heureux, si purs.

Tana était au comble de l'excitation ce soir-là lorsqu'elles allèrent au *21*, où elles firent un excellent dîner. Jane l'étonna quand elle commanda du champagne. D'habitude, elle ne tenait pas beaucoup à ce que Tana boive de l'alcool ; ce qu'elle avait connu avec ses parents puis avec Marie Durning continuait à l'effrayer, mais la remise des diplômes valait bien une exception. Après le champagne, elle lui tendit un petit coffret de la part d'Arthur. Jane l'avait choisi à sa place, comme tous les cadeaux qu'il offrait, même à ses propres enfants. Tana découvrit dans l'écrin un magnifique bracelet d'or qu'elle passa à son poignet avec un plaisir mitigé.

— C'est gentil de sa part, maman.

Elle ne paraissait pourtant pas folle de joie, mais elle garda le silence, car elle ne voulait pas engager une discussion et contrarier sa mère.

A la fin de la semaine, Tana perdit une autre bataille. N'en pouvant plus d'en entendre parler sans cesse, elle finit par accepter d'aller à la soirée de Billy Durning.

— Mais c'est la dernière fois que je vais à une de leurs réceptions. C'est entendu ?

— Pourquoi es-tu si intransigeante, Tana ? C'est gentil de leur part de t'inviter.

— Pourquoi ?

Les yeux de Tana jetèrent des éclairs. Elle continua, presque malgré elle :

— Parce que je suis la fille d'une employée ? C'est pour cette raison que je dois considérer ça comme une faveur spéciale des tout-puissants Durning ? Comme s'ils invitaient la bonne ?

Jane eut immédiatement les larmes aux yeux, si bien que Tana partit dans sa chambre, furieuse de s'être laissée emporter. Mais elle ne pouvait supporter les sentiments que sa mère éprouvait pour les Durning, non seulement pour Arthur, mais aussi pour Ann et Billy. Le moindre de leurs mots ou de leurs gestes prenait des allures de faveur démesurée, c'était insupportable. Et Tana savait trop bien à quoi ressemblaient les soirées de Billy, où tout le monde buvait et se pelotait. Elle détestait y aller. Cette réception n'échapperait pas à la règle.

Un ami de Billy, qui habitait près de chez elle, passa la prendre dans une corvette rouge qu'il avait empruntée à son père. Il roula jusqu'à Greenwich à toute vitesse, pour l'impressionner, sans succès d'ailleurs. Elle arriva aussi contrariée qu'elle était partie. Elle portait une robe de soie blanche, avec des souliers blancs à talons plats. En sortant de la voiture, elle laissa voir ses jolies jambes fuselées. Elle rejeta sa chevelure en arrière et regarda autour d'elle, sachant qu'elle ne rencontrerait aucun ami. Trois garçons en vestes de madras lui firent une haie d'honneur, puis ils lui offrirent d'aller lui chercher un gin-tonic, ou ce qui lui ferait plaisir. Elle resta évasive et réussit à se perdre dans la foule, voulant à tout prix se débarrasser du garçon qui l'avait amenée. Elle se promena dans le jardin pendant une demi-heure, regrettant d'être venue. Des filles ricanaient entre elles, tout en buvant des bières et des gin-tonic, sous l'œil intéressé des garçons. Quelques instants plus tard, l'orchestre se mit à jouer. Aussitôt, des couples se formèrent, puis, une demi-heure après, les lumières furent baissées et les étreintes se resserrèrent. Tana remarqua même quelques couples qui s'éloignaient. Ce n'est qu'à ce moment-là qu'elle vit Billy Durning s'avancer vers elle en l'examinant sans se gêner. Ils s'étaient déjà rencontrés souvent, mais cela ne l'empêchait pas de la détailler, un peu comme une marchandise qu'il aurait pu acheter. Comme chaque fois, ce regard insistant mit Tana en colère.

— Bonsoir, Bill.

— Merde alors, qu'est-ce que t'es grande !

Ces quelques mots de bienvenue ne lui dirent rien de bon, d'autant qu'il était beaucoup plus grand qu'elle. Alors quoi ? Mais elle s'aperçut qu'il avait les yeux braqués sur sa poitrine pleine. Elle eut envie de le remettre à sa place, mais elle serra les dents, décidée à sacrifier aux lois de la politesse, au moins par égard pour sa mère.

— Merci de m'avoir invitée, fit-elle sans conviction.

— Des filles, on n'en a jamais trop.

— Merci.

Il se mit à rire.

— Tu veux qu'on se promène ?

Elle faillit refuser, puis se ravisa. Il avait deux ans de plus qu'elle, même s'il agissait comme un gosse de dix ans, à cela près qu'on ne se soûle pas à cet âge-là. Il lui agrippa le bras et ils marchèrent jusqu'au jardin si bien entretenu des Durning, qui menait jusqu'à la cabane aménagée, où Billy logeait avec ses amis. Ils avaient déjà mis le feu à une table et deux chaises, la veille au soir, si bien que Billy avait dû calmer ses amis de peur que son père ne se fâche vraiment. Mais Arthur, qui ne supportait pas le voisinage de son fils, avait sagement déserté la maison pour une semaine.

— Si tu voyais le bazar qu'il y a là-dedans ! dit-il en lui montrant la cabane, de loin.

Tana se sentit contrariée, lorsqu'elle songea que sa mère devrait s'occuper des réparations, remettre tout en ordre et calmer Arthur lorsqu'il découvrirait les dégâts.

— Pourquoi vous n'essayez pas simplement de ne pas vous conduire comme des animaux ? demanda-t-elle avec douceur.

Il parut surpris, puis lui décocha un regard mauvais.

— Il faut vraiment être idiote pour dire ça, mais je crois que tu l'as toujours été, hein ? Si mon vieux n'avait pas payé pour te mettre dans cette école pour snobs de New York, tu aurais sans doute échoué dans un bordel pourri du West Side.

Elle resta bouleversée, le souffle coupé, tandis qu'il l'observait, puis, sans un mot, elle se détourna et s'éloigna, poursuivie par le rire du jeune homme. Elle regagna tant bien que mal la maison, en le maudissant, et remarqua que beaucoup d'invités avaient disparu. Ceux qui se trouvaient encore là étaient plus âgés qu'elle, surtout les filles. Quelques instants plus tard, elle aperçut le garçon qui l'avait amenée, débraillé, les yeux rouges, le pan de sa chemise sorti, flanqué d'une fille qui le caressait avec insistance tout en vidant avec lui une bouteille de whisky. Tana les regarda avec désespoir, se disant qu'elle venait de perdre sa dernière chance de rentrer chez elle. Elle ne serait montée en voiture à aucun prix avec un garçon aussi soûl pour conducteur. Restait la solution de prendre le train ou de trouver quelqu'un encore à jeun, ce qui paraissait plus qu'improbable, du moins pour le moment.

— Tu veux danser ?

Elle se retourna, surprise de trouver Billy, les yeux encore plus rouges, le regard obstinément fixé sur ses seins.

— Non, merci.

— Ils s'envoient en l'air dans la cabane. Tu veux voir ?

L'estomac de Tana se souleva. C'était incroyable à quel point sa mère était aveugle dès qu'il s'agissait des sacro-saints Durning.

— Non, merci.

— Qu'est-ce que t'as ? T'es toujours vierge ?

L'expression qu'elle vit sur son visage la rendit malade, mais elle ne voulait pas qu'il découvre la vérité. Il valait mieux laisser croire qu'il la dégoûtait, ce qui était d'ailleurs vrai. Il s'en aperçut.

— Je ne suis pas du genre voyeur.

— Et pourquoi ? Y a pas mieux.

Elle se détourna et essaya de se perdre dans la foule, mais il s'obstinait à la suivre, ce qui commença à la mettre mal à l'aise. Lorsqu'elle jeta à nouveau un coup d'œil dans la pièce, elle s'aperçut qu'il avait enfin disparu, certainement pour aller rejoindre ses amis à la cabane. Elle décida alors qu'elle était restée assez longtemps. Elle n'avait plus qu'à appeler un taxi pour aller jusqu'à la gare, et à rentrer chez elle. S'assurant que personne ne l'avait suivie, elle monta sur la pointe des pieds jusqu'à un petit palier sombre où se trouvait un téléphone. Elle obtint facilement le numéro et appela un taxi qui lui promit d'être là un quart d'heure plus tard. Elle savait qu'elle aurait grandement le temps d'attraper le dernier train. Pour la première fois de la soirée, elle se sentit soulagée. Elle marcha doucement sur la moquette moelleuse du couloir tout en regardant les photos accrochées au mur. On y voyait la famille Durning au complet. Tana s'étonna presque de ne pas trouver sa mère, car elle faisait totalement partie d'eux, leur bien-être dépendait d'elle. Tout à coup, sans réfléchir, Tana ouvrit une porte. Elle savait que sa mère utilisait cette pièce pour y travailler lorsqu'elle venait à Greenwich. Au moment où elle allait entrer, elle entendit un cri perçant, des exclamations, et distingua dans le noir des formes qui s'agitaient sur le lit. Elle referma la porte avec précipitation. Au même instant, quelqu'un se mit à rire dans son dos. Elle sursauta, effrayée.

Elle se retourna et vit Billy qui la regardait d'un œil égrillard.

— Mon Dieu, c'est toi...

— Je croyais que ces choses ne t'intéressaient pas, Mademoiselle la Pureté.

Elle rougit jusqu'à la racine des cheveux.

— Je passais simplement par là et c'est un pur hasard...

— Ben voyons... Qu'est-ce que tu venais faire ici, Tan ?

Il avait entendu sa mère l'appeler ainsi, mais Tana n'appréciait pas qu'il utilise ce diminutif affectueux. Il n'avait jamais été son ami. Jamais.

— Ma mère a l'habitude de travailler dans cette pièce.

— Pas du tout.

Il secoua la tête, comme surpris de son erreur.

— Pas dans celle-là.

— Mais si pourtant, affirma Tana, tout en consultant sa montre, car elle ne voulait pas rater son taxi.

— Je vais te montrer où elle travaille, si tu veux.

Il prit le couloir en sens inverse. Tana le suivit, intriguée et un peu mal à l'aise.

— C'est là.

Tana s'avança, fit quelques pas et s'aperçut immédiatement qu'il ne s'agissait pas de la pièce où travaillait sa mère. Un lit immense trônait au milieu. Les tentures, les murs, la moquette étaient du même gris clair. Tana se tourna vers Billy, l'air contrarié.

— Très drôle. C'est la chambre de ton père, non ?

— Ouais. Et c'est là où ta mère travaille. Elle y fait même un sacré boulot ici, la vieille Jane.

Tana eut tout à coup envie de l'attraper par les cheveux, de le frapper au visage. Mais elle se maîtrisa, et se dirigea sans rien dire vers la porte. C'est à ce moment-là qu'il lui saisit le bras et la tira brusquement à l'intérieur avant de refermer la porte du pied.

— Bouge pas de là, sale petite merdeuse !

Tana essaya de se dégager, mais fut surprise de constater à quel point il était fort. Il lui agrippa les deux mains et la poussa contre le mur, si brutalement qu'elle en eut la respiration coupée.

— Et si tu me montrais le genre de métier qu'exerce ta mère, espèce de petite garce.

— Je m'en vais, et tout de suite !

Elle essaya de se dégager, mais il la plaqua à nouveau contre le mur en lui cognant la tête. Lorsqu'elle vit son regard, tout à coup, elle prit vraiment peur. Il y avait de la folie dans ses yeux.

— Arrête de faire l'imbécile, dit-elle d'une voix tremblante.

D'une seule main, il continuait de lui écraser les poignets.

Tana était terrifiée à présent et son visage devenait d'une pâleur mortelle. Elle continuait à le repousser, aussi fort qu'elle le pouvait, mais sans y parvenir, ce qui le faisait rire. Tout à coup, elle réalisa avec horreur que cette lutte avait pour effet d'exciter davantage Billy. Brusquement, il tira sur sa robe qui se déchira et laissa voir ce qu'il convoitait. Il se mit à caresser frénétiquement le ventre, les seins, les cuisses de Tana, tout en la pressant contre lui, puis il lui barbouilla le visage avec sa langue, lui soufflant une haleine chargée d'alcool dans le visage. Il se sentait l'envie de la déchiqueter. Tout à coup ses doigts plongèrent en elle, entre ses jambes. Elle se mit à hurler et lui mordit le cou ; il attrapa une grosse mèche de ses longs cheveux blonds, l'entoura autour de sa main et tira si fort qu'elle eut l'impression qu'il les arrachait, puis il la mordit méchamment au visage. Elle se débattit en tous sens, et tenta de se débarrasser de lui en le repoussant de ses jambes. Elle était à bout de souffle, et luttait plus pour sa vie que pour sa virginité. Tandis qu'elle hoquetait, cherchant à respirer, elle sentit qu'il la jetait par terre, sur l'épaisse moquette grise, où il finit de lui déchirer sa robe. Elle se mit à le supplier, à pleurer, à claquer des dents, au bord de la crise de nerfs, mais il ôta son pantalon, qu'il jeta derrière lui, et se coucha de tout son poids sur elle, la clouant au sol, martyrisant sa chair à plaisir avec une violence qui ravivait sans cesse ses pleurs et ses cris. Chaque fois qu'elle essayait d'échapper à son emprise, il la rejetait sur le sol jusqu'à la rendre à moitié inconsciente. Lorsqu'il la pénétra de toutes ses forces, du sang se mit à couler sur le tapis moelleux. Quand son plaisir arriva enfin, Tana était comme morte ; elle avait le regard fixe, un filet de sang coulait de sa bouche et de son nez. Billy Durning se leva, enfila son pantalon et se mit à rire en la contemplant. Elle ne bougeait toujours pas.

— Merci, lui dit-il.

A ce moment, la porte s'ouvrit et un des amis de Billy entra.

— Bon Dieu, qu'est-ce que tu lui as fait ?

Tana n'avait toujours pas bougé, mais elle entendait leurs voix, comme étouffées.

— Pas grand-chose. Sa vieille, mon père se la paye pour certains « services ».

L'autre garçon se mit à rire.

— En tout cas, toi au moins, ça a l'air de t'avoir plu.

On ne pouvait pas ne pas voir la traînée sanglante sur le tapis.

— Elle a ses règles ?

— Faut croire.

Billy finissait de fermer son pantalon, sans manifester la moindre inquiétude. Tana gisait toujours au même endroit, les jambes écartées et inertes, comme une poupée de chiffon. Billy se pencha et lui donna une gifle.

— Allons, Tana, lève-toi.

Comme elle ne bougeait pas, il alla dans la salle de bains pour humecter une serviette de toilette, qu'il lui lança. Lorsqu'elle finit par se lever, au bout de dix minutes, elle se mit à vomir. Il l'attrapa par les cheveux, sous les yeux de son ami, et lui cria :

— Merde alors ! Pas de ça ici, petite conne.

Il la mit rudement sur ses pieds avant de la traîner jusqu'à la salle de bains où elle se pencha au-dessus de la cuvette. Dans un sursaut de révolte, elle claqua la porte. Ensuite, elle eut l'impression que des heures étaient passées avant qu'elle reprenne enfin conscience. Des sanglots convulsifs la parcoururent ;

quelque chose d'horrible venait de lui arriver, dont elle savait qu'elle ne se remettrait pas. Elle avait été violée. Elle tremblait de tous ses membres, ses dents claquaient, elle avait la bouche sèche, sa tête lui faisait mal et elle n'arrivait même pas à envisager comment elle pourrait quitter cette maison. Sa robe était déchirée, ses souliers maculés de sang. La porte s'ouvrit et Billy lui jeta des affaires. Elle vit alors que c'était une robe et une paire de chaussures appartenant à Ann. En rencontrant le regard de Billy, elle comprit à quel point il était ivre.

— Habille-toi. Je te ramène chez toi.

— Et ensuite ? s'écria-t-elle brusquement. Comment tu vas expliquer ça à ton père ?

— Pour le tapis ?

Il semblait nerveux à présent, Tana vociféra, hors d'elle :

— Non, pour moi, tu entends, moi !

— Je n'y suis pour rien, fallait pas me provoquer.

L'horreur de ce qu'il venait de dire la rendit encore plus malade, mais sa seule préoccupation à présent était de partir, quitte à regagner New York à pied. Elle le bouscula, attrapa les vêtements et se précipita dans la chambre. Elle avait les yeux hagards, les cheveux emmêlés, et son visage était baigné de larmes. Toute nue, elle sortit de la chambre et tomba sur l'ami de Billy, qui se mit à rire nerveusement.

— Vous vous en êtes donné tous les deux, hein ?

La jeune fille passa devant lui et courut s'enfermer dans une salle de bains qu'elle connaissait. Elle enfila les vêtements que lui avait donnés Billy, et courut au rez-de-chaussée. Il était trop tard pour prendre le train et inutile d'essayer d'appeler un taxi. Une fois dehors, elle se dirigea en courant vers la route, abandonnant sa robe déchirée et son sac à main, sans aucun regret. Son seul désir était de fuir cet endroit. Elle ferait du stop s'il le fallait, arrêterait une voiture de police... Les larmes s'étaient figées sur son visage et sa respiration s'accélérait à mesure qu'elle courait. Tout à coup, des phares d'automobile se braquèrent sur elle. Elle se mit à courir plus vite, sachant instinctivement qui la pourchassait. Il klaxonna en hurlant :

— Viens. Je vais te ramener chez toi.

Elle ne lui répondit pas, continuant à courir aussi vite qu'elle le pouvait, mais comme il la suivait toujours sur la route déserte, elle se retourna et lui cria d'une voix vibrante de haine :

— Laisse-moi tranquille !

Elle s'immobilisa, pliée en deux, secouée par de gros sanglots. Billy sortit lentement de la voiture pour s'approcher d'elle. L'air de la nuit commençait à le dessoûler et il semblait maussade. Son ami, assis sur la banquette de la voiture, les observait en silence.

Billy se tenait sur la route, les jambes écartées, éclairé par la lumière angoissante des phares.

— Je te reconduis chez toi. Viens, Tan.

— Ne m'appelle pas comme ça.

La jeune fille avait l'air d'une petite fille effrayée. Il n'avait jamais été son ami... et à présent... Elle avait envie de hurler chaque fois qu'elle y pensait, mais elle n'avait pas la force de lui échapper. Tout son corps lui faisait mal, sa migraine empirait, elle avait du sang séché sur le visage et entre les cuisses. Elle le regarda d'un œil vide, trébucha sur la route et, comme il essayait de l'agripper par le bras, elle se mit à hurler avant de s'enfuir en courant. Il resta immobile un moment, puis regagna sa voiture et partit. Il lui avait offert de la ramener ; si elle ne voulait pas venir, qu'elle aille au diable ! Elle continua de courir, mais moins de vingt minutes plus tard, la voiture réapparut. Il s'arrêta à sa hauteur en faisant crisser les pneus. Il sortit, l'attrapa par le bras. Voyant que l'autre garçon n'était pas avec lui, Tana se demanda tout à coup s'il n'allait pas la violer une seconde fois. Une vague de terreur l'envahit tandis qu'il la poussait vers la voiture. Elle essaya de se dégager, mais il la maintint fermement cette fois.

Elle sentit à nouveau son haleine chargée d'alcool.

— Bon Dieu, je t'ai dit que j'allais te ramener. Monte dans la voiture, vociféra-t-il.

Il la jeta sur le siège. Elle comprit qu'il était inutile de discuter. Elle était seule avec lui, et il ferait d'elle ce qu'il voudrait. Elle s'en était déjà aperçue. Accablée, elle s'assit à côté de lui. Aussitôt, la voiture fonça dans la nuit. Elle était si désespérée qu'elle s'attendait à ce qu'il l'emmène quelque part pour la violer à nouveau, mais il prit l'autoroute en appuyant à fond sur l'accélérateur. Le vent frais qui s'engouffrait dans la voiture semblait les calmer tous les deux. Billy la regarda à plusieurs reprises, avant de désigner une boîte de mouchoirs en papier.

— Tu ferais bien de te nettoyer avant de rentrer.

— Pourquoi ?

La jeune fille regardait droit devant elle la route déserte. Il était plus de deux heures du matin ; même ses yeux lui semblaient engourdis. Quelques rares camions filaient à toute vitesse dans la nuit.

— Tu ne peux pas rentrer chez toi dans cet état.

Elle ne répondit pas, le regard lointain. Elle s'attendait toujours à ce qu'il s'arrête pour la violer. Mais cette fois, il ne la prendrait pas par surprise ; elle se mettrait à courir le plus vite possible, traverserait l'autoroute si elle l'osait, et peut-être qu'un des camions s'arrêterait. Après coup, elle se demandait si elle n'était pas fautive, si elle s'était suffisamment défendue ou si elle avait fait quoi que ce soit pour l'encourager... Au milieu de ces pensées inquiétantes, elle réalisa que la voiture de sport se mettait à zigzaguer. Elle s'aperçut que Billy était en train de s'endormir au volant. Elle le tira par la manche et il sursauta.

— Pourquoi tu as fait ça ? Tu aurais pu causer un accident.

Il était vrai qu'elle aurait souhaité le voir mort sur la route.

— Tu t'endormais. Tu es ivre.

— Ah ouais ? Et alors ?

Il paraissait plus fatigué qu'hargneux. Il se comporta normalement pendant un certain temps, puis la voiture se remit à tanguer. Mais cette fois, elle n'eut pas le temps de le secouer pour le réveiller. Au moment où un poids lourd les dépassait à toute vitesse, la voiture se déporta. Elle entendit un horrible coup de frein, le camion se mit en travers de la route et se renversa. La voiture de sport évita par miracle la cabine du chauffeur pour s'écraser contre un arbre. Tana se cogna la tête et resta immobile, le regard fixe, jusqu'à ce qu'elle entende des plaintes à côté d'elle. Elle vit le visage de Billy couvert de sang, mais ne bougea toujours pas. Tout à coup, la portière s'ouvrit, deux mains fermes l'empoignèrent ; aussitôt, elle se mit à hurler. Les événements de la nuit lui revinrent brusquement en mémoire, elle perdit tout contrôle d'elle-même et tenta de s'enfuir sur la route tout en sanglotant. Deux chauffeurs de camion s'arrêtèrent et essayèrent de la calmer jusqu'à ce que la police arrive, mais ses yeux restaient égarés et sans expression. Billy avait une grande entaille au-dessus de l'œil, et ils tentèrent aussi d'arrêter le sang qui coulait. L'ambulance arriva et les trois blessés furent conduits à l'hôpital le plus proche. Le chauffeur du camion repartit presque aussitôt, car son véhicule avait heureusement souffert beaucoup plus que lui, tandis que les médecins s'occupaient de recoudre l'entaille de Billy. On nota également qu'il conduisait en état d'ivresse. Comme il en était à sa troisième condamnation, son permis de conduire lui serait retiré, ce qui avait l'air de l'ennuyer bien plus que sa blessure. Tana avait le corps maculé de sang. Les infirmières constatèrent avec surprise que ce sang avait déjà séché. Elle manquait s'évanouir chaque fois qu'elle tentait de raconter ce qui s'était passé, si bien qu'on ne trouva pas d'explication. Une jeune et gentille infirmière la nettoya. Puis, comme elle ne cessait de pleurer, on lui administra un calmant. Lorsque sa mère arriva, à quatre heures du matin, elle était à moitié endormie.

— Qu'est-il arrivé... ? Mon Dieu ! s'exclama-t-elle en regardant le pansement sur l'œil de Billy. Ça ira, Billy ?

— Je pense.

Il lui sourit d'un air penaud. Jane remarqua une fois de plus à quel point il était beau, même s'il avait toujours plus ressemblé à sa mère qu'à son père. Brusquement, il prit un air terrifié.

— Vous avez appelé papa ?

— Non, je ne voulais pas l'affoler. Ils m'ont dit que vous alliez bien, au téléphone. J'ai pensé qu'il valait mieux que je vienne d'abord me rendre compte.

— Merci.

Il jeta un coup d'œil vers la forme allongée de Tana.

— Je suis désolé pour... j'ai embouti la voiture...

— L'important, c'est que vous n'ayez rien de grave, ni l'un ni l'autre.

Elle fronça les sourcils en remarquant les cheveux emmêlés de Tana, mais toutes les traces de sang avaient été nettoyées. L'infirmière essaya d'expliquer à quel point la jeune fille semblait agitée.

— Nous lui avons administré un calmant. Elle devrait dormir un bon moment.

Jane se rembrunit.

— Elle était ivre, elle aussi ?

— Non, je ne pense pas. Elle a eu affreusement peur, je crois. Elle a reçu un mauvais coup sur la tête, mais rien de plus. Aucune trace de commotion cérébrale, ni de lésions cervicales, cependant je vais garder un œil sur elle.

Juste à ce moment, Tana entendit des voix autour d'elle et se réveilla. Elle regarda sa mère comme si elle ne l'avait jamais vue auparavant, puis se mit à pleurer silencieusement, tandis que Jane la prenait dans ses bras pour la consoler.

— Tout va bien, ma chérie... tout va bien...

Elle secoua la tête violemment et balbutia, le souffle court :

— Non... ça ne va pas... il...

Mais Billy était là, l'œil mauvais, et elle ne put continuer. Elle avait l'impression qu'il avait de nouveau envie de la frapper. Elle se détourna, secouée de sanglots, sentant son regard sur elle. Elle ne pourrait plus le regarder... jamais... ni même le revoir...

Elle s'étendit sur la banquette arrière de la Merce-des de sa mère, qui raccompagna d'abord Billy chez lui. Jane resta un long moment à l'intérieur de la maison. Ils mirent à la porte les derniers invités, en sortirent une demi-douzaine de la piscine, jetèrent deux couples hors du lit d'Ann et demandèrent aux occupants de la cabane de se calmer. Ils avaient détruit la moitié du mobilier, mis le feu à quelques étagères, abîmé les tissus des fauteuils et fait des taches sur les tapis. Quant à la piscine, on y trouvait de tout, depuis des verres en plastique jusqu'à des ananas entiers. Jane ne voulait pas qu'Arthur voie la maison avant qu'elle ait tout remis en ordre. Elle rentra dans sa voiture en poussant un long soupir las et jeta un coup d'œil vers Tana qui était étendue, immobile. Sa fille semblait étrangement calme à pré-sent. Les médicaments avaient produit leur effet.

— Heureusement, ils ne sont pas allés dans la chambre d'Arthur.

Elle fit démarrer la voiture. Tana secoua la tête sans pouvoir parler.

— Tu te sens bien ?

C'était le plus important, car ils auraient pu se tuer. Elle avait eu un pressentiment ce soir-là et, lorsque le téléphone avait sonné, elle s'attendait presque à ce qu'on lui annonce un accident. Tana continuait à regarder fixement sa mère.

— Je veux rentrer à la maison.

Des larmes roulèrent à nouveau sur ses joues. Jane se demanda si elle avait bu. La nuit semblait avoir été agitée, et Tana avait dû se comporter comme les autres. Elle avait remarqué aussi que sa fille ne por-tait plus la même robe.

— Vous vous êtes baignés ?

Tana se redressa brusquement. Jane aperçut dans le rétroviseur l'étrange regard de sa fille.

— Qu'est-ce qu'il est arrivé à ta robe ?

La jeune fille répondit d'une voix froide et dure que Jane reconnut à peine :

— Billy l'a mise en pièces.

— Il a fait quoi ? s'exclama Jane, avant de demander gaiement : Il t'a jetée dans la piscine ?

Elle ne pouvait pas imaginer autre chose. Même s'il avait un peu bu, Billy était inoffensif. Ils avaient vraiment eu de la chance de ne pas percuter le camion.

— J'espère que ça t'a servi de leçon, Tan.

En entendant le diminutif dont s'était servi Billy, la jeune fille se remit à sangloter, à tel point que sa mère finit par se ranger sur le bas-côté.

— Qu'est-ce qui t'arrive ? Tu es soûle ? Tu t'es droguée ?

L'accusation perçait dans sa voix et dans son regard, alors qu'elle n'avait adressé aucun reproche à Billy en le ramenant chez lui. Comme la vie était injuste, songea Tana. Mais sa mère ne voulait simplement pas comprendre de quoi son cher petit Billy était capable. Tana la fixa droit dans les yeux.

— Billy m'a violée dans la chambre de son père.

— Tana ! Comment peux-tu dire une chose pareille ! Il n'agirait jamais ainsi.

C'était sa propre fille qui la mettait en colère, et non le fils de son amant. Un tel acte lui semblait impensable de la part de Billy.

— C'est horrible de dire une chose pareille, répéta-t-elle, furieuse.

— Il l'a fait, affirma Tana, le visage décomposé. Je le jure.

Elle devenait de plus en plus agitée. Jane remit en marche la voiture en évitant cette fois de regarder dans son rétroviseur.

— Je ne veux jamais plus t'entendre dire ça.

Persuadée que le fils d'Arthur était un garçon inoffensif, elle ne chercha même pas à savoir ce qui pouvait pousser Tana à proférer une telle accusation. Ou plutôt, elle la mit sur le compte de sa jalousie envers Billy, Ann, ou Arthur...

— Ne me redis jamais ça. C'est clair ?

Mais aucune réponse ne lui parvint de la banquette

arrière. Tana restait assise, immobile, l'œil fixe. Non, elle n'évoquerait plus jamais ce sujet. Quelque chose en elle venait de mourir.

CHAPITRE IV

Après cette tragique soirée, l'été passa rapidement pour Tana. Elle resta quinze jours à New York, avec sa mère, et se remit peu à peu, mais son comportement inquiétait Jane. Elle paraissait en bonne santé, à cela près qu'elle restait des heures assise, les yeux dans le vide, comme absente, qu'elle ne voyait plus ses amis et ne répondait plus jamais au téléphone. Au bout d'une semaine, Jane en parla même à Arthur. Après le départ de Billy et de ses amis pour Malibu, elle avait été obligée de remettre la maison de Greenwich en état, où les dégâts étaient considérables, dans la chambre d'Arthur en particulier, où le tapis, à un endroit, semblait avoir été lacéré à coups de couteau. Arthur ne manqua pas de réprimander son fils à ce sujet.

— Mais quelle sorte de sauvages êtes-vous donc ? Je ferais mieux de t'envoyer à West Point plutôt qu'à Princeton. Ils t'apprendraient un peu à vivre. Mon Dieu, mais de mon temps, personne ne se conduisait comme ça ! Tu as vu le tapis ? Tout est abîmé.

Billy avait pris un air confus.

— Je suis désolé, papa. On a un peu dépassé la mesure.

— Un peu ? C'est un miracle que vous soyez vivants, toi et Tana.

Billy s'en était bien tiré dans l'ensemble. Son œil n'était pas tout à fait guéri, mais on lui avait déjà enlevé les fils. Il était sorti tous les soirs, avant son départ pour Malibu.

— Sacrés gamins... grommela Arthur, avant de demander à Jane des nouvelles de Tana.

Elle lui avait parlé plusieurs fois du comportement étrange de sa fille. En fait, elle se demandait si le choc qu'elle avait reçu sur la tête n'était pas plus grave qu'on ne l'avait d'abord supposé.

— Tu sais, elle était complètement perturbée, cette nuit-là...

Elle se souvenait encore de l'histoire grotesque que la jeune fille avait essayé de lui raconter au sujet de Billy.

— Essaie de lui faire avouer ce qui ne va pas, lui conseilla Arthur, qui s'inquiétait un peu lui aussi.

Mais lorsque Jane voulut l'interroger, Tana se déroba. Elle en vint à se demander si la jeune fille était suffisamment en bonne santé pour aller travailler en Nouvelle-Angleterre, comme chaque été. Cependant, la veille du départ, Tana prépara tranquillement son sac. Le lendemain matin, pour la première fois depuis quinze jours, alors que sa mère lui tendait un verre de jus d'orange, un sourire apparut sur son visage fatigué et pâle. Jane faillit en pleurer. La maison paraissait aussi sinistre qu'une tombe depuis l'accident : plus de bruit, plus de musique, plus de rires, plus de conversations animées au téléphone, seulement un silence de mort, partout. Et le regard éteint de Tana.

— Tu m'as manqué, Tan.

Le diminutif familier troubla Tana. Elle acquiesça, incapable de parler. Elle n'avait plus rien à dire, à personne. Elle avait l'impression que sa vie était terminée. Elle ne voulait jamais plus qu'un homme la touche et elle savait que cela ne se reproduirait pas. Personne ne lui ferait ce que lui avait infligé Billy Durning. Mais le pire était que sa mère n'acceptait pas la vérité. Dans son esprit, c'était inconcevable, donc impossible.

— Tu te sens vraiment assez bien pour partir camper, Tan ?

Tana s'était posé la même question, mais elle avait

la conviction que sa décision était déterminante. Elle pouvait passer le reste de sa vie à se cacher, comme une infirme, comme une victime, recroquevillée, brisée, absente, ou décider de sortir à nouveau. Elle préférait la deuxième solution.

— Ça ira très bien.

— Tu es sûre ?

Elle paraissait si calme, si mesurée, si adulte tout à coup, comme si le choc qu'elle avait reçu avait détruit sa jeunesse. Peut-être la peur en était-elle responsable. Jane n'avait jamais été témoin d'un changement si brutal. Arthur lui avait affirmé que Billy, s'il s'était montré un temps gentil et repenti, avait déjà retrouvé son vrai caractère au moment de partir en vacances. Ce n'était malheureusement pas le cas de Tana.

— Ecoute, chérie, si tu ne te sens pas bien, reste à la maison. Il faut que tu sois en pleine forme pour entrer à l'université, en automne.

— Ça ira très bien.

Ce furent à peu près ses seules paroles, avant qu'elle quitte la maison, son sac de voyage à la main. Comme chaque année, elle prit le bus pour le Vermont. Elle adorait ce travail saisonnier, mais rien n'était plus pareil à présent. Les autres le remarquèrent aussi. Elle était plus calme, plus repliée sur elle-même et ne riait plus. Tout le monde se posa des questions, mais personne ne sut la vérité. Elle ne se fit aucun ami, sauf parmi les enfants, et même eux l'apprécièrent moins que l'année précédente. Tous furent d'accord pour dire que « Tana Roberts était étrange ». Elle-même ne le savait que trop.

A son retour, Tana passa deux jours chez elle, avec sa mère, évita tous ses anciens amis, prépara ses affaires et prit le train pour l'université avec soulagement. Brusquement, elle avait envie de partir loin, très loin de chez elle, d'Arthur, de Jane, de Billy, de tout le monde et même de ses camarades de collège. Elle n'avait plus rien de la jeune fille insouciante qui avait réussi ses examens trois mois auparavant. Elle était devenue un être différent, en proie à des obsessions, à une douleur dont elle ne guérirait jamais. Assise dans le train qui l'emportait vers le sud, elle sentit qu'elle retrouvait peu à peu sa qualité d'être humain, comme s'il avait fallu d'abord qu'elle fuie loin d'eux, loin de leurs mensonges, de tout ce qu'ils ne voyaient pas ou se refusaient à voir, loin de la comédie qu'ils jouaient... Depuis que Billy Durning l'avait violée, elle avait comme l'impression d'être invisible au monde, de ne plus exister, puisque personne ne pouvait savoir ce que lui avait fait Billy, et que sa mère ne la croyait pas... Elle ne voulait plus y penser.

Les dernières paroles de sa mère avaient été :

— Tu reviendras pour Thanksgiving, n'est-ce pas, Tan ?

Jane semblait avoir peur d'elle, comme si elle craignait de lire dans les yeux de sa fille une douleur aiguë, trop présente, qu'elle ne supportait pas. Non, Tana ne voulait pas rentrer chez elle, ni pour le Thanksgiving, ni plus tard. Elle avait fui leur petite vie mesquine, leur hypocrisie, Billy et les sauvages qu'il avait pour amis, Arthur aussi, qui se servait de Jane depuis des années, qui avait bafoué sa femme. Tout cela lui devenait définitivement intolérable.

La jeune fille se laissa bercer par le train, d'où elle descendit à regret lorsqu'il arriva à Yolan. Le collège de Green Hill était à environ quatre kilomètres. Une vieille fourgonnette poussive, conduite par un Noir aux cheveux blancs, l'attendait devant la gare. Il l'accueillit avec un large sourire, mais elle le regarda avec suspicion tandis qu'il l'aidait à charger ses bagages.

— Ça fait longtemps que vous êtes dans le train, mademoiselle ?

— Treize heures.

Elle lui adressa à peine la parole durant le court trajet. S'il avait fait mine d'arrêter la voiture, elle se serait précipitée au-dehors et se serait mise à crier. Mais, la sentant sur la défensive, il la ménagea en évitant de se montrer trop familier avec elle. Il siffla pendant une partie du chemin, puis il se mit à chanter de vieilles chansons du Sud. Tana, qui n'en avait jamais entendu, ne put s'empêcher de lui sourire lorsqu'ils arrivèrent.

— Merci pour la promenade.

— A votre service, mademoiselle. Vous n'avez qu'à descendre au bureau et demander Sam. Je vous conduirai partout où vous voudrez aller.

Dans un éclat de rire, il ajouta avec son accent du Sud :

— Même s'il n'y a pas grand-chose à visiter par ici.

Dès qu'elle était descendue du train, Tana avait été frappée par la beauté du paysage, les arbres majestueux, les fleurs multicolores, l'herbe grasse, l'air immobile, chaud et lourd, qui donnaient brusquement envie de partir flâner tranquillement. Lorsqu'elle découvrit le collège, elle s'immobilisa en souriant. Il était exactement tel qu'elle l'avait imaginé. Elle avait eu l'intention de venir le visiter, l'hiver dernier, mais comme elle n'en avait pas eu le temps, elle avait questionné leur correspondant dans le Nord et s'était fiée aux photos des brochures. Outre la qualité de son enseignement, qui était incontestable, c'était la très bonne réputation de cette université qui avait attiré Tana. Même si on la prétendait démodée, cela n'était pas fait pour lui déplaire. A présent qu'elle contemplait les élégants bâtiments blancs, parfaitement entretenus, les hautes colonnades et les belles fenêtres qui donnaient sur un petit lac, elle avait presque l'impression d'être arrivée chez elle.

Elle se présenta à l'accueil, où elle remplit quelques formulaires, écrivit son nom en bas d'une longue liste, et apprit où se trouvait son logement. Quelques instants plus tard, Sam l'aidait de nouveau à charger ses bagages dans une vieille carriole. Tana avait l'impression que ce voyage la ramenait en arrière. Pour la première fois depuis des mois, elle se sentit paisible. Elle n'aurait pas à affronter sa mère ici, à lui expliquer ses états d'âme, elle n'aurait plus à entendre le nom détesté des Durning, ou à supporter le chagrin qu'Arthur imprimait sans le savoir sur le visage de sa mère. Demeurer dans la même ville qu'eux lui était insupportable, et son seul désir, depuis le viol, avait été de s'enfuir. Il lui avait fallu rassembler tout son courage pour partir camper. Une fois là-bas, chaque jour avait été un combat. Elle avait un mouvement de recul dès qu'un homme l'approchait de trop près, et même les enfants l'effrayaient. Elle n'aurait pas ce genre de problèmes à Green Hill, car c'était une université de filles, ce qui la dispensait d'assister à des matchs de football ou à des bals. Sortir ne l'intéressait pas, pas plus que le reste d'ailleurs depuis trois mois... Elle huma l'air qui sentait si bon et adressa un faible sourire à Sam. Il se mit à rire.

— Ça vous fait loin de New York.

— Oui, mais c'est vraiment joli ici.

Elle jeta un coup d'œil sur le lac, puis sur les bâtiments disposés en éventail et précédés d'autres constructions, plus petites.

— C'était une plantation, vous savez, autrefois.

Il le disait à une centaine de jeunes filles chaque année, et ne manquait pas d'ajouter que son grand-père y avait été esclave, ce qui provoquait la stupeur de ses interlocutrices. Toutes ces étudiantes, si jeunes et si jolies, lui rappelaient un peu sa propre fille, qui était grande aujourd'hui, et avait elle-même des enfants. Elles aussi un jour se marieraient et deviendraient mères de famille. Chaque année, au printemps, après la remise des diplômes, il y en avait au moins une douzaine qui revenaient pour se marier dans la belle église du domaine. Il jeta un coup d'œil à Tana, qui marchait d'un bon pas à côté de lui, se demandant combien de temps elle resterait. C'était l'une des plus jolies jeunes filles qu'il ait jamais vues, avec ces longues jambes bien galbées et cette chevelure qui auréolait son visage où brillaient d'immenses yeux verts. S'il l'avait connue depuis plus longtemps, il l'aurait taquinée en lui disant qu'elle ressemblait à une vedette de cinéma. Mais elle semblait plus réservée que les autres ; en outre il avait remarqué dès le début qu'elle était particulièrement timide.

— Vous étiez déjà venue ici ?

Elle secoua la tête tout en regardant le bâtiment devant lequel il venait d'arrêter la carriole.

— C'est l'une de nos plus belles maisons. On l'appelle Jasmine House. J'ai déjà amené cinq jeunes filles ici aujourd'hui. Vous devez être à peu près vingt-cinq au total, plus l'intendante pour garder un œil sur vous... même si je suis certain que ce n'est pas nécessaire, conclut-il avec malice.

Il partit de son grand éclat de rire, presque musical. Tana lui sourit tout en l'aidant à porter une partie des bagages. Elle le suivit à l'intérieur et se retrouva dans un salon, joliment décoré. Les meubles étaient pour la plupart anciens, les tissus fleuris et gais. De grands bouquets de fleurs, dans d'imposants vases de cristal, étaient disposés sur plusieurs tables ainsi que sur un bureau. Tana fut immédiatement sensible à l'atmosphère douillette de la pièce, dont l'élégance raffinée rendait comme indispensable le port d'un chapeau et de gants blancs. Tandis qu'elle examinait à regret sa jupe à carreaux, ses mocassins et ses chaussettes, une femme aux cheveux blancs, aux yeux bleus, vêtue d'un élégant tailleur gris, s'avança à sa rencontre. Comme Tana l'apprit bien vite, elle était l'intendante de Jasmine House depuis plus de vingt ans. Elle avait un joli accent traînant du Sud. Lorsque sa veste s'entrouvrit, Tana remarqua un simple collier de perles autour de son cou. Elle inspirait immédiatement confiance, avec ces petites rides joyeuses qui entouraient ses yeux.

— Bienvenue à Jasmine House, ma chère.

Il y avait onze autres bâtiments semblables à celui-ci.

— Nous nous plaisons à croire que Jasmine est le plus agréable de nos bâtiments, fit-elle avec un grand sourire.

Puis, elle offrit à Tana une tasse de thé, tandis que Sam finissait de décharger les bagages. Tana accepta

61

la tasse décorée avec sa petite cuillère en argent, mais refusa poliment une assiette de petits gâteaux. Tout en contemplant le lac, par la fenêtre, elle se disait que la vie était bien étrange. Elle avait l'impression d'avoir atterri sur une autre planète. Tout était différent de New York... Elle se retrouvait ici, loin de tous ses proches, en train de boire une tasse de thé et de parler à cette femme, alors que trois mois seulement auparavant, elle était étendue sur le tapis de la chambre d'Arthur Durning, violée et battue par son fils.

— ... n'est-ce pas, ma chère ?

Tana fixa l'intendante d'un œil vide, ne sachant trop ce qu'elle venait de lui dire. Elle se contenta d'acquiescer, brusquement fatiguée.

— Oui, oui... bien entendu.

Elle ne savait pas très bien ce qu'elle était en train de promettre et ne pensait plus qu'à gagner sa chambre. Elles terminèrent enfin leur thé, reposèrent leur tasse, puis l'intendante lui montra le chemin. Sa chambre se trouvait au deuxième étage, au bout d'un long couloir décoré de gravures alternant avec des photos d'anciennes étudiantes. La chambre, dans les tons roses, comprenait deux lits étroits, deux commodes, deux chaises, et un minuscule lavabo dans un coin. Le plafond en pente s'abaissait jusqu'aux têtes des lits. L'intendante, attendant la réaction de Tana, parut satisfaite lorsque celle-ci se tourna vers elle en souriant.

— C'est très joli.

— Toutes les chambres sont jolies, ici.

Elle se retira peu après, et Tana resta d'abord assise, ne sachant trop que faire. Puis elle s'étendit sur un lit et contempla les arbres par la fenêtre. Elle se demandait s'il lui fallait attendre sa compagne de chambre avant de s'approprier l'une des commodes et la moitié de la penderie, mais elle n'avait pas envie de défaire ses bagages pour l'instant. Elle était prête à partir, pour se promener autour du lac, lorsqu'elle entendit frapper à la porte. Le vieux Sam apparut tout à coup. Elle se redressa aussitôt tandis qu'il déposait deux sacs de voyage. Il jeta un rapide coup d'œil à Tana, puis haussa les épaules.

— Je crois bien qu'on n'avait encore jamais vu ça ici.

De quoi parlait-il ? Tana, déconcertée, le vit à nouveau hausser les épaules, avant de disparaître, puis elle fixa les bagages sans comprendre. Il y avait deux grands sacs de voyage à carreaux bleu et vert avec des étiquettes de train, une trousse à maquillage et une boîte à chapeau, bref, rien qui les distingue de ses propres bagages. Elle arpenta lentement la pièce en se demandant quand arriverait leur propriétaire. Le cérémonial du thé lui faisait craindre une longue attente, mais à sa grande surprise, la jeune fille arriva rapidement. L'intendante frappa d'abord, puis elle ouvrit la porte en lançant à Tana un regard qui ne présageait rien de bon, avant de s'effacer. Sharon Blake entra dans la pièce, d'une démarche comme aérienne. Tana se dit qu'elle n'avait jamais vu une jeune fille au physique aussi exceptionnel. Elle avait des cheveux noirs, tirés en arrière, des yeux brillants comme de l'onyx, des dents aussi blanches que l'ivoire, et son visage café-au-lait était si finement dessiné qu'il semblait presque irréel. Sa beauté était si intense, ses gestes si gracieux, son style si personnel, que Tana en eut littéralement le souffle coupé. Elle portait un manteau rouge vif et un petit chapeau assorti. En s'asseyant avec grâce sur l'une des deux chaises, elle laissa voir une robe moulante de lainage gris, exactement de la même couleur que ses chaussures de prix. Elle ressemblait davantage à une gravure de mode qu'à une étudiante. Tana gémit intérieurement en songeant aux affaires qu'elle avait apportées, rien que des kilts et des pantalons bleu marine, de vieilles jupes de laine qui ne lui plaisaient pas vraiment, un tas de chemisiers quelconques, des pulls, et deux robes que sa mère lui avait achetées avant son départ.

— Tana...

Le ton de l'intendante montrait qu'elle prenait les présentations très au sérieux.

— Voici Sharon Blake. Elle vient du Nord, elle aussi, mais de Washington.

— Bonjour, dit Tana en la regardant timidement.

Sharon lui tendit la main avec un sourire éblouissant.

— Enchantée.

— Je vais vous laisser, continua l'intendante en lançant à Sharon un regard presque peiné, et un coup d'œil plein de sympathie à Tana.

Elle s'en voulait terriblement de lui imposer cela, mais quelqu'un devait partager la chambre de Sharon. Comme Tana était boursière, ce n'était que justice. Les autres étudiantes n'auraient pas accepté la compagnie d'une Noire. Elle referma doucement la porte et descendit l'escalier d'un pas décidé. C'était la première fois qu'un tel événement se produisait à Green Hill. Elle se sentit l'envie tout à coup d'avaler un bon alcool fort.

Dans la chambre, Sharon se contenta d'abord de rire, puis elle se rassit sur sa chaise en contemplant la chevelure dorée de Tana qui contrastait si fortement avec sa propre couleur de cheveux. De son côté, Tana l'observait. Elle souriait, mal à l'aise, se disant qu'il aurait été décidément plus simple de choisir une université dans le Nord. Mais elle ne connaissait pas encore Sharon Blake. Elle savait seulement qu'elle était belle et qu'elle portait des vêtements de prix. Elle quitta ses chaussures tandis qu'un sourire éclairait à nouveau son visage délicat.

— Eh bien, qu'est-ce que tu penses de Jasmine House ?

— C'est joli. Tu ne trouves pas, toi ?

Tana se sentait encore intimidée, mais l'expression hardie, franche et courageuse qu'elle lisait sur le beau visage de Sharon l'attirait.

— On nous a donné la plus vilaine chambre.

— Comment tu le sais ? demanda Tana, interloquée.

— J'ai regardé les autres en passant dans le couloir.

Elle soupira, et enleva délicatement son chapeau en ajoutant :

— Je m'y attendais.

Puis elle regarda Tana d'un œil inquisiteur avant de lui demander :

— Quel péché as-tu commis pour être obligée de partager une chambre avec moi ?

Elle-même savait pertinemment pourquoi elle se trouvait dans cette chambre. Elle était la seule Noire à Green Hill, et si elle y avait été admise, c'était parce que son père était un écrivain mondialement connu, lauréat de deux grands prix, et que sa mère était magistrat. Miriam Blake avait donné le choix à sa fille aînée, avant de l'envoyer à Green Hill. Elle pouvait bien sûr aller dans le Nord, à Columbia, puisque ses bonnes notes le lui permettaient, ou à Georgetown, plus près de chez elle, ou encore à Ucla, si elle voulait vraiment entreprendre une carrière de comédienne. Mais elle pouvait accomplir quelque chose de bien plus important, avait ajouté sa mère, « un acte qui serait symbolique un jour, pour d'autres jeunes filles noires ». Sharon l'avait regardée sans comprendre.

— Tu pourrais aller à Green Hill, avait suggéré Miriam.

— Dans le Sud ? avait-elle demandé, interloquée. Mais ils ne me laisseront même pas entrer !

— Tu n'as pas encore compris, chérie ? Ton père s'appelle Freeman Blake. Il a écrit des livres qui sont lus dans le monde entier. Tu penses vraiment qu'ils oseraient te mettre dehors ?

Sharon avait émis un petit rire nerveux.

— Sans aucun doute, maman. Ils m'enduiront de goudron et de plumes avant même que j'aie déballé mes affaires.

Elle était terrifiée à cette idée. Elle savait ce qui était arrivé à Little Rock, trois ans auparavant. Il avait fallu une intervention armée pour permettre à des enfants noirs d'aller dans une école de Blancs. Et là, il ne s'agissait pas d'une simple école, mais de Green Hill, l'université de jeunes filles la plus select de tout le Sud, où se retrouvaient les chères progénitures des membres du Congrès, des sénateurs, des gouverneurs du Texas, de la Caroline du Sud et de la Georgie. Elles y apprendraient pendant deux ans les bonnes manières, avant d'épouser des jeunes gens de leur rang.

— C'est de la folie, maman !

— Si toutes les jeunes filles de ce pays réagissent comme ça, Sharon Blake, eh bien, dans cent ans, nous dormirons encore dans des hôtels réservés aux Noirs, nous continuerons à être relégués au fond des bus et à aller boire à des fontaines qui sentent l'urine.

Le regard de sa mère s'était enflammé. Sharon avait tressailli. Mais telle était la position de Miriam Blake depuis toujours. Elle avait fréquenté Radcliffe, grâce à une bourse, puis elle avait étudié le droit. Depuis, elle s'acharnait à défendre ses convictions en se battant pour les déshérités, les gens du commun, et maintenant pour son peuple. Même son mari l'admirait, parce qu'il trouvait que personne n'avait autant de courage qu'elle. Cet engagement effrayait beaucoup Sharon quelquefois, et plus que jamais lorsqu'il s'agissait de son inscription à Green Hill.

— Qu'est-ce qui va se passer, si j'y vais ?

Terrorisée, elle en avait parlé à son père.

— Je ne suis pas comme elle, papa, je ne veux rien prouver... J'ai envie d'avoir des amis, de m'amuser... ce qu'elle exige de moi est trop dur...

Il vit ses yeux se mouiller de larmes et comprit ce qu'elle ressentait. Mais il ne pouvait les changer ni l'une ni l'autre, Miriam avec son engagement, et Sharon, belle, insouciante et gaie, qui lui ressemblait tant. Elle voulait devenir actrice à Broadway et se rendre pour cela à Ucla.

— Tu pourras y aller dans deux ans, Shar, lui répondit sa mère, mais il faut d'abord en payer le prix.

— Mais pourquoi payer ? Pourquoi sacrifier deux ans de ma vie ?

— Parce que tu vis ici, dans la maison de ton père, dans une confortable banlieue de Washington, que tu dors dans ton petit lit bien chaud, grâce à nous, et que tu ne sais pas ce que c'est que la souffrance.

— Alors bats-moi, traite-moi comme une esclave, mais laisse-moi faire ce que je veux.

— Parfait.

Les yeux de sa mère brillaient de colère.

— Fais ce que tu veux. Mais tu ne marcheras jamais la tête haute, ma fille, si tu ne penses qu'à toi. Tu crois que c'est ce qu'ils ont fait à Little Rock ? Non. Ils ont continué leur route, malgré les fusils braqués sur eux, et le Ku Klux Klan qui réclamait leurs têtes tous les jours. Et sais-tu pour qui ils ont lutté ainsi, ma fille ? Pour toi. Et toi, Sharon Blake, pour qui vas-tu agir ?

— Pour moi ! avait-elle hurlé avant de regagner sa chambre en claquant la porte.

Mais les paroles de sa mère l'avaient ébranlée, comme toujours. C'était une femme difficile à vivre, à connaître, à aimer, qui n'épargnait personne. Mais au bout du compte, elle était toujours de bon conseil.

Freeman Blake avait essayé de discuter avec sa femme, ce soir-là. Il savait à quel point Sharon avait envie d'aller dans l'Ouest.

— Pourquoi ne pas la laisser faire ce qu'elle veut, pour une fois ?

— Parce qu'elle a une responsabilité, comme moi, et comme toi.

— Il n'y a donc que cela qui compte ? Elle est jeune. Donne-lui une chance. Peut-être n'a-t-elle pas envie de se vouer à une cause. Peut-être ton propre engagement est-il suffisant...

Mais ils savaient tous deux que ce n'était pas totalement vrai. Dick, le frère de Sharon, n'avait que quinze ans, mais il était déjà le portrait de sa mère et partageait la plupart de ses idées, sauf qu'il était plus agressif et plus radical. Personne ne le ferait se courber. Freeman était fier de lui, mais il admettait aussi que Sharon puisse être différente.

— Laisse-la décider.

C'est ce qu'ils avaient fait mais, comme Sharon le

confia à Tana ce soir-là, son sentiment de culpabilité l'avait emporté.

— Voilà pourquoi je suis là, conclut-elle.

Après avoir dîné dans la grande salle à manger, elles regagnèrent leur chambre et enfilèrent leur chemise de nuit.

— J'espère bien aller à Ucla dans deux ans...

Elle soupira en contemplant le vernis qu'elle venait de passer sur ses ongles de pieds. Puis elle ajouta, en regardant Tana :

— Elle attend tellement de moi !

Tana sourit.

— Ma mère attend beaucoup de moi, elle aussi. Elle a toujours agi d'abord pour mon bien. Son seul désir, c'est que je reste ici un an ou deux et que j'épouse ensuite « un gentil garçon ».

Le déplaisir qui se peignit sur son visage fit rire Sharon.

— C'est ce que souhaitent secrètement toutes les mères, même la mienne, du moment que je lui promets de continuer à militer après mon mariage... Et ton père, qu'est-ce qu'il dit ? Moi, j'ai de la chance, le mien me tire d'embarras chaque fois qu'il le peut. Lui aussi trouve tout ça très casse-pied.

— Mon père est mort avant ma naissance. C'est pour ça que ma mère se fait tant de souci. Elle a toujours une peur terrible qu'il arrive un malheur, alors elle s'accroche à tout ce qui peut être sécurisant pour nous, et elle espère que je ferai la même chose.

Elle lança à Sharon un regard étrange, puis ajouta :

— Tu sais, je crois que ta mère est davantage à mon goût.

Les deux jeunes filles se mirent à rire, et n'éteignirent la lumière que deux heures plus tard. Au bout d'une semaine, elles étaient devenues de vraies amies. Elles avaient à peu près les mêmes emplois du temps, mangeaient ensemble, allaient à la bibliothèque, et faisaient de longues promenades autour du lac tout en discutant de la vie, des garçons, des parents, des amis. Tana parla à Sharon de la relation de sa mère avec Arthur Durning. Elle ne lui cacha pas ce qu'elle pensait de leur hypocrisie, de leur étroitesse de vue, de la vie stéréotypée d'Arthur à Greenwich, entouré de ses enfants, de ses amis et de ses associés, tous portés sur l'alcool, dans un décor tape-à-l'œil. Pendant ce temps sa mère trimait pour lui nuit et jour, ne vivant que pour ses coups de téléphone, et cela depuis douze ans.

— C'est bien simple, Shar, ça me met en rage. Et tu sais le pire ? C'est qu'elle accepte tout ça de lui. Elle trouve que c'est très bien. Il ne lui viendrait pas à l'idée de le laisser tomber ou d'exiger davantage. Elle restera comme ça toute sa vie, heureuse de lui servir de domestique, sans jamais se rendre compte qu'il ne fait rien pour elle, et en continuant à répéter qu'elle lui doit tout. Quoi, tout ? Tout ce qu'elle possède, elle a travaillé dur pour l'obtenir, et il la traite comme un meuble...

« Et pour certains services... » Les paroles de Billy résonnèrent dans son oreille. Elle les chassa de son esprit pour la millième fois.

— Elle doit voir les choses différemment... mais ça me rend folle. Je n'ai pas envie d'être obligée de dire merci à ce type toute ma vie. Je dois beaucoup à ma mère, mais rien du tout à Arthur Durning. Elle non plus d'ailleurs... Mais elle a toujours tellement peur... Je me demande si elle était comme ça avant la mort de mon père.

— Moi, répondit Sharon, je préfère mon père à ma mère.

Elle était toujours sincère, surtout avec Tana. Au bout d'un mois, les deux jeunes filles n'avaient plus de secret l'une pour l'autre. Tana avait tu une seule chose : le viol. Les mots ne parvenaient pas à sortir de sa bouche. Elle estimait que cela n'avait pas grande importance de toute façon. Mais quelques jours avant le premier bal organisé avec un collège de garçons des environs, à l'occasion de la fête d'Halloween, Sharon se renversa sur son lit, en roulant les yeux.

— Allons bon. Qu'est-ce que je fais, moi ? Je me

déguise en chat noir ou bien en membre du Ku Klux Klan, avec un drap blanc ?

Les jeunes filles étaient libres de venir au bal seules, puisqu'il devait avoir lieu à Green Hill, ce qui convenait parfaitement à Tana et à Sharon qui n'avaient aucun rendez-vous, et aucune autre amie. Les étudiantes avaient pris soin de ne pas approcher Sharon de trop près. Elles se montraient polies envers elle, ne la dévisageaient plus. Par ailleurs, tous les professeurs la traitaient avec courtoisie, sans pourtant tenir vraiment compte de sa présence, comme si, à force de l'ignorer, elle finirait peut-être par disparaître. Sa seule amie était Tana, qui de son côté n'en avait pas d'autre. Tout le monde l'évitait, elle aussi, car on ne fréquente pas une jeune fille qui préfère la compagnie d'une Noire. Sharon le lui avait reproché plus d'une fois.

— Mais pourquoi tu ne vas pas t'amuser avec les gens de ta race ? lui répétait-elle en s'efforçant de prendre un ton dur.

Mais Tana n'avait jamais été dupe.

— Laisse-moi tranquille.

— Tu es complètement idiote.

— Eh bien, comme ça, on fait la paire. C'est pour ça qu'on s'entend si bien.

— Tu parles ! se moquait Sharon, tu es avec moi parce que tu es habillée comme l'as de pique, et que si tu ne profitais pas de ma garde-robe et de mes conseils avisés, tu serais insortable !

— Tu as raison, répondait Tana en riant, et je compte sur toi pour m'apprendre à danser !

Les deux amies se laissaient tomber sur leur lit, et on les entendait rire presque chaque soir. Sharon avait un dynamisme, une verve, un brio qui redonnaient à Tana le goût de vivre. Elle avait aussi une distinction que ses vêtements de prix mettaient en valeur. Comme Tana et elle étaient à peu près de la même taille, elles finirent, au bout d'un mois, par ranger leurs affaires dans les mêmes tiroirs et par mettre ce qui leur tombait sous la main.

— Dis donc... En quoi tu vas te déguiser pour la fête de Halloween, Tan ?

Sharon était en train de peindre ses ongles avec un vernis d'un orange éclatant qui ressortait à merveille sur sa peau foncée. Tana, indécise, détourna le regard.

— Je ne sais pas... je verrai.

— Qu'est-ce que ça veut dire ?

Elle avait déjà perçu une ou deux fois cette note triste dans la voix de Tana, mais elle ignorait où se situait la faille.

— Tu y vas, n'est-ce pas ?

Tana se leva en s'étirant et répondit, évitant toujours de la regarder :

— Non, je n'y vais pas.

— Mais pourquoi donc ? demanda Sharon, ahurie.

Tana aimait s'amuser, elle était jolie, agréable, intelligente. Rien n'expliquait donc ce refus.

— Tu n'aimes pas Halloween ?

— Si, c'est très bien... pour les enfants.

Intriguée, Sharon poursuivit :

— Ne fais pas le rabat-joie, Tan. Ecoute, c'est moi qui vais m'occuper de ton déguisement.

La jeune Noire plongea dans la penderie, d'où elle sortit toutes les affaires qu'elle jeta sur le lit. Mais Tana ne se dérida pas, si bien que cette nuit-là, une fois les lumières éteintes, Sharon la questionna à nouveau.

— Comment se fait-il que tu ne veuilles pas aller au bal, Tan ?

Elle savait bien que son amie n'avait pas de cavalier, mais c'était le cas de presque toutes les étudiantes.

— Tu as un petit ami chez toi ?

Elle ne lui en avait pas encore parlé, mais Sharon sentait sa réticence, même si elles n'avaient pas abordé certains sujets, comme celui de leur virginité par exemple. Contrairement à d'autres, Tana gardait le silence dans ce domaine. Sharon, de son côté, ne tenait pas particulièrement à en parler. Elle se leva sur un coude, pour regarder Tana dans la lumière du clair de lune.

— Tan... ?

— Non, ce n'est pas ça... Je n'aime pas sortir, c'est tout.

— Il y a une raison particulière ? Tu es allergique aux hommes ? La tête te tourne quand tu danses ?... A moins que tu ne te changes en vampire, après minuit... ce serait vraiment idéal pour Halloween ! ajouta-t-elle en riant.

Tana se mit à rire elle aussi.

— Ne fais pas l'idiote. Je ne veux pas sortir, c'est tout. Ce n'est pas bien grave. Vas-y, toi, et tombe amoureuse d'un Blanc, pour faire enrager tes parents.

— Mon Dieu, on me renverrait certainement du collège. Si ça ne tenait qu'à elle, Mme Jones me mettrait bien avec le vieux Sam !

L'intendante, à maintes reprises, avait regardé Sharon d'un air condescendant, avant de jeter un coup d'œil à Sam, comme s'ils avaient eu une sorte de parenté.

— Est-ce qu'elle sait qui est ton père ?

Freeman Blake venait juste d'être lauréat du prix Pulitzer. Tout le pays connaissait son nom.

— Je ne pense pas qu'elle soit capable de lire...

— Donne-lui un livre dédicacé, la prochaine fois que tu rentreras de vacances.

— Elle en mourrait... !

Mais le problème du bal n'était toujours pas résolu. Pour finir, Sharon se déguisa en chat noir. Elle était terriblement séduisante dans son justaucorps noir, qui mettait en valeur ses longues jambes fuselées. Après quelques instants de malaise, quelqu'un l'invita et elle dansa sans arrêt. Elle passa une excellente soirée, même si aucune jeune fille ne lui adressa la parole. Lorsqu'elle rentra, juste après une heure du matin, elle trouva Tana profondément endormie.

— Tan... ? Tana... ?

Celle-ci remua un peu, leva la tête et ouvrit un œil en grommelant.

— C'était bien ?

— Formidable ! J'ai dansé toute la soirée !

Elle mourait d'envie de tout lui raconter, mais Tana s'était déjà retournée dans son lit.

— Tant mieux. Bonne nuit.

Sharon contempla le dos de Tana et se demanda à nouveau pourquoi elle n'était pas venue, mais elle n'ajouta rien. Le lendemain, lorsqu'elle essaya de revenir sur le sujet, elle comprit que Tana ne voulait pas en parler. Les autres étudiantes commencèrent à sortir, après le bal. Le téléphone sonnait sans arrêt au rez-de-chaussée, mais un seul garçon appela Sharon. Il l'invita au cinéma, mais lorsqu'ils arrivèrent, le guichetier ne les laissa pas entrer.

— On n'est pas à Chicago, les amis, dit-il en les regardant avec désapprobation. Ici, vous êtes dans le Sud. Rentre chez toi, ajouta-t-il en s'adressant au jeune homme, qui rougissait, et trouve-toi une fille comme il faut, mon garçon.

Dans la voiture, Sharon avait essayé d'arranger les choses :

— De toute façon, je n'avais pas envie de voir ce film. C'est vrai, Tom, ça n'a aucune importance.

Mais un silence mortel régnait entre eux. Lorsqu'ils arrivèrent devant Jasmise House, elle se tourna vers lui, le regard bienveillant.

— Je te dis que ce n'est rien, Tom. Je comprends, j'ai l'habitude.

Elle reprit sa respiration avant de révéler :

— C'est pour cette raison que je suis venue à Green Hill.

Il la contempla, l'air interrogateur. C'était la première fois qu'il demandait à une jeune fille noire de sortir avec lui. Il n'avait jamais rencontré créature plus fascinante.

— Alors tu es venue ici pour te faire injurier par un imbécile qui tient un cinéma dans ce coin paumé ?

Il était encore fou de rage, même si elle ne l'était pas.

— Non, répondit-elle doucement, songeant aux paroles de sa mère. Je suis venue pour faire en sorte que les choses changent. Petit à petit, les gens évolueront et un jour plus personne n'y fera attention. Les Noirs et les Blancs pourront aller au cinéma ensemble, marcher dans les rues, manger n'importe où. C'est comme ça à New York. Pourquoi cela n'arriverait pas ici ? Là-bas, les gens vous regardent, c'est vrai, mais au moins, ils ne vous rejettent pas.

Le jeune homme la contempla, en se demandant tout à coup si elle ne s'était pas servie de lui, mais sans y croire vraiment. Sharon Blake n'était pas comme ça. Il avait déjà entendu parler de son père. Son admiration pour elle n'en fut que plus vive. Même si ce qu'elle disait le mettait un peu mal à l'aise, il savait qu'elle avait raison.

— Je suis désolé qu'on n'ait pas pu entrer. Pourquoi ne pas réessayer la semaine prochaine ?

Elle se mit à rire.

— Je n'ai jamais prétendu qu'il fallait tout changer d'un seul coup !

Mais elle appréciait son impétuosité. L'idée ferait son chemin en lui. Elle se dit que sa mère avait peut-être raison, en fin de compte, et qu'il n'était pas inutile de servir une cause.

— Et pourquoi ? insista Tom. Tôt ou tard, ce type se fatiguera de nous refouler. Et puis, ça ne nous empêche pas d'aller au café ou au restaurant, en ville...

Sharon se mit à rire, tandis qu'il l'aidait à descendre de voiture et la raccompagnait. Elle lui offrit de prendre une tasse de thé et ils allèrent s'asseoir dans le salon. Mais les regards que leur décochaient les autres couples étaient si inquisiteurs que Sharon finit par se lever. Elle le raccompagna jusqu'à la porte, soudain attristée. Cela aurait été tellement plus facile à Columbia ou n'importe où dans le Nord.

Tom, comprenant ce qu'elle ressentait, lui murmura dans l'encadrement de la porte :

— Souviens-toi... il faut du temps.

Il lui effleura la joue avant de partir, et elle le regarda s'éloigner. Il avait raison, évidemment. Il faudrait beaucoup de temps...

En montant l'escalier, elle se dit que sa soirée avait été complètement gâchée. Elle appréciait Tom, qu'elle trouvait sympathique, mais elle se demandait si elle aurait encore de ses nouvelles.

— Alors, il s'est déclaré ? demanda Tana en riant.

— Oui, deux fois.

— Parfait. Comment était le film ?

— Ne me le demande pas.

— Vous n'y êtes pas allés ?

— On ne nous a pas laissés entrer. Tu sais bien... un Blanc avec une Noire...

Elle faisait mine de rire, mais Tana voyait de la tristesse dans ses yeux. Elle fronça les sourcils.

— Quelle horreur. Qu'a dit Tom ?

— Il a été très gentil. On est restés un peu en bas, après notre retour, mais c'était encore pire. Il devait y avoir près d'une dizaine de Blanche-Neige assises avec leur Prince Charmant. Ils avaient tous les yeux rivés sur nous.

Elle s'assit en soupirant, et regarda son amie.

— Ah, je te jure... Ma mère et ses grandes idées ! Durant une minute, devant le cinéma, je me suis senti l'âme noble et courageuse, mais une fois ici, je me suis dit que c'était insupportable. Tu te rends compte ! Ne même pas pouvoir aller manger un hamburger ! Je pourrais mourir de faim dans cette ville.

— Pas si tu es avec moi, j'en suis certaine.

Elles n'avaient jamais encore dîné à l'extérieur, parce qu'elles se trouvaient bien au collège et que la nourriture y était bonne. Elles avaient d'ailleurs déjà pris près de deux kilos, au grand désespoir de Sharon.

— N'en sois pas si sûre, Tan. Ce sera la même chose si je suis avec toi. Quoi que tu fasses, blanc, c'est blanc, et noir, c'est noir.

— Pourquoi ne pas essayer ?

Elles tentèrent l'aventure le lendemain. Elles se promenèrent en ville et s'arrêtèrent dans un café. La serveuse les regarda longuement, d'un œil insistant et mauvais, puis s'éloigna sans les servir. Tana, interloquée, lui fit à nouveau signe, mais la femme semblait ne pas les voir, jusqu'à ce que Tana s'approche d'elle et lui demande de prendre leur commande. La serveuse la considéra d'un air ennuyé, puis lui dit à voix basse, pour que Sharon n'entende pas :

— Désolée, ma petite, je ne peux pas servir votre amie. J'espérais que vous comprendriez.

— Et pourquoi donc ? Elle est de Washington, ajouta Tana, comme si cela faisait une différence. Sa mère est magistrat et son père a reçu deux fois le prix Pulitzer.

— Ça ne change rien. On est à Yolan, pas à Washington.

— Y a-t-il un autre endroit où l'on puisse déjeuner, en ville ?

La serveuse regarda avec nervosité la grande jeune fille blonde aux yeux verts, avant de répondre d'un ton acerbe qui effraya Tana :

— Elle peut aller un peu plus loin dans la rue... et vous, manger ici.

— Je voulais dire toutes les deux.

Le regard de Tana s'était durci. Pour la première fois de sa vie, elle eut envie d'être violente pour soulager la rage qui montait en elle et l'oppressait.

— Existe-t-il un endroit où nous puissions manger toutes les deux, ici, sans être obligées d'aller à New York ? lança-t-elle avec irritation.

Mais, comme la serveuse secouait la tête, la jeune fille déclara, bien décidée à ne pas reculer :

— Très bien, alors je veux deux cheeseburgers et deux Coca-Cola.

— Vous ne les aurez pas.

Un homme sortit des cuisines, derrière elles.

— Vous n'avez qu'à retourner dans votre collège de riches. Je ne sais pas ce qui leur a pris, mais s'ils acceptent les Noirs maintenant, ils n'ont qu'à les nourrir, parce que ici il n'en est pas question.

Il braqua son regard sur Tana, puis sur Sharon. Une telle haine émanait de lui que Tana pensa qu'il serait bien capable de les faire sortir de force. Depuis son viol, elle ne s'était jamais sentie si effrayée ni si révoltée.

A ce moment Sharon se leva lentement, avec sa grâce et sa distinction habituelles.

— Viens, Tan, dit-elle de sa voix sensuelle.

Tana saisit le regard émoustillé de l'homme. Elle éprouva l'envie de le gifler, car il lui rappelait un épisode de sa vie qu'elle voulait oublier à tout prix. Un instant plus tard, elle était dans la rue avec Sharon.

— Les monstres...

La jeune fille fulminait tout en regagnant lentement le collège. Sharon au contraire demeurait étrangement calme. Elle éprouvait la même sensation que la nuit précédente avec Tom, lorsqu'on les avait empêchés d'entrer dans le cinéma. Durant un instant, elle avait eu conscience de son pouvoir, elle avait compris la raison de sa venue à Green Hill, puis le découragement l'avait emporté.

— La vie est étrange, tu ne trouves pas ? Si ça se passait à New York ou ailleurs, personne ne ferait attention. Mais ici, la seule chose qui compte, c'est que je suis noire et que tu es blanche. Peut-être ma mère a-t-elle raison, peut-être est-il temps de partir en croisade ? Jusqu'à maintenant je me disais que tant que je n'avais pas d'ennui, ce qui pouvait arriver aux autres ne me concernait pas. Mais il se trouve que cette fois-ci, l'autre, c'est moi.

Elle comprenait tout à coup pourquoi sa mère avait tant insisté pour qu'elle vienne là. Pour la première fois depuis son arrivée, elle lui donna presque raison. Peut-être sa place était-elle ici, après tout ? Peut-être devait-elle s'acquitter d'une dette en échange de toutes les années de bonheur qu'elle avait vécues !

— Je ne sais que penser, Tan...

— Moi non plus...

Elles marchaient côte à côte.

— Je ne crois pas avoir jamais été aussi désespérée, aussi folle de rage... poursuivit Tana.

A cet instant, le visage de Billy s'imposa à elle. Elle ajouta en grimaçant :

— ... Ou alors, peut-être une fois...

Elles ne s'étaient jamais senties aussi proches l'une de l'autre ; Tana avait presque envie de passer un bras autour des épaules de Sharon, pour la protéger.

— Quand était-ce, Tan ?

— Oh, il y a longtemps... environ cinq mois.

— Et tu appelles ça longtemps !

Les deux jeunes filles échangèrent un regard complice. Après un instant de silence, Sharon reprit :

— Ça n'a pas dû être drôle...

— Effectivement.

— Tu ne veux pas en parler ?

Tana réfléchissait. Depuis qu'elle avait essayé d'en parler à sa mère, elle avait été incapable de se confier à quelqu'un.

— Je ne sais pas.

Sharon acquiesça, comme si elle comprenait. Chaque être a en lui des secrets, qu'il n'a pas forcément envie de partager. Elle aussi en avait un.

— Comme tu voudras, Tan.

Mais au même moment, sentant les mots qui venaient sur ses lèvres presque malgré elle, Tana se tourna vers Sharon.

— Si, d'accord... mais c'est tellement difficile...

Elle pressa le pas, comme pour s'enfuir. Sharon la suivait sans effort, de sa démarche gracieuse et élastique. Tana passa nerveusement la main dans ses cheveux. Elle détourna le regard, le souffle court.

— Il n'y a pas grand-chose à dire... En juin, je suis allée à une soirée chez le patron de ma mère. Son fils est un sale petit idiot... j'avais pourtant dit à ma mère que je ne voulais pas y aller...

Elle haletait à présent, sans même s'en rendre compte.

— ... Il n'empêche que ma mère m'a forcée. Elle est

toujours comme ça quand il s'agit d'Arthur Durning et de ses enfants... elle ne les voit pas tels qu'ils sont, et...

Elle se tut pendant quelques instants. Son pas s'était encore accéléré, mais Sharon restait à sa hauteur, la regardant se débattre avec ses souvenirs. Enfin, la jeune fille reprit :

— Un ami de cet idiot est donc venu me chercher. Nous sommes arrivés là-bas... à la soirée, je veux dire... tout le monde était soûl... et le garçon qui m'avait amenée s'est soûlé lui aussi. Il a disparu, alors j'ai erré dans la maison. Billy... le fils d'Arthur... m'a demandé si je voulais voir la pièce où travaillait ma mère. Je savais où c'était...

Des larmes se mirent à couler sur ses joues. Sharon garda le silence.

— En fait, il m'a emmenée dans la chambre d'Arthur. Tout était gris... le velours, le satin... la fourrure... même le tapis...

C'était tout ce dont elle se souvenait, cette étendue de gris, son sang par terre ensuite, puis le visage de Billy. Le souffle coupé, la jeune fille tira sur le col de son chemisier, puis elle se mit à courir en sanglotant, tandis que Sharon la suivait toujours. Sentant qu'elle n'était plus seule, qu'une amie partageait son cauchemar avec elle, elle continua :

— Billy s'est mis à me gifler. Il m'a renversée par terre...

Se souvenant de son désespoir et de sa détresse, elle poussa un cri, puis elle cacha son visage entre ses mains.

— ... Et je n'ai rien pu faire pour l'arrêter, rien...

Elle se mit à trembler de tous ses membres. Sharon la prit dans ses bras.

— Il m'a violée... et il m'a laissée là, avec du sang partout... sur les jambes, sur le visage... et puis je me suis relevée... mais il m'a suivie sur la route et il m'a obligée à monter dans sa voiture...

Les mots se bousculaient sur les lèvres de Tana.

— ... Et puis, nous avons heurté un arbre. Il avait

du sang sur le visage, partout... ensuite, on nous a emmenés à l'hôpital, et ma mère est arrivée...

Elle s'arrêta brusquement, le visage ravagé, transportée cinq mois en arrière.

— Quand j'ai essayé de le lui dire, elle ne m'a pas crue... elle a dit que Billy Durning n'avait pas pu faire une chose pareille.

Ses sanglots redoublèrent, Sharon resserra doucement son étreinte.

— Je te crois, Tan.

— Jamais plus personne ne me touchera !

Pour des raisons bien différentes, Sharon savait ce que ressentait Tana. Elle s'était donnée, elle, de plein gré à l'homme qu'elle aimait...

— Ma mère n'a jamais cru un mot de ce que je lui ai dit. Et ça ne risque pas de changer. Les Durning sont des dieux pour elle.

— Le principal, c'est que tu t'en sois sortie, Tan.

Sharon la fit asseoir sur une souche d'arbre, puis elle lui offrit une cigarette que Tana accepta.

— Tu t'en es très bien tirée, tu sais. Beaucoup mieux que tu ne le penses.

Elle lui sourit tendrement, profondément émue de la confiance que son amie lui avait témoignée.

— Tu ne crois pas que c'est ma faute ?

— C'est idiot de se poser ce genre de question. Tu n'as rien à te reprocher, Tan.

— Je ne sais pas... Quelquefois, je me dis que j'aurais peut-être pu l'arrêter si j'avais vraiment essayé.

Cela la soulageait de parler, de laisser sortir des mots qui la hantaient depuis des mois.

— Est-ce que tu le crois réellement, Tan ? Est-ce que tu penses vraiment que tu aurais pu l'empêcher ? Dis la vérité.

Tana resta songeuse un long moment, puis secoua la tête.

— Non.

— Alors, ne te torture pas. C'est arrivé, ç'a été terrible, pire que ça, même. Et tu ne vivras certainement jamais plus quelque chose d'aussi dur, mais plus personne ne t'infligera ça. Ce n'est pas vraiment toi qu'il a touchée, Tan, quoi que tu en penses. Ton âme est toujours intacte. Alors tire un trait, oublie, et va de l'avant.

— C'est facile à dire, mais pas si facile à faire. Comment oublier une telle épreuve ?

— Force-toi. Ne te laisse pas détruire par ça, Tan. Ce type n'ira pas loin. C'est un malade, pas toi. Ne te charge pas d'un crime que tu n'as pas commis. Aussi affreux que cela ait pu être, ôte-le de ton esprit, et regarde l'avenir.

— Oh, Sharon...

Elle soupira, puis se leva et contempla son amie. La nuit était magnifique.

— Qu'est-ce qui te rend si raisonnable ?

Sharon sourit avant de répondre, le regard sérieux, presque triste :

— J'ai mes secrets, moi aussi.

— Lesquels ?

Tana ne s'était jamais sentie aussi calme de sa vie, comme si Sharon lui avait permis de libérer la bête féroce qui était en elle et l'empêchait de trouver le repos. Cela, sa mère n'avait pas été capable de le faire. Elle savait à présent que, quoi qu'il puisse arriver, Sharon et elle seraient amies pour la vie.

— Qu'est-ce qui t'est arrivé ?

Tana chercha le regard de son amie. Lorsque Sharon leva les yeux, elle y vit un secret. Sharon n'en avait parlé à personne, elle non plus, mais elle y avait longuement pensé. La veille de son départ pour Green Hill, elle en avait encore discuté avec son père. Il lui avait dit ce qu'elle venait de conseiller à Tana, de ne pas laisser cet incident détruire sa vie. C'était arrivé, il fallait l'accepter et aller de l'avant. Mais elle se demandait si elle y parviendrait.

— J'ai eu un enfant, cette année.

Durant un instant Tana eut le souffle coupé. Elle regarda son amie avec stupéfaction.

— Toi ?

— Oui. Je sortais avec lui depuis l'âge de quinze ans. Quand j'en ai eu seize, il m'a offert sa plus ancienne bague... comment te dire, Tan... c'était si merveilleux... il ressemble à un dieu africain, tu sais. Il est terriblement intelligent, et il danse...

Son visage rajeunissait et embellissait encore à ce souvenir.

— Il est à Harvard, maintenant, mais ça fait un an que je ne le vois pratiquement plus. Quand je lui ai annoncé que j'étais enceinte, il a été pris de panique. Il m'a proposé l'avortement. Un médecin de sa connaissance pouvait s'en charger. J'ai refusé... j'avais entendu parler de filles qui en étaient mortes... J'étais décidée à tout avouer à ma mère, mais je n'y arrivais pas... alors je me suis confiée à mon père, qui le lui a annoncé... et là, tout le monde est devenu comme fou. Ma mère a prévenu les parents de mon père, ça a été des cris, des larmes, des injures... j'ai vécu la pire nuit de ma vie. Quand le jour s'est levé, mes parents m'ont donné le choix. Soit j'interrompais cette grossesse, soit j'avais mon enfant, mais je l'abandonnais. Ils m'ont dit...

Elle prit sa respiration, comme si ce qu'elle allait dire était le pire de tout.

— Ils m'ont dit que je ne pourrais pas le garder... que ma vie serait ruinée si j'avais un enfant à dix-sept ans... je ne sais pas pourquoi, mais j'ai décidé d'avoir le bébé, peut-être parce que j'espérais que Danny changerait d'avis, ou mes parents, ou bien qu'un miracle arriverait. Mais rien ne s'est produit. Je suis restée à la maison pendant cinq mois et j'ai continué à travailler pour finir ma dernière année, puis le bébé est né, le 19 avril... un petit garçon...

Sharon s'était mise à trembler. Pour tenter de la calmer, Tana s'approcha d'elle et lui prit la main.

— Je ne devais pas le voir... mais c'est arrivé, une fois... il était si petit... Mon accouchement a duré dix-neuf heures, ça a été horrible, et il pesait seulement trois kilos...

Elle regardait au loin, songeant au petit garçon qu'elle ne reverrait jamais.

— Il est parti, Tan, gémit-elle. J'ai signé les derniers papiers la semaine dernière. Ma mère s'en est occupée. Ce sont des gens de New York qui l'ont adopté...

Elle baissa la tête en sanglotant.

— Mon Dieu, Tan, j'espère qu'ils sont bons pour lui... Je n'aurais jamais dû le laisser partir... Et tout ça pour quoi ?

Elle releva la tête avec violence.

— Pour ça ? Pour me retrouver dans ce collège assommant et être mise à l'épreuve, afin qu'un jour d'autres Noires puissent s'y inscrire ? Et après ?

— Ça n'a rien à voir. Tes parents souhaitaient que tu prennes un bon départ dans la vie, que tu fondes un foyer et que tu aies un mari, le moment venu.

— Ils ont eu tort, et moi aussi. Tu n'as pas idée de ce que l'on ressent... ce vide quand on rentre... sans rien... sans personne... rien ne pourra jamais le remplacer. Je n'ai pas vu Danny depuis que je suis allée dans le Maryland, je ne saurai jamais où se trouve mon enfant... J'ai passé mes examens, et personne n'a su ce que j'éprouvais...

Tana la regardait attentivement. Dorénavant, elles étaient deux femmes. Elles avaient payé un lourd tribut à la vie. Il était trop tôt pour dire si leur situation s'arrangerait avec le temps, mais chacune avait dès lors la certitude d'avoir une amie. Elles prirent lentement le chemin du retour, serrées l'une contre l'autre, mêlant leurs larmes, éperdues de pitié l'une pour l'autre.

— Je t'aime, Shar.

— Je le sais. Moi aussi...

Les deux jeunes filles regagnèrent Jasmine House, dans le silence de la nuit. Puis elles se déshabillèrent et se mirent au lit, plongées dans leurs pensées.

— Tan ?

— Oui ?

— Merci.

— De quoi ? De t'avoir écoutée ? C'est le rôle d'une amie... Moi aussi, j'ai besoin de toi.

— Mon père avait raison, tu sais. Il faut que tu ailles de l'avant.

— C'est certain. Mais comment ? Il n'aurait pas une idée par hasard ?

Sharon se mit à rire.

— Il faudra que je lui pose la question.

Puis elle eut une idée subite.

— Et si tu le lui demandais toi-même ? Si tu venais chez moi pour Thanksgiving ?

Tana fut tout de suite séduite.

— Je ne sais pas comment réagira ma mère.

Mais elle n'était pas certaine de s'en soucier vraiment ; elle éprouvait le furieux désir de voler de ses propres ailes et d'agir comme elle l'entendait.

— Je l'appellerai demain soir.

— Très bien.

Elle se retourna dans son lit.

— Bonne nuit, Tan.

Quelques instants plus tard elles dormaient, Tana les bras relevés au-dessus de sa chevelure blonde, et Sharon lovée sous les draps, apaisées et unies comme jamais encore elles ne l'avaient été.

CHAPITRE V

Jane Roberts fut déçue lorsque sa fille l'appela pour lui dire qu'elle avait décidé de ne pas rentrer pour Thanksgiving.

— Tu es sûre ? Tu ne connais pas bien cette jeune fille... hasarda-t-elle, sans vouloir trop insister.

— Maman, je vis avec elle. Nous partageons la même chambre. Je la connais mieux que quiconque.

— Tu es sûre que ses parents sont d'accord ?

— Absolument. Elle leur a téléphoné cet après-midi. Ils ont une chambre pour moi. Ils sont, paraît-il, enchantés qu'elle amène quelqu'un chez elle.

Ils l'étaient, évidemment, car les quelques mots de Sharon confirmaient la théorie de Miriam selon laquelle elle pouvait être heureuse à Green Hill, même si elle était la seule jeune fille noire. Le fait qu'elle amenait l'une d'entre « elles » à la maison apportait la preuve définitive de sa complète insertion. Ses parents ne savaient pas que Tana était sa seule amie, qu'il n'y avait pas un seul endroit dans tout Yolan où on accepte de lui servir à manger, qu'elle n'avait pas pu aller au cinéma depuis son arrivée, et que même à la cafétéria du collège les étudiantes l'évitaient. De toute façon, selon Sharon, même si sa mère avait su la vérité, la présence de sa fille en ces lieux ne lui en serait apparue que plus nécessaire ; il fallait qu'« ils » acceptent les Noirs, et ce moment était arrivé. Miriam Blake estimait que ce défi était bénéfique à Sharon, particulièrement après ces derniers mois, car cela l'empêcherait de s'apitoyer sur son sort.

— Ils sont vraiment contents, maman.

— Très bien, alors fais en sorte de l'inviter pendant les vacances de Noël, poursuivit Jane gaiement. En fait, j'ai une petite surprise pour toi. Arthur et moi, nous pensions te l'annoncer si tu venais...

Le cœur de Tana s'arrêta. S'était-il enfin décidé à épouser sa mère ? Elle resta sans voix tandis que celle-ci poursuivait :

— Arthur s'est arrangé pour que tu puisses faire ton entrée dans le monde. Il va y avoir un bal, à l'occasion duquel les jeunes filles vont être présentées à la société. Arthur a proposé ton nom. N'est-ce pas merveilleux, ma chérie ?

Durant un instant, Tana ne sut que répondre.

— Pourquoi ne pas inviter ta nouvelle amie ? poursuivait Jane.

Tana faillit s'étrangler. « Tout simplement parce que ma nouvelle amie est noire, maman », eut-elle envie de lancer.

— Je lui poserai la question, mais je crois qu'elle s'en va pour les vacances.

Etre présentée à la bonne société ! Quelle horreur. Et qui serait son cavalier ? Billy Durning, peut-être ?

— Ça n'a pas l'air de te réjouir, ma chérie ?

Jane était déçue par la réaction de sa fille, car elle tenait beaucoup à ce bal, c'est pourquoi Arthur s'était arrangé pour que Tana puisse y paraître. Ann avait été présentée à la société quatre ans auparavant, à l'occasion d'un grand bal. Même si la soirée à laquelle devait assister Tana était beaucoup plus modeste, Jane pensait que c'était une occasion rêvée pour sa fille.

— Excuse-moi, maman, ce doit être la surprise.

— C'est une merveilleuse surprise, n'est-ce pas ?

Non. Tout cela n'intéressait Tana en rien, pas plus que les mondanités absurdes qui régissaient la vie des Durning, mais cela comptait beaucoup pour Jane.

— Il faudra que tu penses à choisir ton cavalier pour le bal. J'en ai parlé à Billy...

Le cœur de Tana se mit à battre plus fort et sa gorge se serra.

— Mais il part skier en Europe avec des amis, continua sa mère. A Saint-Moritz. Il en a de la chance...

De la chance... Il m'a violée, maman...

— Il faudra que tu penses à quelqu'un d'autre. Quelqu'un de convenable, bien sûr, conclut Jane.

— C'est vraiment dommage que je ne puisse pas y aller seule, répondit Tana, d'un ton morne.

— Voyons, ce serait ridicule, fit Jane d'une voix ennuyée. Enfin, de toute façon, n'oublie pas d'inviter ton amie... celle chez qui tu vas pour Thanksgiving.

— Bien sûr.

Tana sourit. Si elle savait ! Jane Roberts serait morte de honte si Tana avait invité une amie noire pour la petite soirée qu'Arthur avait organisée. Cette idée l'amusa, mais il n'était pas question de livrer Sharon à cette armée de bien-pensants.

— Qu'est-ce que tu vas faire pour Thanksgiving, maman ? Tu ne vas pas t'ennuyer ?

— Non, au contraire. Arthur nous a déjà invitées à Greenwich pour la journée.

— Maintenant que je ne suis plus là, peut-être pourras-tu passer la nuit là-bas.

Il y eut un silence de mort à l'autre bout du fil. Tana regretta ses paroles.

— Ce n'est pas ce que je voulais dire.

— Mais tu l'as dit.

— Qu'est-ce que ça fait, après tout ? J'ai dix-huit ans maintenant. Ce n'est pas un secret...

Tana eut un haut-le-cœur en songeant à la pièce uniformément grise, où...

— Excuse-moi, maman, reprit-elle.

— Bon, prends bien soin de toi. Et n'oublie pas de remercier ton amie de t'avoir invitée chez elle.

Tana sourit. Sa mère lui donnait toujours l'impression d'avoir sept ans.

— Je n'y manquerai pas. Passe une bonne fête, maman.

— Merci. Et je remercierai Arthur pour toi, ajouta sa mère avec une pointe d'irritation.

— A propos de quoi ? s'enquit innocemment la jeune fille.

— Mais pour le bal, Tana, le bal... Je ne sais pas si tu te rends bien compte, mais un tel événement est très important pour une jeune fille. Je n'aurais pas pu m'en occuper toute seule.

Important... ? Important pour qui... ?

— Tu n'as pas idée de ce que cela représente !

Jane se sentit l'envie de pleurer. C'était comme un rêve qui serait devenu réalité. La petite fille d'Andy et de Jane Roberts, cette enfant qu'Andy n'avait jamais vue, allait faire son entrée dans la société new-yorkaise. Même si c'était par la petite porte, l'événement avait son importance, surtout pour Jane, qui se souvenait encore du premier bal d'Ann. C'était elle qui avait réglé tous les moindres détails, sans jamais songer que Tana pourrait un jour vivre la même chose.

— Excuse-moi, maman.

— Je pense que tu devrais écrire un gentil petit mot à Arthur. Dis-lui combien c'est important pour toi.

Tana eut envie de crier. En quoi était-ce important ? Parce que cela signifiait qu'elle trouverait un mari fortuné, pour la gloire de la famille ? Quel intérêt ? Comment se réjouir d'avoir à faire des révérences sous l'œil concupiscent de jeunes gens éméchés ? Elle frissonna en se demandant qui pourrait bien l'accompagner ; elle était sortie avec une demi-douzaine de garçons durant ses deux dernières années de lycée, mais sans jamais que cela soit sérieux, et après ce qui s'était passé à Greenwich, en juin, elle ne voulait d'aucun cavalier.

— Il faut que je te laisse, maman.

Elle avait eu l'envie irrépressible de raccrocher, tout à coup. Elle regagna sa chambre, avec une moue que remarqua Sharon.

— Elle a dit non ?

— Elle a dit oui.

— Alors ? Tu as l'air toute déconfite.

— Il y a de quoi, s'exclama Tana en se laissant tomber lourdement sur son lit. Figure-toi qu'elle a demandé à son cher ami de me mettre sur la liste du prochain grand bal. Ça me rend malade, Shar.

Sharon arrêta un instant de passer son vernis à ongles et leva les yeux en riant.

— Tu veux dire que tu vas faire officiellement ton entrée dans le monde ?

— C'est un peu ça, répondit Tana, accablée. Comment a-t-elle pu me faire un coup pareil ?

— Ça peut être amusant.

— Pour qui ? Et où est l'intérêt ? On se croirait au marché aux bestiaux. On te fait déambuler en robe blanche, pour te montrer à un tas d'éméchés parmi lesquels tu es supposée trouver un mari. Positivement délicieux, tu ne trouves pas ?

— Qui va t'accompagner ?

— Ne m'en parle pas. Elle voulait évidemment que Billy Durning soit mon cavalier. Dieu merci, il ne sera pas là.

— C'est un soulagement.

— Je sais. Mais tout ça me fait l'effet d'une farce.

— La vie n'est-elle pas la plus grande ?

— Ne sois pas cynique, Shar.

— Et toi, ne fais pas ta trouillarde, Tan. Cette sortie te fera du bien.

— C'est toi qui t'exprimes ainsi ?

— C'est moi ! lança Sharon, l'air faussement sévère. Tu vis comme une nonne, ici.

— Toi aussi. Et alors ?

— Oui, mais moi, je n'ai pas le choix.

Tom ne l'avait jamais rappelée ; c'était trop lui demander, elle le savait, et elle comprenait sa situation.

— Tandis que toi... poursuivit-elle.

— Ça ne m'intéresse pas.

— Il faut que tu commences à accepter des invitations.

— Non, il n'en est pas question, affirma Tana, regardant son amie droit dans les yeux. Je ne vois pas pourquoi je ferais quelque chose que je n'ai pas envie de faire. J'ai dix-huit ans, et je suis aussi libre qu'un oiseau.

— Dis plutôt un canard boiteux, lui rétorqua Sharon. Vas-y, Tan.

Mais Tana ne répondit rien. Elle s'enferma dans le cabinet de toilette, se fit couler un bain, et ne reparut qu'une heure plus tard.

— Je pense ce que j'ai dit, tu sais, reprit Sharon d'une voix un peu voilée, une fois qu'elles furent couchées.

— A propos de quoi ?

— Tu dois sortir de cet isolement.

— Toi aussi.

— Je le ferai, un de ces jours, soupira Sharon. Peut-être pendant les vacances, à la maison. Ici, je n'ai personne avec qui sortir. Enfin, je ne sais pas pourquoi je me plains. Je t'ai, c'est déjà beaucoup, ajouta-t-elle en riant.

Tana lui sourit et elles bavardèrent quelques minutes encore avant de s'endormir.

La semaine suivante, elles partirent pour Washington. Le père de Sharon, Freeman Blake, les attendait à la gare. Tana fut immédiatement impressionnée par sa taille et sa beauté. Il avait un physique royal, un visage harmonieux, empreint de noblesse, presque de la couleur de l'acajou, de larges épaules, les mêmes jambes interminables que Sharon, et son sourire chaleureux découvrait des dents d'une blancheur éclatante. Sa fille se précipita dans ses bras. Il la serra contre lui. Il savait par quelles épreuves elle était passée, mais elle s'en était sortie avec dignité, comme il s'y attendait.

— Alors, chérie, et cette école ?

Elle fit une moue avant de se tourner vers son amie.

— Tana, voici mon père, Freeman Blake ; papa, je te présente Tana Roberts, elle partage ma chambre à Green Hill.

Il serra énergiquement la main de Tana qui resta pendant tout le trajet sous le charme de ses yeux et de sa voix. Il donnait à Sharon toutes les dernières nouvelles : la promotion de sa mère à un poste encore plus important, le dernier roman d'amour de son frère Dick, les aménagements effectués dans la maison, la naissance d'un petit voisin, le dernier livre qu'il venait d'écrire. Tana fut émue par ce bavardage chaleureux et amical. Elle en vint à envier secrètement la vie que menait Sharon. Ce sentiment s'accentua lorsqu'ils se retrouvèrent pour dîner dans la belle salle à manger de style colonial. Les Blake possédaient une maison magnifique sur un vaste terrain. Trois voitures se trouvaient dans le garage, dont une Cadillac. Ils semblaient former une famille très unie. Tana fut conquise par Miriam, la mère de Sharon. Elle était d'une intelligence et d'une franchise surprenantes, personne ne pouvait échapper à ses questions pressantes pas plus qu'à son regard perçant.

— Tu comprends maintenant ce que je voulais dire ? fit Sharon, alors qu'elle se trouvait seule avec Tana. En plein dîner, tu as l'impression de te trouver à la barre des témoins.

Sa mère avait exigé un compte rendu exact de tout ce qu'elle avait fait depuis son arrivée à Green Hill. Elle s'était particulièrement intéressée aux deux refus qu'avait essuyés Sharon, d'abord au cinéma, puis au café.

— C'est seulement que tout la passionne, Shar...

— Je sais bien. Et ça me rend folle. Dieu sait que papa est aussi intelligent qu'elle, et pourtant il est tellement plus gentil !

En effet, il avait le don de raconter des histoires merveilleuses, de faire rire tout le monde, de mettre les gens à l'aise et de les rapprocher en créant des liens. Tana l'avait remarqué durant toute la soirée.

— Il est extraordinaire, Shar.

— Je sais.

— J'ai lu un de ses livres l'an dernier. Je vais lire tous les autres en rentrant à la maison.

— Je te les donnerai.

— Seulement si je peux avoir une dédicace.

Elles se mirent à rire. Quelques instants plus tard, Miriam frappa à la porte.

— Vous n'avez besoin de rien ?

— Non. Merci beaucoup, madame Blake, répondit timidement Tana.

— Mais de rien. Nous sommes si contents que vous ayez pu venir.

Son sourire était encore plus éblouissant que celui de Shar, et son regard mobile, perçant, scrutateur, faisait presque peur.

— Est-ce que vous aimez Green Hill ?

— Oui. Beaucoup. Les professeurs sont très intéressants.

Le manque d'enthousiasme de la jeune fille n'échappa pas à Miriam.

— Mais... ?

Tana sourit. Miriam était fine. Très fine.

— L'ambiance n'est pas aussi chaleureuse que je l'imaginais.

— Et pourquoi ?

— Je ne sais pas. Il y a comme des clans.

— Et vous deux ?

— Nous sommes ensemble la plupart du temps.

Sharon regarda son amie en souriant et Miriam ne parut pas mécontente. Elle trouvait que Tana était une jeune fille intelligente, vive, spirituelle parfois. Elle sentait en elle une certaine réserve qui l'empêchait encore d'exploiter toutes ses possibilités. Mais elle s'épanouirait un jour, et Dieu seul savait ce dont elle serait alors capable.

— Eh bien, cela vient peut-être de vous, les filles. Tana, combien d'autres amies avez-vous à Green Hill ?

— Shar est la seule. Nous suivons à peu près les mêmes cours et nous partageons la même chambre.

— Et je suis persuadée qu'on vous le fait payer. Vous vous en êtes rendu compte, j'en suis certaine. Si votre amie la plus proche est la seule Noire, ils vont vous sanctionner, vous savez.

— Pour quel motif ?

— Ne soyez pas naïve.

— Ne sois pas cynique, maman, intervint Sharon qui paraissait gênée tout à coup.

— Il est peut-être temps que vous deveniez adultes.

— Et alors, qu'est-ce que tu veux dire ? s'emporta Sharon. Et voilà ! Ça fait neuf heures que je suis à la maison, et tu es déjà sur mon dos avec tes discours et tes sermons.

— Je ne fais aucun discours. Je vous dis simplement de regarder la vérité en face. Il n'est pas facile d'être noir de nos jours... ou d'être l'amie d'une Noire... Il va falloir affronter cette réalité, et accepter de payer le prix si vous voulez que votre amitié dure.

— Ne peut-on rien faire sans que ça devienne un engagement politique, maman ?

— Ecoutez, je veux que vous fassiez quelque chose pour moi, toutes les deux, avant de rentrer au collège dimanche soir. Un homme va faire un discours dimanche à Washington. Il s'appelle Martin Luther King. C'est l'un des hommes les plus extraordinaires que je connaisse. Je veux que vous veniez l'écouter avec moi.

— Pourquoi ? demanda Sharon, toujours mécontente.

— Parce que c'est un moment que vous n'oublierez jamais.

Dans le train qui les ramenait vers la Caroline du Sud, Tana y pensait encore. Miriam Blake avait eu raison ; jamais Tana n'avait entendu un homme d'une telle lucidité. Tous les autres paraissaient stupides et aveugles à côté de lui. Elle demeura silencieuse de longues heures avant de pouvoir parler de ce qu'elle avait entendu ; des mots simples sur la condition des Noirs, sur l'amitié entre Noirs et Blancs, sur les droits civiques, sur l'égalité des hommes. Ensuite, ils avaient chanté tous ensemble en se tenant par la main.

— Il a été extraordinaire, n'est-ce pas ? dit-elle, rompant le silence.

Sharon acquiesça, songeuse elle aussi.

— Tu vois, j'ai le cafard de repartir. J'ai l'impression que je devrais faire quelque chose.

Elle se renfonça dans son siège en fermant les yeux, tandis que Tana contemplait la nuit sombre. Les paroles de King prenaient d'autant plus d'ampleur qu'elles repartaient dans le Sud ; c'était là que les Noirs étaient opprimés, maltraités, exploités. Elle se prit tout à coup à songer à ce bal que sa mère avait organisé. Ces deux pensées étaient si diamétralement opposées qu'il semblait incongru de les réunir. Lorsque Sharon rouvrit les yeux, Tana la regardait.

— Qu'est-ce que tu vas faire ?

On ne pouvait qu'agir après avoir écouté un tel discours ; même Freeman Blake l'avait reconnu.

— Je ne sais pas encore.

Sharon paraissait fatiguée, en partie parce qu'elle réfléchissait depuis qu'elles avaient quitté Washington, se demandant ce qu'elle pourrait faire pour se rendre utile, à Yolan et à Green Hill.

— Et toi ?

— Je ne sais pas, soupira Tana. N'importe quoi ! Mais après avoir entendu le discours de King, il y a une chose dont je suis sûre... ce bal où ma mère me force à aller, à New York, me paraît la chose la plus stupide de ma vie.

Sharon sourit. Elle ne pouvait pas vraiment dire le contraire, mais un autre point de vue existait, moins grandiose, plus individuel.

— Ça te fera du bien.

— J'en doute.

CHAPITRE VI

Lorsque le train arriva en gare de New York vers deux heures de l'après-midi, le 21 décembre, la neige tombait à petits flocons, créant un décor de conte de fées, bien en harmonie avec la fête de Noël toute proche. Tana, après avoir rassemblé ses affaires, s'était frayé un chemin dans la gare et avait hélé un taxi. Elle se sentait déprimée à l'idée de rentrer chez elle. Même si elle s'en voulait, estimant que ce n'était pas gentil vis-à-vis de sa mère, elle aurait préféré se trouver n'importe où plutôt qu'ici à New York, à la veille de son bal. Elle savait combien cet événement comptait pour sa mère. Ces deux dernières semaines, celle-ci avait appelé Tana presque tous les soirs, à propos des invités, des fleurs, de la décoration de la table, de son cavalier. Jane avait choisi la robe de la jeune fille, un très joli modèle en soie blanche, garni de satin et incrusté de minuscules perles blanches en forme de fleurs. Cela avait coûté une fortune, mais Arthur s'était chargé de la note.

— Il est tellement bon pour nous, ma chérie...

Tana, installée dans le taxi, les yeux fermés, pouvait presque imaginer sa mère en train de prononcer ces mots. Mais pourquoi donc lui était-elle si irrémédiablement reconnaissante ? Il s'était pourtant contenté de la laisser se tuer au travail, sans oublier toutes les fois où Jane l'avait attendu en vain lorsque Marie était encore en vie... et même maintenant, elle passait toujours en dernier. S'il aimait tant Jane, pourquoi donc ne l'épousait-il pas ? Tout cela déprimait Tana. Cette liaison entre sa mère et Arthur, la « bonté » des Durning à leur égard, surtout lorsqu'on songeait à la conduite de Billy, et ce bal où il lui faudrait aller le lendemain. Elle avait l'impression de participer à une immense mascarade. Elle avait invité un jeune homme qu'elle connaissait depuis des années et qui ne lui plaisait pas, mais il était tout à fait approprié pour un tel événement. Il s'appelait Chandler George III. Il l'avait déjà accompagnée à deux bals, autrefois. Il l'ennuyait à mourir, mais elle savait que sa mère serait contente. Au moins était-il poli et inoffensif, ce qui était le plus important.

L'appartement était plongé dans l'obscurité lorsqu'elle arriva, car sa mère n'était pas encore rentrée. Tana regarda autour d'elle ; rien n'avait changé mais l'endroit lui parut plus petit, plus triste que dans son souvenir et, d'une certaine façon, elle dut se l'avouer, moins joli. Elle savait combien sa mère avait dû travailler dur pour lui assurer un intérieur agréable. Cependant Tana n'envisageait plus les choses de la même façon, un peu comme si elle avait changé imperceptiblement, et qu'elle n'avait plus sa place ici. Elle se prit à songer à la confortable maison des Blake où elle avait tant aimé séjourner. Elle n'avait rien de prétentieux, comme la propriété des Durning, mais elle était belle, chaleureuse, et authentique. Elle ressentit tout à coup l'absence des Blake, et surtout de Sharon. Tana l'avait regardée descendre du train avec l'impression de perdre sa meilleure amie. Sharon s'était retournée en agitant la main, avec un grand sourire, puis elle était partie. Ensuite, le train avait filé vers le nord pour amener Tana ici. Elle posa ses bagages dans sa chambre, les larmes aux yeux.

— Est-ce que ma petite fille est là ?

La porte d'entrée claqua et la voix de Jane résonna dans l'appartement. Tana se retourna, effrayée. Que se passerait-il si sa mère lisait dans ses pensées et voyait combien elle se sentait mal à l'aise ici ? Mais Jane ne décela rien de tel, elle ne vit que l'enfant qu'elle aimait. Elle l'étreignit, avant de se reculer de quelques pas.

— Tu as l'air en pleine forme ! s'écria-t-elle.

Puis, sans même prendre le temps d'enlever son manteau, elle courut dans sa chambre pour en ressortir avec la robe de Tana. Elle était si jolie, pendue au portemanteau de satin qui avait été livré avec, qu'elle ressemblait presque à une robe de mariée.

— Où est le voile ? demanda Tana en souriant.

— On ne sait jamais. Ça viendra peut-être bientôt, répondit gaiement sa mère.

Tana se mit à rire et secoua la tête.

— Ne nous précipitons pas. Je n'ai que dix-huit ans.

— Ça ne veut rien dire, chérie. Tu rencontreras peut-être l'homme de tes rêves, demain soir. Et qui sait ce qui se produira ensuite ?

Tana la regarda avec incrédulité ; l'expression de sa mère démontrait qu'elle parlait sérieusement.

— Tu penses ce que tu dis, maman ?

Jane Roberts sourit à nouveau. Le retour de Tana la comblait. Maintenant qu'elle voyait la robe à côté d'elle, elle était certaine du résultat. Ce serait un triomphe.

— Tu es une belle jeune fille, Tana. Celui qui obtiendra ta main aura beaucoup de chance.

— Mais tu es sûre que tu ne serais pas contrariée si je faisais sa connaissance maintenant ?

— Pourquoi ? demanda Jane sans comprendre.

— Mais je n'ai que dix-huit ans. Tu ne désires pas que je continue le collège ?

— C'est ce que tu fais en ce moment.

— Mais c'est juste le début, maman. Quand j'aurai fini mes deux ans à Green Hill, je veux poursuivre mes études.

Jane se renfrogna.

— Il n'y a rien de mal à se marier et à avoir des enfants.

Tana eut la nausée, tout à coup.

— Ce fichu bal... Ça me fait penser à une vente d'esclaves, pas toi ?

Jane Roberts prit un air froissé.

— Tana, c'est terrible de dire une chose pareille.

— C'est vrai, non ? Toutes ces filles alignées, en train de faire des révérences pendant qu'on les examine.

Elle plissa les yeux, mimant la scène :

— ... Voyons, je prends... celle-là, là-bas. Il me semble qu'on est en droit d'exiger autre chose de la vie, ajouta-t-elle, l'air sombre.

— A t'entendre, on croirait que c'est abominable. Pourtant ce n'est pas le cas. C'est une jolie tradition qui a son importance.

« Oui, mais seulement pour toi, maman, et pas pour moi », eut envie d'ajouter Tana.

Jane la regardait, mécontente.

— Je me demande pourquoi tu es si réticente. Ann Durning a eu son bal il y a quatre ans et elle a passé une soirée merveilleuse.

— Tant mieux pour elle. Mais je ne suis pas Ann.

Jane s'assit sur une chaise en soupirant et regarda Tana. Elle ne l'avait pas vue depuis trois mois, mais elle sentait déjà la tension monter entre elles.

— Pourquoi ne pas te détendre et prendre cette soirée du bon côté, Tana ? Si ça se trouve, tu rencontreras quelqu'un qui te plaira.

— Je n'y tiens pas. Je ne veux même pas y aller, maman.

Les yeux de Jane s'emplirent de larmes. Tana ne put supporter l'expression de son visage.

— Je voulais simplement... Je voulais que tu aies... balbutia-t-elle.

Tana s'agenouilla près de sa mère qu'elle étreignit.

— Excuse-moi, maman. Excuse-moi... Je sais que ce sera merveilleux.

Jane se mit à sourire à travers ses larmes. Elle embrassa sa fille sur la joue.

— Une chose est sûre : tu seras magnifique, chérie.

— C'est obligé, avec une telle robe. Elle a dû te coûter une fortune.

Elle était touchée, même si la dépense lui paraissait totalement inutile. Elle aurait préféré des vêtements pour le collège, au lieu d'avoir à emprunter tout le temps ceux de Sharon.

— C'est un cadeau d'Arthur, chérie, répondit sa mère en souriant.

Tana sentit son estomac se serrer. C'était sans doute une raison supplémentaire de lui être « reconnaissante ». Elle était si fatiguée d'Arthur et de ses cadeaux !

— Il n'aurait pas dû faire ça ! s'exclama la jeune fille d'une voix mécontente.

Jane crut une fois de plus qu'elle était jalouse d'Arthur.

— Il voulait que tu aies une jolie robe, expliqua-t-elle.

Tana dut reconnaître qu'elle était ravissante, lorsqu'elle se contempla le lendemain soir devant la glace. Dans sa robe en soie, ses cheveux blonds relevés et coiffés comme ceux de Jackie Kennedy dans le dernier *Vogue*, et avec ses grands yeux verts, elle ressemblait à une princesse de conte de fées. Jane en eut les larmes aux yeux. Quelques instants plus tard, Chandler George vint la chercher, et Jane partit avec les jeunes gens. Arthur avait dit qu'il essaierait de les rejoindre, mais ce n'était pas certain. Il avait un dîner, ce soir-là, et ferait son « possible » pour les retrouver. La jeune fille n'adressa aucune remarque à sa mère dans le taxi, mais elle avait déjà entendu cette expression vague, qui ne signifiait pas grand-chose. Arthur l'utilisait depuis des années pour Noël, pour Thanksgiving et pour les anniversaires de Jane. En général, il ne venait pas, mais un bouquet de fleurs, un télégramme ou un petit mot ne tardaient pas à arriver à sa place. Elle revoyait toujours le visage abattu de sa mère à ces moments-là. Mais ce soir-là, Jane était bien trop excitée pour se soucier beaucoup d'Arthur. Elle rejoignit, béate de bonheur, un groupe de mères réunies dans un coin du bar. Les pères, amis de longue date, étaient là eux aussi, mais il y avait surtout de nombreux jeunes gens à peu près de l'âge de Tana. Les jeunes filles, vêtues de rose, de rouge, de vert ou de blanc, avaient encore les traits mal dégrossis et des allures d'adolescentes. Au milieu d'elles, si semblables d'une certaine façon, Tana se détachait très nettement ; elle était grande, mince, et levait haut la tête.

Jane la contemplait avec fierté depuis l'autre bout de la salle. Lorsque le grand moment arriva, que le roulement de tambour retentit dans la nuit et que chaque jeune fille s'avança au bras de son père pour faire la révérence aux invités, elle ne put retenir ses larmes. Elle avait imaginé qu'Arthur Durning serait arrivé à ce moment-là et avait même caressé l'espoir qu'il accompagnerait Tana. Mais c'était impossible, bien sûr ; il en avait fait assez pour elles, il ne fallait pas s'attendre à davantage. Tana s'avança, nerveuse et rougissante, au bras de Chandler George. Les yeux baissés, elle fit une gracieuse révérence, puis se fondit dans la foule alors que retentissaient les premiers accents de la musique. La formalité était remplie : Tana avait officiellement été présentée à la bonne société. Elle se mit à regarder autour d'elle, comme hébétée. Elle n'avait éprouvé aucune joie, aucune excitation, aucune émotion, aucun frisson. Lorsque la petite cérémonie fut terminée, le tumulte qui suivit lui permit heureusement de disparaître. Chandler semblait être tombé éperdument amoureux d'une rousse un peu boulotte, au doux sourire, à la coiffure très élaborée, et vêtue d'une robe de velours blanc. Tana s'était éclipsée discrètement, lui permettant de tenter sa chance. Elle s'assit sur une chaise placée à l'écart, renversa la tête, ferma les yeux et soupira, heureuse d'échapper à la foule, à la musique, à Chandler qu'elle ne supportait pas, et au regard plein d'orgueil de sa mère. Elle poussait un autre soupir à cette pensée lorsqu'une voix retentit, qui la fit presque sursauter sur son siège.

— Je crois qu'on ne peut pas faire pire que tout ça.

Elle ouvrit les yeux pour découvrir un jeune homme bien bâti, brun, aux yeux du même vert que les siens. Il y avait quelque chose de désinvolte en lui, malgré la cravate noire. Il semblait se trouver là par hasard, son verre à la main, un sourire cynique sur les lèvres. Il la fixait avec intérêt, tandis qu'une de ses mèches rebelles tombait sur son œil d'émeraude.

— On s'ennuie, ma jolie ? lança-t-il d'une voix qu'il voulait à la fois sarcastique et amusée.

Tana, un peu embarrassée, secoua la tête en riant.

— Vous m'avez fait peur.

Elle le regarda dans les yeux et sourit. Elle avait le sentiment de l'avoir déjà rencontré, sans savoir où.

— Que voulez-vous que je vous dise ? reprit-elle. C'est un vrai pensum.

— Pire. La foire aux bestiaux. Je suis un habitué.

— Depuis combien de temps ?

Il eut un sourire espiègle.

— C'est ma deuxième année. En fait, ce devrait être la première fois, mais ils m'ont invité par erreur l'an dernier ainsi qu'à tous les autres bals. Alors j'y suis allé. Quelle barbe ! ajouta-t-il en levant les yeux au ciel.

Puis, après avoir bu une gorgée de whisky, il demanda en l'évaluant du regard :

— Et comment avez-vous atterri ici ?

— En taxi.

— Quel charmant cavalier vous aviez !

Elle sentit à nouveau une pointe de sarcasme dans sa voix.

— Vous êtes déjà fiancés ? poursuivit-il.

— Non merci.

— Cela dénote au moins que vous avez une once de jugement.

Il parlait d'une voix lente, aux inflexions distinguées. Malgré son élégance et sa correction parfaites, une sorte d'impertinence émanait de lui, qui amusait Tana et correspondait tout à fait à son humeur.

— Vous connaissez Chandler ?

Le jeune homme sourit à nouveau.

— Nous avons fréquenté la même pension pendant deux ans. Il joue très bien au squash, il est nul au bridge, il s'en tire très honorablement sur un court de tennis, il s'est fait recaler en maths, en histoire et en biologie, et il n'a rien dans la cervelle.

Tana ne put s'empêcher de rire, en écoutant ce portrait dur, précis et lapidaire.

— Ça me paraît assez juste. Pas gentil, mais juste.

— On ne me paie pas pour être gentil, rétorqua-t-il, l'air espiègle.

Il but à nouveau une gorgée de whisky.

— Où étudiez-vous ? s'enquit la jeune fille.

Il fronça les sourcils, comme s'il avait oublié quelque chose, puis la regarda, l'œil vide.

— Figurez-vous... que je n'arrive pas à m'en souvenir, finit-il par répondre gaiement.

Tana se demanda ce que cela signifiait. Peut-être ne suivait-il pas d'études, même si cela paraissait étonnant.

— Et vous ? reprit-il.

— Green Hill.

Un sourire malicieux réapparut sur ses lèvres. Il observa, un sourcil levé :

— Comme c'est distingué ! Vous apprenez quoi ? A visiter les plantations ou à servir le thé ?

— Les deux, répondit-elle en se levant. Au moins, je vais au collège.

— Seulement pour deux ans, de toute façon. Et après, princesse ? Peut-être comptez-vous sur cette soirée ? La Grande Chasse au Mari ?

Il fit semblant de parler dans un mégaphone.

— Toutes les candidates auraient-elles l'obligeance de s'aligner contre le mur du fond. Tous les jeunes gens blancs, en bonne santé, ayant un pedigree... tenez à la main l'arbre généalogique de votre père, nous voulons aussi savoir quels sont vos diplômes, votre groupe sanguin, si vous conduisez, dans quelle mesure vous avez confiance en vous, et dans combien de temps vous allez hériter...

Elle se mit à rire, et il lui demanda en baissant la voix :

— En avez-vous repéré un, ou êtes-vous trop amoureuse de Chandler George ?

— Bien trop.

Elle se dirigea lentement vers la grande salle de bal. Il la suivit d'assez près pour voir son cavalier en train d'embrasser une petite rousse à l'autre bout de la pièce.

Le beau jeune homme brun se tourna vers Tana, l'air sombre.

— J'ai de mauvaises nouvelles pour vous. Je crois qu'on est en train de vous lâcher, princesse.

Elle haussa les épaules et rencontra le regard vert, si pareil au sien.

— Il le regrettera, c'est certain, dit-elle avec une expression amusée.

— Vous voulez danser ?

— Avec plaisir.

Il la fit tourner avec adresse sur la piste. Sa parfaite habitude du monde et son allure décontractée contrastaient avec sa jeunesse ; Tana avait l'impression de l'avoir déjà rencontré, même si elle ne savait pas où et ignorait son nom, détail dont il se souvint à la fin de la première danse.

— A propos, comment vous appelez-vous, princesse ?

— Tana Robèrts.

— Moi, je m'appelle Harry.

Puis il ajouta avec un sourire, en s'inclinant très bas :

— Harrison Winslow Quatre, pour être exact. Mais Harry fera l'affaire.

— Dois-je être impressionnée ?

— Seulement si vous lisez régulièrement les rubriques mondaines. Harrison Winslow Trois fait beaucoup parler de lui dans toutes les villes du globe... Paris et Londres la plupart du temps, Rome aussi quand il peut... Gstaad, Saint-Moritz, Munich, Berlin. Et New York, quand il n'a vraiment pas le choix et qu'il doit se battre avec les mandataires qui gèrent la fortune qu'a laissée ma grand-mère. Mais il n'aime pas beaucoup les Etats-Unis, et moi non plus.

Tana l'écoutait parler d'une voix monotone, tout en se demandant s'il était sincère.

— Ma mère est morte quand j'avais quatre ans, reprit-il. Je ne me souviens pas du tout d'elle, à part, de temps en temps, une sensation qui revient d'un seul coup... un parfum, ou un mot, son rire dans l'escalier lorsqu'ils sortaient... une robe qui me fait penser à elle, mais c'est certainement mon imagination. Elle s'est suicidée. « Particulièrement instable », disait toujours ma grand-mère... « mais tout à fait adorable », ajoutait-elle. Et depuis, mon pauvre père panse ses blessures... J'ai oublié de citer Monaco et le cap d'Antibes. Il y panse aussi ses blessures. Avec quelques personnes pour l'aider, bien sûr. Il en a une qui habite Londres la plus grande partie de l'année, une autre très jolie à Paris... une autre avec laquelle il aime skier... une Chinoise à Hong-Kong. Il m'emmenait au début, mais j'ai fini par devenir trop désagréable, alors il a cessé. A cause de ça, et aussi... d'autres choses. Enfin, ajouta-t-il avec un sourire cynique, voilà qui est Harrison Winslow Trois.

— Et vous ? demanda-t-elle doucement en considérant son regard triste.

Il en avait dit beaucoup plus qu'il ne l'aurait voulu, mais les quatre whiskies qu'il avait bus lui avaient délié la langue, même s'il ne s'en souciait pas. Tout le monde à New York connaissait Harry Winslow, père et fils.

— Vous êtes comme lui ? poursuivit Tana.

Elle en doutait, pour la bonne raison qu'il n'avait pas dû avoir le temps de développer tous ses talents ; il devait être seulement un peu plus âgé qu'elle.

Il haussa nonchalamment les épaules.

— Je m'y emploie. Prenez garde, ma jolie ! Prenez garde ! conclut-il.

Sur ces mots, il la prit dans ses bras et l'emporta vers la piste de danse. Elle vit à ce moment que sa mère les observait. Son expression satisfaite laissait entendre qu'elle s'était informée à propos du jeune homme.

— Vous voyez souvent votre père ? demanda Tana.

Elle songeait encore à ce qu'il lui avait dit, tout en tournoyant dans ses bras. Quelle existence solitaire... des pensions... sa mère morte quand il avait quatre ans... le père, manifestement un séducteur, en voyage la plupart du temps.

— Pas vraiment. Il n'a pas le temps, répondit-il d'un ton presque enfantin.

Elle eut de la peine pour lui, mais il amena rapidement la conversation sur elle.

— Et vous ? Quelle est votre histoire, Tana Roberts, mis à part le fait que vous avez un goût déplorable en matière d'hommes ?

Il jeta un coup d'œil en direction de Chandler George, qui pressait la petite rousse contre lui, et ils se mirent à rire.

— Je suis célibataire, j'ai dix-huit ans et j'étudie à Green Hill.

— Mon Dieu, quel ennui ! Rien d'autre ? Pas de grand amour ?

Il remarqua que le visage de la jeune fille se fermait.

— Non.

— Du calme. Je voulais dire à part Chandler, évidemment.

Tana se détendit un peu.

— Voyons, rien d'autre ? poursuivait Harry. Des parents ? Des enfants illégitimes ? Des chiens ? Des amis ? Des hobbies ? Attendez...

Il fouilla dans ses poches, comme à la recherche de quelque chose.

— Je devrais avoir un formulaire quelque part...

— Une mère, pas de chien, pas d'enfant illégitime.

Il parut triste.

— Vous me décevez. J'espérais mieux de vous.

Harry balaya la foule du regard.

— Quel tas d'ennuyeux ! Vous voulez que nous allions manger ou boire quelque chose ?

— J'aimerais bien, mais... nous emmenons Chandler ?

— Laissez-moi faire.

Il disparut un instant et revint avec un sourire effronté.

— Mon Dieu, qu'avez-vous dit ?

— Je lui ai dit que la façon dont il s'était conduit avec cette gourde de rousse vous avait beaucoup atteinte et que je vous emmenais à toute vitesse chez votre psychiatre...

— Ce n'est pas vrai !

— Si, affirma-t-il en riant. En fait, non. Je lui ai simplement dit que vous aviez vu clair et que vous m'aviez donné la préférence. Il m'a félicité pour votre bon goût et s'est éclipsé avec sa petite grosse.

En tout cas, quoi qu'ait pu dire Harry, Chandler leur faisait de grands signes joyeux tout en s'éloignant avec sa conquête.

— Il faut que je dise un mot à ma mère avant de partir. Ça ne vous gêne pas ?

— Pas du tout... En fait, oui, mais je suppose que je n'ai pas le choix.

Il se montra heureusement d'une correction parfaite lorsque Tana le présenta à sa mère, et Jane, de retour chez elle, regretta l'absence d'Arthur. La soirée avait été merveilleuse. Il ne faisait aucun doute que Tana l'avait appréciée, et voilà qu'en plus elle partait en compagnie d'Harry Winslow Quatre que Jane connaissait, au moins de nom.

— Et votre père ? demanda Harry, après avoir donné l'adresse du *21* au chauffeur de taxi.

C'était son club favori lorsqu'il venait à New York, ce qui impressionna Tana. C'était certainement plus amusant que de sortir avec Chandler George. Il y avait tellement longtemps qu'elle n'avait pas passé une soirée dehors qu'elle avait oublié cette sensation, d'autant qu'elle et sa mère se contentaient toujours d'aller manger une pizza, dans la Deuxième Avenue. Mais cela datait d'avant son diplôme... d'avant Billy Durning.

— Mon père est mort avant ma naissance, à la guerre.

— Voilà une preuve de délicatesse de sa part. C'est moins dur que de les voir se traîner pendant des années.

Tana songea immédiatement à la mère d'Harry, se demandant pourquoi elle s'était suicidée, mais elle n'osa pas lui poser la question.

— Votre mère s'est remariée ? poursuivit son compagnon.

— Non... commença Tana. Elle a un ami, précisa-t-elle.

C'était le genre de personne à qui l'on pouvait faire des aveux de la sorte. Quelque chose dans ses yeux faisait qu'il inspirait confiance.

Il souleva à nouveau un sourcil moqueur.

— Est-ce qu'il est marié ?

Il ne la vit pas s'empourprer.

— Qu'est-ce qui vous fait dire ça ?

— Simple déduction, je suppose.

Sans son espièglerie et sa séduction, son impertinence aurait été insupportable, par moments.

— J'ai touché juste ? reprit-il.

Tana, qui ne l'aurait jamais avoué à personne d'autre, acquiesça.

— Oui, du moins il l'a été de longues années. Il est

veuf depuis quatre ans, pourtant il ne l'a toujours pas épousée. C'est un sale égoïste.

Harry ne parut pas choqué par ce jugement sans appel.

— La plupart des hommes le sont. Il faudrait que vous rencontriez mon père. Une seule chose l'intéresse : lui. Ça ne m'étonne pas que ma mère se soit tuée.

Visiblement, il n'avait jamais pardonné à son père. Tana eut de la peine pour lui. Au même moment, le taxi s'arrêtait devant le *21*. Harry paya, et ils se retrouvèrent dans l'ambiance chaleureuse du restaurant. C'était un endroit chic, où Tana n'était allée qu'une ou deux fois, notamment le soir de son diplôme, et qu'elle appréciait beaucoup. Le maître d'hôtel se précipita sur Harry, manifestement ravi de le voir. C'était à l'évidence son habitué préféré. Ils s'installèrent un moment au bar, puis gagnèrent leur table, où Harry commanda un steak tartare et Tana des œufs Bénédicte. Mais, tandis qu'ils savouraient une coupe de champagne, Harry vit les traits de Tana se contracter. Elle avait les yeux braqués sur une table, à l'autre bout de la pièce, où un homme déjà mûr enlaçait une jolie jeune fille. Harry observa un moment Tana, puis demanda en lui tapotant la main :

— Laissez-moi deviner... un ancien amour ?

Cela le surprenait de sa part.

— Pas le mien en tout cas.

Il comprit immédiatement.

— L'ami de votre mère ?

— Il lui a dit qu'il avait un dîner d'affaires ce soir.

— C'en est peut-être un.

— Je n'en ai pas l'impression.

Le regard de la jeune fille était dur lorsqu'elle se retourna vers Harry.

— Ce qui m'irrite le plus, c'est qu'il ne peut jamais avoir tort à ses yeux. Elle lui trouve des excuses pour tout. Elle s'assoit, et elle attend avec reconnaissance ses « bienfaits ».

— Depuis combien de temps vivent-ils ensemble ?

— Douze ans.

— Mon Dieu, comme c'est long ! gémit-il.

— Oui.

Tana jeta à nouveau un coup d'œil méchant en direction d'Arthur.

— Et ça n'a pas l'air de lui ôter ses moyens ! conclut-elle.

Ce spectacle lui rappelait Billy. Elle détourna la tête comme pour chasser cette pensée, mais Harry vit l'expression douloureuse de son regard.

— Ne le prenez pas tant à cœur, princesse, lui dit-il doucement.

— C'est sa vie après tout, pas la mienne.

— Exactement. Ne l'oubliez pas. Votre vie vous appartient. Ça me rappelle que vous n'avez pas répondu à mes questions mal élevées. Qu'allez-vous faire après Green Hill ?

— Qui sait ? Peut-être Columbia. Je ne suis pas décidée, mais je veux continuer.

— Vous ne voulez pas vous marier et avoir quatre enfants ?

Ils se mirent à rire.

— Pas pour l'instant, merci, même si c'est le rêve le plus cher de ma mère. Et vous, quelle université fréquentez-vous ?

Il posa sa coupe de champagne en soupirant.

— Harvard, pour tout dire. Désagréable, n'est-ce pas ?

— Vraiment ?

— Malheureusement, oui. Mais je ne perds pas l'espoir de me faire renvoyer avant la fin de l'année, je m'y emploie.

— Si vous étiez si mauvais que ça, vous n'auriez pas été accepté.

— Un Winslow refusé à Harvard ? Ne soyez pas absurde, ma chère. Nous sommes toujours accueillis à bras ouverts. Nous avons en grande partie édifié cet empire.

— Oh... Je vois. Et vous ne vouliez pas y aller ?

— Pas spécialement. Je souhaitais partir quelque

part dans l'Ouest. Je pensais à Stanford ou à l'université de Los Angeles, mais papa risquait une attaque, et ce n'était pas la peine d'essayer de discuter... alors, je suis là. Mais je leur fais regretter de m'avoir reçu.

— Ce doit être un vrai régal pour eux !

Tana se mit à rire et vit qu'Arthur Durning venait juste de partir. Il ne l'avait pas remarquée. Elle ignorait si elle devait s'en réjouir ou non.

— Vous pourriez venir me voir, un jour, par exemple pendant les vacances de Pâques ?

Elle secoua la tête en riant.

— J'en doute.

— Vous ne me prenez pas au sérieux ?

— Pour parler franchement, non.

La jeune fille but une autre gorgée de champagne. Elle se sentait d'excellente humeur et passait une bonne soirée avec Harry. Il était le premier garçon qu'elle appréciait depuis longtemps. Il faisait un compagnon très agréable avec qui elle aimait rire et à qui elle pouvait confier des choses qu'elle n'avait avouées qu'à Sharon jusque-là. Une idée lui passa par la tête :

— Je viendrai peut-être, si je peux être accompagnée.

— Par qui ? demanda-t-il, suspicieux.

— Mon amie, qui partage ma chambre à Green Hill.

Elle lui parla de Sharon Blake. Harry parut intrigué.

— La fille de Freeman Blake ? C'est autre chose ! Est-elle aussi formidable que vous le dites ?

— Plus que ça.

Elle lui parla ensuite de leur mésaventure, au café de Yolan, ainsi que du discours de Martin Luther King. Il semblait très intéressé.

— J'aimerais bien la rencontrer, un jour. Vous pensez vraiment venir à Cambridge à Pâques ?

— Peut-être. Il faut que je le lui demande.

— Vous êtes inséparables, ou quoi ?

Le jeune homme observait Tana, satisfait. C'était l'une des plus jolies filles qu'il eût jamais rencontrées.

Il se sentait prêt à subir la présence de quelqu'un d'autre, juste pour la revoir.

— Plus ou moins. Je suis allée chez elle pour Thanksgiving. J'ai envie de lui rendre son invitation.

— Pourquoi n'est-elle pas ici ?

Il y eut un long silence.

— Ma mère tomberait à la renverse si elle savait que Sharon est noire. Je lui ait tout dit sauf ça.

— Epatant ! Je vous ai bien dit que ma grand-mère maternelle était noire, n'est-ce pas ?

Il avait l'air si sincère qu'elle faillit le croire pendant un instant, mais il éclata de rire et elle fit la grimace.

— Je devrais le dire à ma mère, pour la peine.

Il l'appela le lendemain pour lui proposer de déjeuner en sa compagnie deux jours plus tard, après les fêtes de Noël.

— Ce n'est pas ce garçon que tu as rencontré hier soir ? lui demanda sa mère.

Jane se reposait en lisant un livre. Elle n'avait pas eu de nouvelles d'Arthur depuis la veille. Elle mourait d'envie de lui parler du bal, mais elle ne voulait pas le déranger. Elle attendait toujours qu'il l'appelle. C'était une habitude qu'elle avait prise lorsqu'il était encore marié, et puis c'était Noël après tout, il devait être occupé avec Billy et Ann.

— Oui, c'est ça.

— Il a l'air charmant.

— Il l'est.

Mais pas dans le sens où l'entendait sa mère, songea Tana. Il était irrévérencieux et impertinent, il buvait trop et semblait très gâté, mais cela ne l'avait pas empêché de se conduire parfaitement lorsqu'il l'avait ramenée chez elle. Il lui avait dit bonsoir sans rien tenter de déplacé, alors qu'elle redoutait beaucoup ce moment.

Lorsqu'il vint la chercher pour déjeuner, deux jours plus tard, il portait un blazer, une cravate et un pantalon gris. Mais dès qu'ils eurent descendu l'escalier, il mit des patins à roulettes et se coiffa d'un chapeau loufoque. Tout le long du chemin, il se conduisit comme un vrai fou. Tana se moquait de lui.

— Harry Winslow, vous êtes complètement toqué, vous le savez au moins ?

— Oui, madame.

Il insista pour garder ses patins à roulettes au restaurant. Le maître d'hôtel, pourtant mécontent, n'osa pas le jeter dehors, sachant qui il était. Le jeune homme commanda une bouteille de champagne, puis il vida aussitôt une coupe.

— Je crois que je ne peux pas me passer de ce breuvage, dit-il ensuite.

— Dites plutôt que vous êtes alcoolique.

Après le déjeuner, ils se promenèrent dans Central Park et restèrent près d'une heure à regarder les patineurs tout en discutant. Harry sentait une étrange réticence en sa compagnie. Elle ne se livrait pas. Elle était prudente et fermée, et néanmoins intelligente et chaleureuse. Elle montrait de l'intérêt pour le monde et les gens qui l'entouraient, mais elle ne tendait pas la main. Il fut certain de s'être fait une amie, et rien de plus, ce qui excita sa curiosité.

— Etes-vous engagée avec quelqu'un à Green Hill ?

Elle secoua la tête.

— Non, rien de tout ça. Je ne veux être engagée avec personne pour l'instant.

Il fut surpris de sa franchise, qui était aussi un défi auquel il ne pouvait pas complètement résister.

— Pourquoi donc ? C'est la peur de souffrir comme votre mère ?

Elle n'y avait jamais pensé sous cet angle, mais il était clair qu'en ce qui le concernait il ne voulait pas d'enfant parce que lui-même avait trop souffert.

— Je ne sais pas. Peut-être. Ça, et d'autres choses.

— Quel genre d'« autres choses » ?

— Rien dont j'aie envie de parler.

La jeune fille regarda au loin, Harry essaya de deviner ce qui avait pu la marquer ainsi. Elle maintenait une distance entre eux. Même lorsqu'elle riait

et plaisantait, elle envoyait des messages qui signi-
fiaient : « Ne t'approche pas trop de moi. » Il espérait
qu'elle n'avait pas d'inclination amoureuse un peu
spéciale, tout en n'y croyant pas. Il était plus probable
qu'un homme se trouvait à l'origine de cette attitude.

— Y a-t-il eu quelqu'un d'important dans votre vie,
autrefois ?

— Non, affirma Tana avec force. Je ne veux pas
parler de ça.

Le regard de la jeune fille le fit reculer aussitôt ; il y
vit de la colère, de la douleur et une expression
indéfinissable mais si puissante que cela lui coupa le
souffle. Il n'était pourtant pas impressionnable.

— Je suis désolé, murmura-t-il.

Ils changèrent de conversation et abordèrent des
sujets moins délicats jusqu'au moment où ils se sépa-
rèrent.

Par la suite, il la revit plusieurs fois durant les
vacances de Noël. Ils dînèrent et déjeunèrent ensemble, allèrent patiner, et se rendirent au cinéma un soir.
Tana l'invita même à dîner avec Jane, mais elle
s'aperçut tout de suite qu'elle avait commis une
erreur ; sa mère ne cessa de poser des questions à
Harry, comme à un excellent parti, sur ses projets
futurs, ses parents, sa carrière à venir, ses diplômes.
Dès qu'il fut parti, Tana éclata.

— Pourquoi avoir agi ainsi ? Il est venu ici pour
dîner, pas pour me demander en mariage.

— Tu as dix-huit ans, il faut que tu commences à
songer à ce genre de chose, maintenant.

— Pourquoi ? s'exclama Tana rageusement. C'est
un ami, tu comprends ? Alors n'agis pas comme si je
devais me marier la semaine prochaine !

— Bon, alors quand veux-tu te marier, Tana ?

— Mais jamais, bon Dieu ! Pourquoi y serais-je
obligée ?

— Que vas-tu faire le reste de ta vie ?

— Je n'en sais rien ! Suis-je donc tenue de planifier
mon existence à cette minute précise ? Là, maintenant ? Merde !

— Ne me parle pas comme ça ! cria à son tour Jane. Je veux te savoir en sécurité, Tana. Je ne veux pas que tu te retrouves dans la même situation que moi quand tu auras quarante ans. Tu mérites mieux que ça !

— Toi aussi. Tu y as déjà pensé ? Je déteste te voir attendre Arthur tout le temps, comme son esclave. Voilà ce que tu as été durant toutes ces années, maman. La concubine d'Arthur Durning.

Elle fut tentée de parler à sa mère de l'autre fille, au 21, mais elle ne put s'y résoudre. Elle ne voulait pas lui causer davantage de chagrin.

— Ce n'est pas gentil et ce n'est pas vrai.

— Alors pourquoi tu ne veux pas que je sois comme toi ?

Jane tourna le dos à sa fille pour qu'elle ne voie pas ses larmes. Lorsqu'elle lui fit brusquement face, Tana lut dans ses yeux tout ce que la vie lui avait fait subir.

— Je désire que tu obtiennes tout ce que je n'ai pas eu. Est-ce trop demander ?

Tana eut tout à coup un élan de tendresse pour sa mère. Elle battit en retraite.

— Mais peut-être que je ne désire pas les mêmes choses que toi, fit-elle d'une voix plus douce.

— Que peux-tu ne pas souhaiter ? Un mari, la sécurité, un foyer, des enfants ? Qu'y a-t-il de répréhensible là-dedans ? s'écria Jane avec indignation.

— Rien. Mais je suis trop jeune pour songer à tout cela. Et puis, il se peut que j'envisage une carrière...

— Laquelle ? demanda Jane interloquée.

— Je ne sais pas. Je parlais seulement en général.

— Tu te prépares une vie bien solitaire, Tana. Ta situation serait plus simple si tu acceptais de te marier.

Plus tard, la jeune fille raconta cette discussion à Sharon, lorsqu'elles furent de nouveau réunies.

— Mon Dieu, Tan, j'ai l'impression d'entendre ma mère... même si les termes sont différents, bien sûr. Elles veulent toutes pour nous ce qu'elles ont désiré pour elles-mêmes, sans tenir compte de notre personnalité, de ce que nous ressentons, de ce que nous pensons et de ce que nous voulons. Mon père le comprend, mais ma mère... Je n'entends parler que d'études de droit, de grève, et de ma condition de Noire. Je suis censée me sentir « responsable ». J'en ai tellement assez d'être « responsable » que j'en pleurerais. C'est pour ça que je suis venue à Green Hill. Je voulais rencontrer d'autres Noirs. En fin de compte, je ne peux même pas sortir, et elle, elle me dit que j'ai tout le temps pour ça. Mais quand ? J'ai envie de m'amuser maintenant, d'aller au restaurant, au cinéma, de voir des matchs de football.

Tana sourit dans l'obscurité.

— Tu veux venir à Harvard avec moi pendant les vacances de Pâques ?

— En quel honneur ?

Sharon s'accouda dans le noir, tout excitée, et Tana lui parla alors d'Harry Winslow.

— Il a l'air très bien. Tu as succombé ?

— Non.

— Pourquoi ?

Il y eut un silence.

— Tu sais bien...

— Tu ne peux pas rester comme ça toute ta vie, Tana.

— Voilà que tu t'exprimes comme ma mère. Elle veut bien que je me fiance dès la semaine prochaine avec le premier venu, du moment qu'il est prêt à m'épouser, à m'acheter une maison et à me donner des enfants.

— Ça me paraît encore pire que de faire la grève. Ça ne t'amuse pas ?

— Pas beaucoup.

— Ton copain d'Harvard a l'air sympathique.

— Il l'est. Je l'aime beaucoup en tant qu'ami. C'est la personne la plus franche et la plus directe que j'aie jamais rencontrée.

Quelques jours plus tard, Harry lui téléphona. Il se fit d'abord passer pour le propriétaire d'un laboratoire à la recherche de jeunes filles qui accepteraient de faire l'objet de tests.

— Nous essayons de déterminer si les jeunes femmes sont aussi intelligentes que les hommes, expliqua-t-il en déguisant sa voix. Nous sommes conscients que ce n'est pas le cas, bien sûr, cependant...

Tana le reconnut, au moment même où elle allait se mettre en colère.

— C'est intelligent !

— Salut, petite. Comment ça se passe dans le Sud profond ?

— Pas mal.

Une grande conversation s'ensuivit, à laquelle participa même Sharon. Il n'était pas question d'allusions tendres entre eux ; Tana le considérait plutôt comme un frère. Au bout de deux mois, Harry, qui téléphonait régulièrement, était devenu son ami le plus cher avec Sharon. Il espérait la voir au printemps, et Tana essaya d'obtenir que Sharon l'accompagne. Elle était même décidée à braver sa mère en l'invitant chez elle, mais Miriam Blake avait téléphoné à sa fille presque chaque soir. Un énorme rassemblement de la population noire était prévu à Washington, ainsi qu'une veillée aux chandelles pendant le week-end de Pâques. Elle voulait que Sharon y participe, car elle pensait que c'était un événement important dans leur vie et que ce n'était pas le moment de faire un voyage d'agrément. Sharon en était malade lorsqu'elles quittèrent Green Hill.

— Tu n'avais qu'à dire non, Shar.

Une lueur de colère passa dans les yeux de Sharon.

— Comme tu as refusé ton bal, Tan ?

Il y eut un silence, puis Tana opina lentement. Son amie n'avait pas vraiment tort ; c'était tellement dur d'avoir constamment à se battre. Elle haussa les épaules, avec un rire penaud.

— D'accord, tu as gagné. Excuse-moi. Tu vas nous manquer à New York.

— Je te regretterai aussi, répondit la jeune Noire en la gratifiant de son sourire éclatant.

Elles bavardèrent et jouèrent aux cartes dans le train, puis Sharon descendit à Washington et Tana continua jusqu'à New York. Il faisait doux et chaud lorsqu'elle sortit de la gare. Elle retrouva l'appartement tel qu'il avait toujours été. Sans qu'elle puisse se l'expliquer, elle était triste d'être rentrée. Comme la dernière fois, l'immuabilité de l'appartement, de la décoration, de l'ameublement, l'accabla. Juste au moment où elle laissait tomber ses bagages dans sa chambre, le téléphone sonna. Elle regagna le salon pour répondre.

— Allô ?

— Winslow à l'appareil. Comment ça va, bout de chou ?

Elle se mit à rire ; c'était comme une bouffée d'air frais dans l'atmosphère confinée et triste de la pièce.

— Bonjour.

— Depuis quand es-tu arrivée ?

— A peu près quatre secondes. Comment vas-tu ?

— Je suis descendu en voiture la nuit dernière avec deux copains. Et me voici de retour dans cette bonne vieille ville.

Tana était surexcitée à l'idée de le revoir ; ils avaient tellement appris à se connaître durant ces quatre derniers mois qu'ils étaient comme de vieux amis.

— Tu veux venir prendre un verre ? reprit-il.

— Bien sûr. Où es-tu ?

— A l'*Hôtel Pierre,* où mon père possède un appartement.

— Ce doit être joli.

— Pas très. Mon père l'a fait refaire par un décorateur l'année dernière. Ça ressemble à une maison de rendez-vous maintenant. Mais au moins, je peux y aller quand je suis à New York.

— Ton père est là ?

Harry émit un rire ironique.

— Ne sois pas ridicule. Je crois qu'il est à Munich cette semaine. Il aime bien passer Pâques là-bas. Les

Allemands sont tellement attachés aux fêtes chrétiennes... Bon, tu viens ? Je vais commander le déjeuner. Dis-moi tout de suite ce que tu veux. Il faudra bien compter deux heures pour qu'on nous serve.

Elle était impressionnée.

— Je ne sais pas... un hamburger et un Coca, ça ira ?

Lorsqu'elle arriva, il regardait un match à la télévision, étendu pieds nus sur le canapé. Il la souleva de terre et l'étreignit, beaucoup plus heureux de la revoir qu'elle n'en avait conscience. Un frisson la parcourut lorsqu'il lui pinça amicalement la joue. Il y eut un peu de gêne entre eux au début, le temps de traduire dans la réalité l'intimité qui s'était créée entre eux par téléphone, mais vers la fin de l'après-midi ils étaient comme de vieux amis. Tana n'avait aucune envie de rentrer chez elle, ainsi qu'elle le lui dit.

— Alors reste. Je mets mes chaussures et on va au *21*.

— Comme ça ?

Elle regardait sa jupe écossaise, ses chaussettes de laine et ses trotteurs, puis elle secoua la tête.

— Il faut que je passe à la maison de toute façon. Je n'ai pas vu ma mère depuis quatre mois.

— J'ai tendance à oublier les rituels de ce genre, dit-il d'une voix morne.

Il paraissait encore plus beau qu'auparavant, mais rien ne palpita dans le cœur de Tana, si ce n'est son amitié pour lui qui n'avait cessé de grandir. Elle était certaine que de son côté il n'avait à son égard que des sentiments platoniques.

Elle prit son manteau posé sur la chaise.

— Tu n'as pas vu du tout ton père, Harry ?

Elle avait parlé doucement, le regard triste ; elle savait combien il se sentait abandonné. Il avait passé ses vacances tout seul, comme toujours, ou avec des amis dans des maisons vides ou des hôtels. Il ne parlait de son père qu'à propos de ses maîtresses, de ses amis et de ses escapades un peu partout.

— Je l'ai vu une fois. Nous nous rencontrons par

hasard une ou deux fois dans l'année. En général ici, ou dans le sud de la France.

Cela en imposait en apparence, mais Tana comprenait d'instinct la solitude d'Harry. C'était pour cette raison qu'il s'était tellement confié à elle. Il mourait d'envie d'être compris et aimé. Elle aussi ressentait ce manque. Il lui aurait fallu, à elle aussi, un père, des frères et des sœurs, une famille... davantage qu'une femme seule qui passait sa vie à attendre un homme incapable de l'apprécier. Et Harry n'avait même pas cela.

— Comment est-il ?

Harry haussa les épaules.

— Bien de sa personne, à ce qu'il paraît. C'est du moins ce que disent les femmes... intelligent... froid... Comment est un homme qui a tué sa femme, d'après toi ? ajouta-t-il en regardant Tana droit dans les yeux.

Elle frissonna, et ne sut que répondre. Elle regrettait sa question, mais Harry passa un bras autour de ses épaules en l'amenant vers la porte.

— Ne sois pas triste, Tana. C'est si vieux.

Mais elle trouvait désolant et injuste qu'un garçon comme lui, si spirituel, si droit et si gentil, soit tellement seul... Il faut dire qu'il était aussi narquois, gâté, et qu'il ne se refusait rien. Il avait pris l'accent anglais pour répondre au premier maître d'hôtel qui était monté, puis il s'était fait passer pour un Français auprès du second, ce qui les avait beaucoup amusés, lui et Tana. Elle avait tendance à croire qu'il se comportait toujours ainsi. En prenant le bus pour rentrer chez elle, la jeune fille réalisa tout à coup qu'elle préférait encore le petit appartement triste de sa mère au décor tape-à-l'œil et froid de la suite Winslow à l'*Hôtel Pierre*. Les pièces étaient vastes et blanches, toutes de glace et d'acier chromé. Deux immenses carpettes de fourrure blanche recouvraient le parquet, des bibelots et des toiles inestimables ornaient les murs, mais Harry s'y retrouvait toujours seul, avec pour toute compagnie des boissons glacées, une pen-

derie débordant de vêtements coûteux et une télévision.

— Coucou... ! je suis là... ! cria-t-elle en rentrant.

Jane courut vers elle et l'étreignit, l'air ravi.

— Oh, ma chérie, tu as l'air tellement en forme !

L'accueil de sa mère lui fit penser de nouveau à
Harry et à tout ce qui lui manquait malgré son confort
matériel. C'était justement cette tendresse, cette chaleur, qu'elle aurait voulu lui offrir.

— J'ai vu tes bagages. Où étais-tu ?

— Je suis allée voir un ami en ville. Je pensais que
tu rentrerais plus tard.

— Je suis partie plus tôt, au cas où tu arriverais.

— Excuse-moi, maman.

— Qui as-tu été voir ?

Jane avait toujours aimé savoir ce qu'elle faisait et
qui elle voyait. Mais Tana n'était plus habituée à ce
qu'on la questionne ; elle répondit en souriant, après
une hésitation :

— Je suis allée voir Harry Winslow à l'*Hôtel Pierre*.
Je ne sais pas si tu te souviens de lui.

— Bien sûr que si ! s'exclama Jane, ravie. Il est ici ?

— Il a un appartement, répondit tranquillement
Tana.

Les yeux de sa mère prirent une expression miti-
gée ; elle trouvait bien qu'il soit assez mûr et assez
aisé pour avoir son propre appartement, mais cela lui
paraissait en même temps dangereux.

— Tu étais seule avec lui ? demanda-t-elle, soucieuse.

Cette fois, Tana se mit à rire.

— Bien sûr. Nous avons partagé un hamburger et
regardé la télévision en toute innocence, maman.

Le visage de Tana se durcit.

— Enfin... Je pense que tu n'aurais pas dû.

— C'est mon ami, maman.

— C'est aussi un jeune homme et on ne sait jamais
ce qui peut se produire dans une telle situation.

— Si, justement.

La jeune fille ne le savait que trop ; c'était arrivé

dans la si précieuse maison de Billy Durning, dans la chambre de son propre père, alors qu'une centaine de jeunes se trouvaient au rez-de-chaussée.

— Je sais en qui je peux avoir confiance, affirmat-elle.

— Tu es trop jeune pour être capable d'avoir un jugement là-dessus, Tana.

— Non, c'est faux, Harry et moi sommes seulement des amis.

Le visage de Tana était aussi dur qu'une pierre. En la violant, Billy Durning avait complètement modifié le cours de sa vie. Elle savait parfaitement à quoi s'en tenir dans ce domaine et si elle avait eu la moindre crainte avec Harry, elle ne l'aurait jamais rejoint à son hôtel. Mais elle savait d'instinct qu'il était un véritable ami et qu'il ne lui ferait aucun mal.

— Tu joues les naïves. Cela n'existe pas, Tan. Les hommes et les femmes ne peuvent pas être amis.

Tana ouvrit grands les yeux. Elle n'arrivait pas à croire que sa mère puisse tenir un tel discours.

— Comment peux-tu dire une chose pareille, maman ?

— Parce que c'est vrai. Et s'il t'invite à son hôtel, c'est qu'il a autre chose en tête, que tu le veuilles ou non. Peut-être qu'il prend son temps, c'est tout... Tu ne crois pas qu'il a des vues sérieuses sur toi, Tan ?

— Sérieuses ? s'exclama Tana d'une voix exaspérée. Sérieuses ? Je viens de te le dire, nous sommes amis, c'est tout !

— Et moi je te répète que je n'y crois pas. Tu sais, Tan, ce serait un bon parti pour toi.

C'en était trop pour Tana, qui sauta sur ses pieds et fixa sur sa mère des yeux méprisants.

— Je ne suis pas à vendre et je n'ai pas envie d'un « bon parti ». Je ne veux pas me marier et personne ne me forcera. Tout ce que je désire, c'est avoir des amis et aller à l'université. Est-ce que tu peux comprendre ça ?

Elle avait les larmes aux yeux, tout comme Jane.

— Mais pourquoi faut-il donc que tu réagisses

toujours si violemment ? Tu n'étais pas comme ça avant, Tana.

La voix de Jane était si triste que Tana en fut bouleversée, mais elle ne pouvait plus supporter ses propos.

— C'est qu'autrefois, tu ne me persécutais pas ainsi !

— En quoi t'ai-je persécutée ? s'étonna Jane. Je ne te vois plus. Tu es venue deux fois en six mois.

— Tu m'as harcelée avec ce bal, comme tu le fais à propos d'Harry, quand tu parles de bon parti, de mariage, de sécurité. Bon Dieu, maman, mais j'ai dix-huit ans !

— Presque dix-neuf. Et après ? Quand vas-tu enfin y réfléchir, Tan ?

— Je ne sais pas, maman. Peut-être jamais. Peut-être que je ne me marierai pas non plus. Et alors ? Si je suis heureuse, quelle importance ?

— C'est important pour moi. Je veux te voir épouser un gentil garçon, que tu aies de beaux enfants et une maison confortable... dit Jane en pleurant.

C'était toujours ce qu'elle avait désiré pour elle... alors qu'elle se retrouvait seule... à part deux nuits par semaine où elle dormait au côté de l'homme qu'elle aimait. Elle baissa la tête et sanglota. Tana s'approcha d'elle pour la prendre dans ses bras.

— Allons, maman, arrête... Je sais que tu veux ce qu'il y a de mieux pour moi... mais laisse-moi m'arranger toute seule.

Sa mère lui adressa un long regard triste.

— Est-ce que tu réalises qui est Harry Winslow ?

— Oui, répondit doucement Tana, il est mon ami.

— Son père est l'un des hommes les plus riches de tout le pays. Même Arthur Durning est pauvre à côté de lui.

Arthur Durning. Le point de référence en toutes choses pour Jane... songea la jeune fille.

— Et alors ?

— Te rends-tu compte de la vie que tu pourrais mener avec lui ?

Tana s'assombrit tout à coup. Elle était persuadée que sa mère se trompait, une fois de plus. Mais elle estimait avoir une dette envers elle. Pourtant, elle la vit très peu durant les quinze jours qu'elle passa à New York. La jeune fille sortit avec Harry presque tous les jours, même si elle ne l'avoua pas à Jane. Elle était encore furieuse de ce que lui avait dit sa mère : « Est-ce que tu réalises qui il est ? » Comme si cela changeait quelque chose pour elle ! Sa mère n'était vraisemblablement pas la seule à raisonner de cette façon.

Elle posa prudemment la question à Harry, un jour qu'ils pique-niquaient à Central Park.

— Ça ne t'énerve pas, Harry ? Je pense à tous ces importuns qui doivent vouloir te connaître à cause de ce que tu es.

Mais il se contenta de hausser les épaules.

— Je crois que les gens sont ainsi. Ça les excite. Mon père est constamment harcelé.

— Il n'en a pas assez ?

— Je ne crois pas qu'il y fasse attention. Il est tellement insensible, ajouta-t-il en souriant. En fait, je pense que rien ne peut le toucher.

— Il est vraiment comme tu le décris ?

— Pire encore.

— Alors d'où vient que tu es si gentil ?

Il se mit à rire.

— La chance, c'est tout. Ou peut-être ma mère m'a-t-elle transmis son caractère.

— Tu te souviens encore d'elle ?

C'était la première fois que Tana questionnait Harry à ce sujet. Il détourna les yeux.

— Quelquefois... un tout petit peu... Je ne sais pas, Tan. Parfois, quand j'étais gosse, je faisais croire à mes amis qu'elle était vivante, qu'elle était simplement sortie faire des courses lorsqu'ils venaient jouer chez moi. Je ne voulais pas être différent d'eux. Mais ils découvraient toujours la vérité, soit par leur mère quand ils rentraient chez eux, soit autrement. Alors ils me traitaient de cinglé, mais je m'en fichais pas

122

mal. Je trouvais agréable d'être comme les autres pendant quelques heures. J'en parlais comme si elle était sortie... ou simplement en haut...

Tana vit des larmes au coin des yeux de son ami, mais il se reprit aussitôt et ajouta, en fixant sur elle un regard presque méchant :

— Il faut vraiment être complètement idiot pour s'accrocher comme ça à une mère qu'on n'a jamais connue.

— J'ai fait la même chose avec toi, répondit doucement Tana, en y mettant tout son cœur.

Il haussa les épaules. Quelques instants plus tard, ils partirent faire une promenade et parlèrent d'autres choses, de Freeman Blake, de Sharon, des cours de Tana à Green Hill. Tout à coup, à l'improviste, Harry lui prit la main en disant :

— Merci pour ce que tu as dit tout à l'heure.

La jeune fille comprit immédiatement à quoi il faisait allusion. Depuis le premier jour de leur rencontre, cette compréhension tacite existait entre eux.

— Ça va.

Elle lui serra la main et ils continuèrent à marcher. Tana s'étonnait de se sentir si bien à ses côtés. Il ne la harcelait pas, ne lui demandait plus pourquoi elle ne sortait avec personne ; il semblait l'accepter telle qu'elle était. Elle lui en était reconnaissante, ainsi que de sa conception de la vie, des bons moments passés ensemble, et de son sens de l'humour. Elle trouvait merveilleux de pouvoir partager ses idées avec quelqu'un. Il était pour elle comme un écho à ses propres pensées.

Lorsqu'elle revint à Green Hill, elle ne reconnut pas Sharon. Il n'était plus question de modération dans le domaine politique ; elle avait participé à toute une série de rassemblements et de grèves avec sa mère et ses amis, et elle était devenue d'un seul coup aussi enragée que Miriam Blake. Tana, n'en croyant pas ses yeux, finit par s'écrier, deux jours plus tard :

— Mais, bon Dieu, Shar, qu'est-ce qui t'est arrivé ? Cette chambre est devenue une véritable tribune politique. Enlève l'estrade, s'il te plaît. Qu'est-ce qui s'est passé ?

Sharon s'assit, le regard fixe, et se mit à pleurer brusquement ; de longs sanglots l'agitaient et une demi-heure passa avant qu'elle arrive à parler. Tana la regardait, ahurie, comprenant qu'il lui était arrivé quelque chose de terrible. Elle l'étreignit et la berça et, lorsque Sharon parvint à parler enfin, le cœur de Tana cessa un instant de battre.

— Ils ont tué Dick, à Pâques, Tana... ils l'ont tué... il avait quinze ans... et ils l'ont pendu.

Tana eut la nausée. Ce n'était pas possible ! Ça n'arrivait pas à ceux que l'on connaissait !

Lorsqu'elle appela Harry, ce soir-là, elle pleurait en lui annonçant la nouvelle.

— Mon Dieu... J'ai entendu dire à l'université que le fils d'un Noir connu avait été tué, mais je n'ai pas fait le rapprochement. Quelle horreur !

Quand sa mère téléphona plus tard dans la semaine, elle était encore sous le choc.

— Qu'est-ce qui se passe, ma chérie ? Tu t'es disputée avec Harry ?

Elle faisait mine de considérer la relation de sa fille avec Harry comme une idylle, en espérant que cela finirait peut-être par arriver, mais Tana n'était pas d'humeur à l'écouter.

— Le frère de mon amie est mort.

— Oh, c'est affreux... Dans un accident ?

Il y eut une longue pause. « Non, maman, on l'a pendu, parce qu'il est noir... » hurla silencieusement la jeune fille.

— En quelque sorte... finit-elle par répondre.

— Dis-lui combien je compatis. Ce sont bien ces gens chez qui tu es allée à Thanksgiving ?

— Oui, répondit Tana d'une voix sans expression.

— C'est vraiment affreux.

Tana ne supportait pas d'avoir à parler davantage.

— Il faut que je te quitte, maman.

— Appelle-moi dans quelques jours.

— J'essaierai.

124

Elle abrégea et raccrocha. Elle n'avait envie de parler à personne, si ce n'est à Sharon, avec qui elle eut une longue conversation ce soir-là. Tout avait brusquement changé dans la vie de la jeune Noire, qui était entrée en relation avec la communauté noire de Yolan pour organiser des rassemblements durant le printemps.

— Tu penses vraiment que c'est indispensable, Sharon ?

Sharon la considéra avec colère.

— Crois-tu qu'il y ait encore le choix ? Moi, non !

Il y avait en elle une rage, une flamme dont personne ne pourrait plus venir à bout ; ils avaient tué le petit garçon avec lequel elle avait grandi.

— ... Il était adorable, il ressemblait tant à maman, et maintenant...

Elle ravala ses sanglots. Tana alla s'asseoir sur son lit. Chaque nuit, il n'était plus question que de marches, de manifestations silencieuses en ville ou de Martin Luther King ; c'était comme si Sharon n'était plus vraiment là, si bien que la jeune Noire fut prise de panique lorsque arrivèrent les premiers examens. Elle n'avait rien révisé, et l'idée d'être recalée la terrorisait. Tana fit tout son possible pour l'aider, mais sans trop d'espoir, car l'esprit de Sharon était polarisé sur le rassemblement qu'elle avait organisé à Yolan pour la semaine suivante. La population s'était déjà plainte d'elle à deux reprises auprès du doyen de Green Hill qui, à cause de la personnalité de son père, s'était contenté de la faire appeler et de lui parler. Il comprenait ce qu'elle endurait à cause de son frère... et de ce malheureux « accident », mais il fallait qu'elle se conduise convenablement et qu'elle ne cause en aucun cas du désordre en ville.

— Tu ferais mieux de laisser tomber, Shar. Ils vont te flanquer dehors si tu n'arrêtes pas.

Tana l'avait prévenue plus d'une fois, mais son amie ne pouvait plus reculer ; elle n'avait plus le choix, et tel était son devoir. La veille du grand rassemblement à Yolan, elle se tourna vers Tana juste avant d'éteindre la lumière. L'expression de son regard était si intense que Tana en fut presque effrayée.

— Qu'y a-t-il ?

— Je veux te demander une faveur. Je ne me mettrai pas en colère si tu refuses, je te le promets. Alors tu es absolument libre. C'est entendu ?

— D'accord. Qu'est-ce que c'est ?

Tana priait seulement pour qu'elle ne lui demande pas de tricher à l'examen.

— Je discutais avec le Révérend Clarke aujourd'hui, à l'église. Je me disais que cela serait beaucoup plus percutant s'il y avait quelques Blancs demain. Nous allons nous rendre à l'église des Blancs.

— Ça va faire du joli.

— Certainement. Le Révérend Clarke va voir qui il peut emmener, et de mon côté je... enfin... peut-être ai-je tort, mais je voulais te le demander. Mais si tu ne veux pas, Tan, ne le fais pas.

— Pourquoi seraient-ils mécontents de me voir entrer dans leur église ? Je suis blanche.

— Pas vraiment, si tu es avec nous. Tu deviens une sale Blanche, même pire. Si tu arrives en me tenant la main, entre le Révérend Clarke et moi et un autre Noir, c'est différent, Tan.

— Oui, acquiesça Tana tout en sentant la peur l'envahir, mais elle voulait aussi aider son amie. Je crois que je vais étudier la question.

Sharon la regarda droit dans les yeux.

— Qu'en penses-tu ?

— Honnêtement ? Ça m'effraie.

— Moi aussi, mais j'ai peur tout le temps. Dick aussi avait peur, mais il y est allé. Moi aussi, j'y vais, et je ne cesserai jamais de le faire, jusqu'à ce que les choses changent. Mais c'est mon combat, Tana, pas le tien. Si tu viens, tu viens par amitié pour moi. Si tu ne peux pas, je t'aimerai toujours, de toute façon.

— Merci. Est-ce que je peux y réfléchir ?

La jeune fille n'ignorait pas que sa participation à la manifestation aurait des répercussions si le collège l'apprenait. Elle ne voulait pas prendre le risque de perdre sa bourse pour l'année suivante. Elle chercha à joindre Harry, mais il était absent. Lorsqu'elle se réveilla, le lendemain matin, elle se souvint de ses visites à l'église quand elle était petite, et des discours que lui tenait sa mère à propos de Dieu, pour qui tous les hommes sont égaux, les riches et les pauvres, les Blancs et les Noirs. Puis elle songea à Dick, le frère de Sharon, pendu à l'âge de quinze ans. Lorsque Sharon s'éveilla, Tana l'attendait.

— Bien dormi ? demanda son amie.

— Plus ou moins.

Elle s'assit sur le bord du lit et s'étira.

— Tu te lèves ?

Tana vit le regard interrogateur de Sharon et sourit.

— Oui. Nous allons à l'église aujourd'hui, n'est-ce pas ?

A ces mots, Sharon poussa un grand cri, sauta de son lit et l'embrassa avec force.

— Je suis si heureuse, Tan ! s'écria-t-elle avec un sourire comblé.

— Moi, je ne sais pas, mais je crois que c'est ce que je dois faire.

— J'en suis certaine.

Les deux jeunes filles se préparèrent, puis elles partirent ensemble pour Yolan.

— Vous allez à l'église ? demanda l'intendante en souriant.

Elles acquiescèrent, tout en sachant qu'elle entendait par là deux églises différentes. Mais Tana suivit Sharon jusqu'à l'église noire où elles rejoignirent le Révérend Clarke. Quatre-vingt-quinze Noirs et onze Blancs étaient déjà là. On leur donna la consigne de rester calmes, de sourire sans provocation, si c'était nécessaire, et de garder le silence quoi qu'on puisse leur dire. Ils devaient se tenir par la main et entrer dans l'église, avec solennité et respect, par groupes de cinq. Sharon et Tana resteraient ensemble. Il y avait une autre jeune fille blanche avec elles, ainsi que deux Noirs, corpulents et grands. Ces derniers travaillaient à la manufacture. Ils étaient à peine plus âgés qu'elles, mais ils étaient déjà mariés ; l'un avait trois enfants, et l'autre quatre. Juste avant d'entrer dans l'église, ils s'adressèrent les uns aux autres un sourire crispé. Il s'agissait d'une petite église presbytérienne située dans le quartier résidentiel de la ville, dont l'office était très fréquenté le dimanche. Lorsque les Noirs firent leur apparition, tous les visages sans exception se tournèrent vers eux, complètement ahuris. L'orgue s'arrêta de jouer, une femme s'évanouit, une autre se mit à crier. Au bout de quelques instants, le tumulte fut général. Le pasteur se mit à hurler, quelqu'un courut appeler la police. Au fond de l'église, la troupe du Révérend Clarke gardait son calme, imperturbable malgré l'affolement et les insultes qu'on lui lançait. Au bout d'un moment, la brigade d'intervention arriva. Les hommes, des agents de la circulation pour la plupart, venaient de subir un entraînement spécial à cause des manifestations de plus en plus nombreuses. Ils extirpèrent tant bien que mal tous les Noirs de l'église. Tana réalisa tout à coup ce qui était en train d'arriver. Elle était là, parmi eux, impliquée et non plus lointaine spectatrice. Soudain, deux énormes policiers fondirent sur elle et l'agrippèrent durement en faisant voltiger leurs bâtons devant son visage.

— Tu devrais avoir honte de toi... sale Blanche !

Ils la tirèrent au-dehors. Tana les regardait, les yeux agrandis, chaque parcelle de son corps pénétrée de haine et de violence. Ils la jetèrent à l'arrière du fourgon avec une grande partie du groupe du Révérend Clarke. Une demi-heure plus tard, une fois ses empreintes digitales relevées, la jeune fille se retrouva en prison. Elle resta assise dans la cellule tout le reste de la journée, avec quinze autres filles, toutes noires. Elle apercevait Sharon de l'autre côté du couloir. Tout le monde avait eu droit à un appel téléphonique, du moins les Blancs. Sharon demanda de loin à Tana de joindre Miriam Blake. Celle-ci arriva à Yolan à minuit et délivra en même temps les deux amies, qu'elle félicita. Tana la trouva encore plus dure et plus tendue que six mois auparavant, mais elle semblait satisfaite de leur action. Elle ne fut même pas attristée lorsque Sharon lui apprit le lendemain qu'elle était renvoyée de Green Hill. L'intendante avait déjà emballé ses affaires, et on lui demandait de quitter le campus avant midi. La nouvelle impressionna beaucoup Tana, qui comprit ce qui l'attendait lorsqu'elle fut convoquée au bureau du Doyen. C'était exactement ce qu'elle avait supposé : on lui demandait de partir, et elle n'aurait pas de bourse pour l'année suivante, puisqu'elle n'avait plus le droit de s'inscrire à Green Hill. En revanche, on lui permettait de passer les examens. Libre à elle, ensuite, de choisir une autre université. Mais laquelle ?

Bouleversée, elle resta assise dans sa chambre après le départ de Sharon, qui retournait avec sa mère à Washington où il était déjà question qu'elle travaille quelque temps pour le Révérend King.

— Je sais que mon père va en être malade, parce qu'il veut que je fasse des études mais, sincèrement, Tana, j'ai eu mon compte ici.

Sharon regarda Tana avec tristesse.

— Mais toi, que vas-tu faire ?

— Peut-être que c'est mieux comme ça.

Tana essaya de faire bonne figure, mais le cœur n'y était pas. Elle serait en liberté surveillée à Green Hill, ce qui signifiait qu'elle devrait prendre ses repas seule, rester dans sa chambre le soir, et qu'elle serait exclue de toute activité de groupe. Heureusement que l'année se terminait trois semaines plus tard.

Mais le pire de tout, c'est que le Doyen prévint effectivement Jane, comme il l'avait annoncé à Tana. Sa mère téléphona, hors d'elle.

— Pourquoi tu ne m'as pas dit que cette petite peste était noire ?

— Quelle importance ? C'est ma meilleure amie.

Tana sentit ses yeux s'emplir de larmes, car toutes les émotions des deux jours précédents la submergeaient tout à coup. Tout le monde au collège la regardait comme si elle était une criminelle, Sharon était partie, elle ne savait pas où elle irait l'année suivante, et voilà que sa mère lui faisait des reproches... Elle avait l'impression d'avoir cinq ans et d'avoir commis une très, très grosse bêtise, sans comprendre en quoi.

— Tu appelles ça une amie ? s'exclama sa mère avec dérision. Tu as perdu ta bourse à cause d'elle et tu as été renvoyée. Tu crois peut-être que tu vas être acceptée quelque part, après ça ?

— Bien sûr, voyons !

Harry l'avait rassurée, le lendemain, tandis qu'elle sanglotait.

— Il y a des flopées d'extrémistes à Boston.

— Je ne suis pas une extrémiste, avait-elle répliqué en pleurant de plus belle.

— Je sais. Tu n'as fait que participer à une manifestation. Mais qu'est-ce qui t'a pris aussi d'aller dans ce collège d'arriérés qui font des manières ! Ils ne sont même pas civilisés là-bas !

— Tu crois vraiment que je pourrais être acceptée à Boston ?

— Avec tes diplômes, tu plaisantes ? Ils t'ouvriront les bras.

— Tu dis ça pour me rassurer.

— Tu sais que tu es vraiment pénible, Tan. Pourquoi ne pas faire la demande et voir ce qui se passe ?

Et elle fut admise, à son grand étonnement, et au désespoir de sa mère.

— L'Université de Boston ? Qu'est-ce qu'elle vaut ? demanda-t-elle avec méfiance.

— C'est l'une des meilleures, et ils m'ont même accordé une bourse.

Harry s'était occupé de la candidature de Tana. Il était même intervenu en sa faveur, ce qui avait beaucoup touché la jeune fille. Et le résultat était qu'elle entrait à l'Université de Boston à l'automne.

Pourtant, Tana restait encore très démoralisée par les récents événements. Sa mère ne la ménageait d'ailleurs pas.

— Je pense que tu devrais accepter un emploi

pendant quelque temps, Tan. Tu ne vas pas passer ta vie à l'université !

Tana la regarda, horrifiée.

— Mais il s'agit de trois ans, pour que j'aie un diplôme !

— Et ensuite ? Qu'est-ce que tu sauras faire de plus que maintenant ?

— J'aurai un bon métier.

— Tu peux travailler pour Durning dès maintenant. J'en ai parlé à Arthur la semaine dernière...

— Par pitié, ne me condamne pas à ça pour le reste de ma vie.

— Te condamner ! Te condamner ! Comment peux-tu parler ainsi ? Tu as été arrêtée, renvoyée du collège, et tu te crois tout permis. Tu as de la chance qu'un homme tel qu'Arthur Durning ait même songé à t'engager.

— C'est lui qui a de la chance que je n'aie pas porté plainte contre son fils, l'an dernier ! hurla Tana.

Les mots lui avaient échappé de la bouche. Jane Roberts la contempla avec consternation.

— Comment oses-tu dire une chose pareille ?

— C'est la vérité, maman, répondit-elle d'une voix triste et calme.

Jane tourna le dos à Tana, comme pour éviter le regard de sa fille.

— Je ne veux plus écouter de tels mensonges.

Tana quitta tranquillement la pièce.

Quelques jours plus tard, elle partait rejoindre Harry chez son père, à Cape Cod. Ils jouèrent au tennis, firent du bateau, se baignèrent et allèrent voir des amis d'Harry, sans que jamais Tana ait la moindre crainte. Leurs relations, du moins dans l'esprit de Tana, étaient entièrement platoniques et la satisfaisaient. Les sentiments d'Harry étaient autres, mais il se gardait de les montrer. Tana écrivit plusieurs fois à Sharon, mais les lettres qu'elle recevait en retour étaient brèves et manifestement rédigées à la hâte. A l'en croire, la jeune Noire n'avait jamais été si occupée et si heureuse de sa vie. Sa mère avait eu raison et son travail pour Martin Luther King lui plaisait infiniment.

Lorsque les cours débutèrent à l'Université de Boston, Tana fut frappée de la différence avec Green Hill. Tout était intéressant, ouvert, moderne, les cours étaient mixtes. Très vite elle obtint d'excellents résultats.

Jane était secrètement fière de Tana, même si ses rapports avec elle n'étaient plus aussi bons qu'avant, mais elle se disait que ce n'était qu'une mauvaise passe. Elle avait d'ailleurs d'autres sujets de préoccupation. Vers la fin de la première année de Tana à Boston, Ann Durning se remaria. Il devait y avoir une cérémonie grandiose à l'église de Greenwich, dans le Connecticut, puis une réception organisée par Jane, dont le bureau était encombré de listes de toutes sortes et de photos. Ann l'appelait au moins quinze fois par jour. Elle avait presque l'impression de marier sa propre fille. Mais au bout de quatorze années consacrées à Arthur Durning, il était normal qu'elle éprouve ce sentiment. Elle était particulièrement heureuse du choix d'Ann, cette fois-ci. C'était un homme adorable, âgé de trente-deux ans, qui avait été marié lui aussi. Il était associé chez Sherman et Sterling, un cabinet juridique de New York, et d'après les renseignements de Jane, il entamait une brillante carrière d'avocat et possédait beaucoup d'argent. Arthur se réjouissait lui aussi du choix de sa fille. Il offrit à Jane un magnifique bracelet en or de Cartier, pour la remercier de s'être donné tant de mal pour la réussite du mariage d'Ann.

— Tu es vraiment une femme merveilleuse, tu sais.

Il était assis dans le salon de Jane, en train de boire un whisky. Il la regardait en se demandant pourquoi il ne l'avait jamais épousée. Mais leur situation lui convenait et il n'y songeait que de temps à autre.

— Merci, Arthur.

Elle lui tendit une petite assiette qui contenait tout ce qu'il préférait : du saumon sur de fines tranches de pain de seigle, des petits canapés de steak tartare, et les noix décortiquées qu'elle avait toujours à la maison au cas où il viendrait, avec son whisky favori, ses gâteaux favoris... le savon... l'eau de Cologne... tout ce qu'il aimait. Elle était davantage disponible pour lui, maintenant que Tana était partie. Cela avait à la fois amélioré et un peu gâté leurs relations. Elle était plus libre, il pouvait venir plus facilement à l'improviste, mais, d'un autre côté, Jane se sentait plus seule. Elle admettait moins facilement qu'il passe deux semaines sans rester dormir avec elle, tout en se disant qu'elle avait déjà beaucoup de chance qu'il vienne la voir, et que sa vie était beaucoup plus agréable grâce à lui.

— Tana vient au mariage, n'est-ce pas ? demandat-il en mangeant un autre toast.

Jane prit un air vague. Elle en avait parlé au téléphone à Tana seulement quelques jours auparavant. Celle-ci n'avait pas répondu à l'invitation qu'Ann lui avait envoyée. Jane lui avait reproché son manque de politesse.

— Je te ferai part de ma décision quand on y sera, maman. Pour le moment j'ai mes examens.

— Mais ça ne prend qu'une seconde d'écrire quelques mots.

— En ce cas, réponds pour moi que je n'irai pas, répliqua la jeune fille avec agacement.

— Certainement pas, puisque je suis convaincue que tu devrais accepter cette invitation.

— Voilà qui ne m'étonne pas. Encore une corvée à cause du clan Durning. Mais qu'est-ce qu'on attend pour leur dire non ? De toute façon, je crois que je serai occupée.

— Tu pourrais au moins faire un effort pour moi.

— Dis-leur que tu ne peux pas me forcer. Que je ne suis pas disponible, que j'escalade l'Everest. Dis-leur absolument ce que tu veux !

— Alors, c'est vrai, tu ne viens pas ? insista sa mère, incrédule.

— Je n'y avais pas encore réfléchi, mais maintenant que tu m'en parles, je crois bien que non.

— Tu le savais depuis le début.

— Ecoute... Mets-toi ça dans la tête : je n'aime pas Ann, et je déteste Billy. Quant à Arthur, c'est ton affaire. Pourquoi veux-tu me mêler à tout ça ? Je suis une adulte à présent, eux aussi. Par ailleurs, nous n'avons jamais été amis.

— C'est son mariage. Elle désire que tu y sois.

— Tu parles ! Elle invite tous les gens qu'elle connaît, et si elle pense à moi, c'est pour te faire plaisir.

— Ce n'est pas vrai, répliqua sa mère tout en sachant que sa fille avait raison.

Il était vrai que Tana prenait de plus en plus d'assurance. Harry n'y était d'ailleurs pas étranger. Il avait beaucoup d'influence sur elle. Elle lui était très reconnaissante de l'avoir poussée à s'inscrire à Boston, car ce changement lui avait fait du bien. En un an, elle estimait avoir beaucoup mûri.

— Tana, je n'arrive pas à comprendre pourquoi tu te conduis de cette façon, poursuivait Jane.

— Maman, est-ce qu'on ne peut pas parler d'autre chose ? Comment vas-tu, toi ?

— Bien, mais j'aimerais au moins que tu prennes le temps de réfléchir...

— D'accord ! cria la jeune fille. J'y penserai. Est-ce que je peux amener quelqu'un ?

Peut-être serait-ce plus supportable si Harry venait, songea-t-elle.

— Je l'espérais. Pourquoi ne pas prendre exemple sur Ann, toi et le petit Winslow, êtes-vous fiancés ?

— Parce que nous ne sommes pas amoureux. Voilà la meilleure raison.

— J'ai du mal à le croire, après tout ce temps.

— La réalité dépasse la fiction, maman.

Cela l'exaspérait de discuter avec sa mère à présent. Elle essaya de l'expliquer à Harry le lendemain :

— C'est comme si elle passait ses journées à préparer ce qu'elle va me dire pour être sûre de me mettre en colère. Et chaque fois, elle tombe dans le mille.

— Mon père est très fort à ce jeu-là, lui aussi !

Tana le regarda en riant. Il était encore plus beau qu'auparavant. Les filles étaient folles de lui. Il en fréquentait toujours une demi-douzaine en même temps, mais il était toujours libre pour Tana. Elle était arrivée la première, c'était son amie, et même beaucoup plus en réalité, ce que Tana n'avait jamais compris.

— Je ne suis pas près de t'oublier, Tan ; elles, elles auront disparu dans une semaine.

Il ne les prenait jamais au sérieux, quelle que soit leur ardeur à le séduire. Il ne leur mentait pas, veillait à ne pas les blesser, et faisait attention à ne pas avoir d'enfants. Harry Winslow voulait s'amuser, rien de plus. Pas de déclarations, pas d'anneaux de mariage, pas de regards langoureux, simplement quelques rires, beaucoup de bière, et un bon moment, si possible au lit. Son cœur, quoique secrètement, était pris ailleurs.

— Mais elles ne veulent pas autre chose ?

— Si, bien sûr. Elles ont des mères, comme toi. Seulement, la plupart écoutent davantage leurs conseils. Elles veulent toutes se marier et quitter le collège le plus vite possible. Mais je leur dis de ne pas compter sur moi pour les y aider. Et si elles ne me croient pas, elles s'en aperçoivent bien assez tôt, ajouta-t-il avec un sourire narquois.

Tana se mit à rire. Elle savait que les filles tombaient comme des mouches lorsqu'il les regardait. Leur amitié faisait l'envie de toutes ses amies qui ne parvenaient pas à croire, tout comme sa mère, à une relation purement platonique. Harry avait fini par admettre son attitude. Il n'aurait jamais osé forcer les barrières derrière lesquelles elle s'était retranchée. Une ou deux fois, il essaya de la faire sortir avec un ami à lui, mais cela n'intéressait pas Tana. Il avait acquis la conviction qu'un événement l'avait traumatisée, mais comme elle ne voulait jamais en parler, il n'insistait pas. Elle sortait avec Harry, ou avec des amis de l'université, ou même seule, mais il n'y avait aucun homme dans sa vie. Il en était persuadé.

— C'était quand même vraiment dommage, plaisanta-t-il un jour pour essayer d'aborder le sujet.

Mais elle coupa court, comme chaque fois.

— Tu t'en occupes pour nous deux.

— Oui, mais ça ne te rapporte pas grand-chose.

Elle se mit à rire.

— Je me réserve pour ma nuit de noces.

— Voilà une noble cause, plaisanta-t-il.

Ils éclatèrent de rire. Les étudiants étaient habitués à les voir toujours ensemble, en train de rire et de plaisanter. Le week-end, ils partaient faire du tandem.

— Tu as envie d'aller au mariage d'Ann Durning avec moi ? lui demanda-t-elle le lendemain du jour où sa mère l'avait tant harcelée au téléphone.

Ce jour-là, ils étaient justement partis se promener dans la campagne.

— Pas particulièrement. Y a-t-il une chance de s'y amuser ?

— Pas une, fit-elle avec un sourire angélique. Ma mère pense que je devrais y aller.

— Je suis sûr que tu t'y attendais.

— Elle pense aussi que nous devrions nous fiancer.

— Je ne serais pas contre.

— Parfait. Nous ferons d'une pierre deux coups. Sérieusement, tu as envie de venir ?

— Pourquoi ?

Il y avait une sorte d'anxiété dans les yeux de la jeune fille, dont il essayait de deviner la cause.

— Je ne veux pas y aller seule. Je ne les aime pas. Ann est une véritable écervelée. Elle a déjà été mariée, puis son père fait tout un foin autour de ces noces. J'espère qu'elle ne se trompe pas, cette fois.

— Mariage d'amour ?

— Qu'est-ce que tu crois ? Le type qu'elle épouse est riche à millions.

— Comme c'est touchant.

— Je trouve que c'est agréable de savoir où se situe la valeur des gens, pas toi ? Enfin la cérémonie a lieu après la fin des cours, dans le Connecticut.

— J'avais prévu d'aller dans le sud de la France cette semaine-là, Tan, mais je peux retarder mon départ de deux jours si ça t'arrange.

— Ça ne va pas être une trop grosse corvée ?

— Si, répondit-il honnêtement en souriant, mais je ferais n'importe quoi pour vous, ajouta-t-il en saluant très bas.

Elle se mit à rire et il la raccompagna jusqu'à sa cité. Il avait un rendez-vous galant ce soir-là. Il espérait bien être dédommagé pour les quatre dîners qu'il avait déjà offerts.

— Comment peux-tu parler comme ça ! gronda plaisamment Tana.

— Je ne peux pas la nourrir à perpétuité, bon Dieu, sans être récompensé. En plus, elle mange ces énormes steaks accompagnés de queue de homard et ma pension en a pris un sacré coup, mais... je te tiendrai au courant.

— Je ne crois pas que j'aie envie de savoir.

— Très bien... chastes oreilles... allez...

Il agita la main en repartant sur le tandem.

Ce soir-là, Tana écrivit à Sharon, se lava les cheveux, et le lendemain, elle déjeuna avec Harry. Il n'avait été nulle part avec la « mangeuse », comme il l'appelait à présent. Elle avait dévoré non seulement son propre steak, mais aussi une grande partie du sien, ainsi que leurs deux homards. Ensuite, elle lui avait dit qu'elle ne se sentait pas bien et qu'elle devait rentrer chez elle pour réviser ses examens. Pour le récompenser de toute sa peine, il n'avait récolté qu'une note salée au restaurant et une bonne nuit de sommeil.

— C'est terminé avec elle. Quand je pense à tout ce qu'il faut subir pour arriver à ses fins, de nos jours !

Mais Tana, qui savait qu'il ne rencontrait jamais d'obstacles la plupart du temps, ne cessa de le taquiner pendant tout le trajet jusqu'à New York, où il la déposa chez elle avant d'aller s'installer à l'*Hôtel Pierre*. Lorsqu'il vint la chercher le lendemain pour se rendre au mariage, elle fut obligée d'admettre qu'il avait belle allure. Il portait un pantalon blanc en flanelle, une veste de cachemire bleue, une chemise en soie crème que son père lui avait fait faire à Londres l'année passée, et une cravate bleu marine et rouge signée Hermès.

— Eh bien, Harry, si la mariée a un peu de jugeote, elle enverra balader ce gars et s'enfuira avec toi.

— Ne parle pas de malheur. D'autant que tu n'es pas mal non plus, Tan.

La jeune fille portait une robe de soie verte, presque de la même couleur que ses yeux. Ses longs cheveux, qu'elle avait longuement brossés, étincelaient dans son dos.

— Merci de m'avoir accompagnée. Je sais que ça va être embêtant, mais j'apprécie.

— Ne sois pas stupide. Je n'avais rien d'autre à faire, de toute façon. Je ne pars pour Nice que demain soir.

De là, il se rendrait à Monaco, où il embarquerait sur le yacht d'un ami de son père. Harry passerait deux semaines avec ce dernier, puis se retrouverait seul dans la maison du Cap-Ferrat.

— Je n'ai quand même pas à me plaindre, Tan, affirmait-il en rêvant à ses futures conquêtes et à son entière liberté.

Mais Tana trouvait cette existence bien solitaire ; il n'aurait personne à qui parler la plupart du temps, personne qui se préoccupe vraiment de lui. Elle, au contraire, allait passer l'été étouffée par sa mère ; dans un moment de faiblesse, culpabilisant à cause d'une indépendance pourtant durement acquise, elle avait accepté de prendre un travail d'été chez Durning International. Sa mère était aux anges.

— J'ai envie de me tuer chaque fois que j'y pense, grognait-elle lorsqu'elle évoquait le sujet. J'ai été idiote. Mais j'ai tellement de peine pour elle, quelquefois. Elle est si seule maintenant que je suis partie. Et je me suis dit que ça lui ferait plaisir, mais, bon sang, Harry... pourquoi j'ai fait ça ?

— Ce ne sera pas si mal, Tan.

— Tu veux parier ?

Sa bourse avait été renouvelée pour l'année suivante. Elle désirait se procurer un peu d'argent de poche, mais elle se sentait déprimée à l'idée de passer tout l'été à New York, avec Jane qu'elle verrait tous les jours en adoration devant Arthur.

— Nous passerons une semaine au Cape quand je reviendrai.

— Dieu merci !

Ils arrivèrent à l'église, où régnait une chaleur étouffante, puis gagnèrent la maison des Durning avec le reste des invités. Harry observa le visage de Tan tandis qu'ils franchissaient l'immense portail ; c'était la première fois qu'elle revenait en ces lieux depuis le cauchemar, exactement deux ans auparavant. Un peu de sueur apparut au-dessus de sa lèvre supérieure.

— Tu n'aimes vraiment pas cet endroit, n'est-ce pas, Tan ?

— Pas beaucoup.

Elle regarda par la vitre, l'air vague, mais il sentait la tension monter en elle. Cet état s'accentua encore lorsqu'ils sortirent de la voiture. Tana présenta Harry à Arthur et aux nouveaux mariés. Alors qu'elle commandait une boisson, elle aperçut Billy qui l'observait attentivement. Elle en resta un instant pétrifiée. Elle dansa plusieurs fois avec Harry et avec beaucoup de gens qu'elle ne connaissait pas, bavarda avec sa mère une ou deux fois, puis, brusquement, pendant un temps mort, se retrouva face à face avec Billy.

— Bonjour, toi. Je me demandais si tu viendrais.

Se retenant de le gifler, la jeune fille s'écarta, le souffle coupé. Elle ne l'avait pas revu depuis la terrible soirée, mais il paraissait toujours aussi méchant et désagréable.

— Ne m'approche pas, lui souffla-t-elle d'une voix à peine audible.

— Ne sois pas si tendue. C'est le mariage de ma sœur aujourd'hui. Un événement romantique.

Elle vit qu'il était déjà soûl. Elle savait qu'il avait

réussi son diplôme de Princeton. Il n'avait pas dû cesser de l'arroser depuis. Il entrait dans l'entreprise familiale où il pourrait à loisir courir les secrétaires. Elle eut envie de lui demander de quand datait son dernier viol, mais se contenta de reculer. Il l'agrippa par le bras.

— C'est pas très gentil de faire ça.

Elle se retourna vers lui, les mâchoires serrées, les yeux agrandis.

— Ote ta main de là ou je te jette ce verre à la figure.

Elle cherchait à se dégager. Harry, qui venait d'arriver à ses côtés, discerna dans ses yeux une expression qu'il n'avait jamais vue auparavant. Il saisit en même temps le regard de Billy Durning qui murmura, l'œil vicieux, un seul mot :

— Salope.

Harry lui attrapa le bras et le tordit jusqu'à ce que l'autre lâche prise. Billy essaya de se défendre, mais battit en retraite, ne voulant pas faire de scandale. Harry lui murmura dans l'oreille tout en empoignant sa cravate :

— Tu veux un dessin ? Bon, alors va-t'en.

Billy se dégagea et s'éloigna sans un mot tandis qu'Harry observait Tana. Elle tremblait de tous ses membres.

— Ça va ?

Elle acquiesça, sans le convaincre : elle était d'une pâleur mortelle, et ses dents claquaient, malgré la chaleur.

— Pourquoi cette scène ? s'enquit Harry. C'est un ancien ami ?

— L'adorable fils de M. Durning.

— Je parierais que vous vous êtes déjà rencontrés.

— Oui, et ce n'était pas très agréable.

Ils restèrent encore un peu à la réception mais il était visible que Tana était pressée de partir. Harry fut le premier à le lui suggérer. Il garda d'abord le silence dans la voiture, puis il constata qu'elle se décontractait au fur et à mesure que la maison des Durning s'éloignait. Il était bien déterminé à connaître la

vérité : la tension qu'il avait ressentie lui faisait peur
pour elle.

— Pourquoi tout ça, Tan ?

— Ce n'est pas grand-chose. Une vieille haine, c'est
tout.

— Due à quoi ?

— C'est un petit salaud.

Harry fut surpris par la violence de ses paroles. Les
yeux brûlants de larmes, Tana alluma une cigarette de
sa main tremblante.

— J'ai deviné que vous n'étiez pas vraiment des
amis, dit-il en souriant. Qu'est-ce qu'il t'a fait pour
que tu le haïsses tant, Tan ?

— Ça n'a plus d'importance, maintenant.

— Si, ça en a.

— Non, aucune ! cria-t-elle.

Des larmes roulèrent sur ses joues. Il lui tendit un
mouchoir où elle enfouit son visage.

— C'est moi que tu essaies de convaincre ou toi ?
demanda-t-il après un silence.

— Excuse-moi, Harry.

— Ce n'est pas la peine. Tu ne t'en souviens pas ? Je
suis ton ami.

Il lui pinça la joue. Elle sourit à travers ses larmes,
mais une sensation d'horreur la hantait à nouveau.

— Tu es le meilleur ami que j'aie jamais eu.

— Je veux que tu me dises ce qui s'est passé avec
lui.

— Pourquoi ?

— Comme ça, je pourrai revenir et le tuer si tu
veux, répondit-il en souriant.

— D'accord. Allons-y.

Elle se mit à rire pour la première fois depuis des
heures.

— Sérieusement, je crois que tu as besoin d'ôter ce
poids de ton cœur.

— Non.

Cet aveu l'effrayait encore plus que de vivre avec
son secret.

— Il a été incorrect, c'est ça ?

— Plus ou moins, articula-t-elle en regardant par la vitre.

— Tana... Parle-moi...

Elle se tourna vers Harry, un sourire glacial sur les lèvres.

— Pourquoi ?

— Parce que c'est sacrément important pour moi.

Il quitta la route, coupa le contact et scruta le visage de son amie. Il comprenait tout à coup qu'il était en train de pousser une porte qu'on avait tenue bien fermée, mais il était sûr qu'il devait l'ouvrir pour le salut de Tana.

— Dis-moi ce qu'il t'a fait.

Elle fixa Harry, émit quelques mots incompréhensibles, puis secoua la tête. Mais Harry était bien décidé à ne pas abandonner la partie. Il lui prit doucement la main, jusqu'à ce qu'elle murmure :

— Il m'a violée il y a deux ans. Il y aura exactement deux ans demain soir, pour être précise. Bon anniversaire !

Harry en eut la nausée.

— Comment ça, il t'a violée ? Tu es sortie avec lui ?

Elle secoua la tête.

— Non. Ma mère avait insisté pour que je vienne à une réception organisée par Billy ici, à Greenwich. Je suis venue avec l'un de ses amis, qui s'est soûlé et qui a disparu. Billy m'a trouvée en train de déambuler dans la maison. Il m'a demandé si je voulais voir la pièce où travaillait ma mère. Comme une idiote, j'ai dit oui. Je me suis retrouvée dans la chambre de son père, où il m'a jetée par terre. Il m'a battue et violée. Ensuite il m'a ramenée chez moi et il a eu un accident avec la voiture.

Elle se mit à sangloter doucement, butant sur ses propres mots, qu'elle avait l'impression d'expulser d'elle.

— J'ai eu une crise de nerfs à l'hôpital... après l'arrivée de la police... ma mère est venue... elle ne me croyait pas, elle pensait que j'étais ivre... le petit Billy ne pouvait pas avoir mal agi à ses yeux... J'ai essayé de le lui dire une autre fois...

Tana cacha son visage entre ses mains, Harry la prit dans ses bras et la berça. Ce qu'elle disait lui brisait le cœur ; voilà pourquoi elle n'était sortie avec personne depuis leur rencontre, pourquoi elle était si fermée...

— Pauvre petite... Pauvre Tan...

Il la ramena en ville, l'invita à dîner dans un endroit tranquille, puis ils passèrent de longues heures à discuter à l'*Hôtel Pierre*. Elle savait que sa mère resterait encore à Greenwich cette nuit-là ; elle y avait d'ailleurs passé la semaine pour s'occuper de tous les préparatifs du mariage. Après avoir déposé Tana chez elle, Harry se demanda si sa relation avec Tana pourrait changer à présent. C'était la fille la plus extraordinaire qu'il avait jamais rencontrée. S'il s'était laissé aller, il serait tombé amoureux fou d'elle. Mais il ne voulait pas non plus abîmer une amitié si précieuse. Et pour quoi ? Pour une simple histoire de sexe ? Il était comblé de ce côté-là. Tana comptait beaucoup plus que cela pour lui. Il lui faudrait encore du temps avant de guérir, et il l'aiderait bien davantage en restant son ami, plutôt qu'en essayant de lui imposer ses sentiments.

Il l'appela le lendemain avant de partir pour la France, et lui fit envoyer des fleurs accompagnées d'une carte qui disait :

« Tire un trait sur le passé. Tu es très bien à présent. Tendresses. Harry. »

Puis il lui téléphona d'Europe chaque fois qu'il le pouvait, et ils partirent ensemble pour Cape Cod. Tana était soulagée d'avoir enfin terminé de travailler chez Durning. Cela avait été une erreur, mais elle avait pris sur elle jusqu'au bout.

— Pas de grand roman d'amour depuis mon départ ? s'enquit plaisamment Harry.

— Aucun. Tu ne te souviens pas ? Je me réserve pour ma nuit de noces.

Ils savaient maintenant ce qui se cachait derrière cette plaisanterie.

— Il n'y aura pas de nuit de noces si tu ne sors jamais.

— Voilà que tu parles à ton tour comme ma mère, dit-elle en souriant.

Elle était si heureuse de le revoir !

— A propos, comment va-t-elle ?

— Toujours pareil. L'esclave dévouée d'Arthur Durning. Ça me rend malade. Jamais je ne voudrais être comme ça avec quelqu'un.

Il claqua des doigts, l'air désespéré.

— Mince... Moi qui espérais justement.

Ils éclatèrent de rire. Ensuite, la semaine passa très vite, comme dans un rêve. Harry continuait à cacher ses véritables sentiments pour elle. L'année suivante, qu'ils passèrent chacun dans leur université respective, s'envola de la même façon. Puis Tana partit travailler à Boston pendant l'été, tandis qu'Harry séjournait en Europe. Ensuite, ils se retrouvèrent encore une fois à Cape Cod. Il leur restait une seule année universitaire avant d'entrer dans la vie active. Chacun à sa façon, ils essayaient de repousser cette échéance.

— Qu'est-ce que tu vas faire ? lui demanda-t-elle un soir. Tu penses continuer tes études pour te spécialiser ?

— Bon Dieu, non ! J'ai eu mon compte. Je laisse tomber.

— Pour faire quoi ?

Cette question la tourmentait depuis deux mois.

— Je ne sais pas. Je crois que je vais rester quelque temps à Londres. Mon père est souvent en Afrique du Sud en ce moment, donc ça ne le gênerait pas. Peut-être aussi irai-je à Paris, ou à Rome, et après je reviendrai. J'ai uniquement envie de m'amuser, Tan.

En fait, il préférait fuir loin de celle qu'il ne pouvait obtenir, du moins pour l'instant.

— Tu ne veux pas travailler ? demanda-t-elle, étonnée.

— Pour quoi faire ?

— Quel scandale !

— Où est le scandale ? Les hommes de ma famille ne travaillent pas depuis des générations. Comment briser une telle tradition ? Ce serait un sacrilège.

— Comment peux-tu l'admettre ?

— Parce que c'est vrai. Il existe une poignée d'hommes riches et paresseux, sans aucune valeur humaine, et mon père en fait partie.

— C'est comme ça que tu veux que tes enfants parlent de toi ?

Elle semblait scandalisée.

— Absolument, du moins si je suis assez sot pour en avoir, ce dont je doute.

— Voilà que tu parles comme moi, maintenant.

— Dieu m'en préserve !

— Sérieusement, est-ce que tu ne vas pas au moins faire semblant de travailler ?

— Pour quoi faire ?

— Arrête de dire ça.

— Qui ça intéresse que je travaille, Tan ? Toi ? Moi ? Mon père ? Les journalistes ?

— Alors pourquoi as-tu fréquenté l'université ?

— Je n'avais rien d'autre à faire, et Harvard est agréable.

— Tu te fiches de moi. Tu as bûché comme un fou pour tes examens. Tu étais un bon étudiant. Pourquoi ?

— Pour moi. Et toi ?

— La même chose. Mais maintenant, je ne sais plus quoi faire.

Mais deux semaines avant Noël, le destin décida pour elle. Sharon Blake l'appela et lui demanda si elle voulait bien participer à une marche, organisée par le Révérend King. Tana y réfléchit toute la nuit et téléphona à Sharon le lendemain.

— Tu m'as encore eue, lui dit-elle d'une voix lasse.

— Hourra ! Je savais que tu viendrais !

Elle donna à Tana tous les détails ; la manifestation devait avoir lieu en Alabama, trois jours avant Noël, et il y avait relativement peu de risques. Les deux amies bavardèrent comme autrefois. Sharon n'était jamais retournée au collège, au grand chagrin de son père, et elle était amoureuse d'un jeune avocat noir. Ils envisageaient de se marier au printemps. Tana, tout excitée, parla de la manifestation à Harry, le lendemain.

— Ta mère va en avoir une attaque.

— Je n'ai pas besoin de le lui dire. Elle n'est pas obligée de savoir tout ce que je fais.

— Elle le saura quand tu seras de nouveau arrêtée.

— Je t'appellerai et tu pourras venir me libérer.

— Impossible. Je serai à Gstaad.

— Mince !

— Je crois que tu ne devrais pas y aller.

— Je ne t'ai rien demandé.

Mais au moment de partir, elle eut une grosse grippe, avec de la fièvre. Elle voulut se lever et faire sa valise, mais elle était trop malade, et elle appela chez Sharon. C'est son père qui lui répondit.

— Alors, vous avez su la nouvelle... dit-il d'une voix lugubre.

— Quelle nouvelle ?

Il ne put même pas parler et Tana, en l'entendant sangloter, se mit à pleurer elle aussi, sans savoir pourquoi.

— Elle est morte... ils l'ont tuée hier soir... ils lui ont tiré dessus, mon enfant... ma petite fille...

Ils pleurèrent ensemble, terrassés par la douleur, jusqu'à ce que Miriam Blake prenne le combiné. Elle était folle de chagrin elle aussi, mais plus calme que son mari. Elle apprit la date de l'enterrement à Tana, qui, malgré sa fièvre, s'envola immédiatement pour Washington, la veille de Noël. Il avait fallu tout ce temps pour rapatrier le corps. Martin Luther King avait pris ses dispositions pour venir prononcer un discours.

La presse nationale était là. La foule se bousculait dans l'église, dans la lumière aveuglante des flashs. Freeman Blake était complètement défait, car il avait perdu ses deux enfants pour la même cause. Après la cérémonie, Tana passa un moment avec lui et sa femme, en compagnie d'amis intimes, dans leur maison.

— Essaie de faire quelque chose d'utile dans la vie, mon enfant, lui dit tristement Freeman Blake. Marie-toi, fais des enfants. N'agis pas comme Sharon.

Il se remit à pleurer et le Révérend King, accompagné d'un autre ami, finit par le conduire à l'étage, tandis que Miriam venait s'asseoir aux côtés de Tana. Tout le monde pleurait depuis plusieurs jours. La jeune fille se sentait épuisée.

Les yeux de Miriam étaient gonflés par les pleurs. Elle avait tout enduré, mais elle était encore debout et le resterait à jamais. Tana l'admirait à beaucoup d'égards.

— Que vas-tu faire maintenant, Tana ? demanda-t-elle.

Elle n'était pas sûre de comprendre ce que Miriam entendait par là.

— Rentrer à la maison, je crois bien.

Elle allait reprendre un vol le soir même pour passer le réveillon avec Jane. Comme toujours, Arthur était parti avec des amis et sa mère se retrouvait seule.

— Je voulais dire : quand tu auras fini le collège.

— Je ne sais pas.

— Tu n'as jamais pensé à entrer dans la magistrature ? Voilà ce dont le pays a besoin.

Tana sourit car elle avait presque l'impression d'entendre Sharon. Même si sa fille venait de mourir, Miriam n'en continuait pas moins son combat, ce qui paraissait à Tana effrayant et admirable.

— Tu pourrais faire du droit. Tu ferais évoluer les choses. Tu en as l'étoffe, poursuivait Miriam.

— Je n'en suis pas certaine.

— Moi si, tu as du cran, Sharon en avait aussi, mais elle n'avait pas ton caractère. D'une certaine façon, tu me ressembles.

Ces paroles inquiétèrent Tana, car elle avait toujours jugé Miriam froide et elle ne voulait pas devenir comme elle.

— Moi ? s'étonna-t-elle.

— Tu sais ce que tu veux et tu t'en donnes les moyens.

— Quelquefois, répondit Tana en souriant.

— Tu ne t'es même pas démontée quand tu as été renvoyée de Green Hill.

— J'ai eu seulement la chance qu'un ami me suggère d'aller à Boston.

— S'il ne l'avait pas fait, tu t'en serais sortie quand même.

Elle se leva avec un petit soupir.

— Enfin, penses-y. Il manque des gens comme toi, Tana.

Ces mots lourds de sens résonnèrent longtemps aux oreilles de Tana, dans l'avion. Mais surtout, elle continuait de voir le visage de Freeman, elle l'entendait pleurer... elle se souvenait aussi des discussions avec Sharon à Green Hill... de leurs équipées à Yolan... tout resurgissait dans sa mémoire. Elle dut sécher ses larmes plus d'une fois en songeant à l'enfant qu'avait eu Sharon, quatre ans plus tôt. Elle se demandait ce qu'il était advenu de lui, mais sans doute Freeman Blake y avait-il songé de son côté.

Plus tard, elle continua de réfléchir aux paroles de Miriam.

Elle essaya d'en parler à sa mère avant de repartir pour l'université. Jane Roberts parut horrifiée.

— Des études de droit ? Tu n'as pas fréquenté la faculté suffisamment longtemps ? Tu vas y rester toute ta vie ?

— Seulement si ça m'est bénéfique.

— Pourquoi ne prends-tu pas un travail ? Tu pourrais rencontrer quelqu'un...

— Oh, mon Dieu, quelle importance...

Elle ne pensait qu'à ça... rencontrer quelqu'un... se caser... se marier... avoir des enfants...

Cependant, Harry ne parut pas très chaud lui non plus lorsqu'elle lui parla de son projet, la semaine suivante.

— Mais pourquoi, bon Dieu ?

— Pourquoi pas ? C'est sans doute intéressant et je pourrais peut-être réussir.

Cette idée la séduisait chaque jour davantage. Elle comprit soudain qu'il lui fallait la réaliser. Sa vie prenait un sens.

— Je vais m'inscrire à Boalt, l'institut juridique de l'Université de Berkeley, annonça-t-elle.

Son choix était fait. Elle avait envoyé sa candidature à deux autres écoles, mais Boalt était sa préférée.

Harry la regarda, surpris.

— Tu es sérieuse ?

— Oui.

— Je crois que tu es toquée.

— Tu veux venir ?

— Mon Dieu, non ! Je te l'ai dit. Je vais m'amuser... et faire la bringue.

— C'est une perte de temps.

— Il me tarde tellement d'être libre !

Elle aussi était impatiente. Elle reçut la réponse en mai ; elle était acceptée à Boalt. On lui octroyait une bourse partielle, et elle avait déjà économisé l'argent qui lui manquait.

— J'ai trouvé ma voie, affirma-t-elle alors.

— Tan, tu es sûre ? s'inquiéta encore Harry.

— Je ne l'ai jamais été autant de toute ma vie.

Ils échangèrent un long sourire. Leurs routes allaient se séparer bientôt. Elle eut son diplôme en juin et pleura beaucoup ; sur Harry, sur elle-même, sur Sharon Blake qui n'était plus là, sur John F. Kennedy assassiné sept mois plus tôt. C'était la fin d'une époque pour Harry comme pour elle. Elle pleura lors de la remise de son diplôme, ainsi que Jane Roberts. Arthur Durning était même venu, et Harry était assis au dernier rang, jouant au séducteur parmi les nouvelles étudiantes.

Mais il n'avait d'yeux que pour Tana, et son cœur se gonflait d'orgueil en la voyant. Pourtant le désespoir l'envahissait aussi lorsqu'il songeait que leurs routes allaient se séparer. Elles se croiseraient pourtant à nouveau ; il y veillerait. Mais il était encore trop tôt pour elle. Il mit tout son cœur à lui souhaiter réussite et bonheur en Californie. Il se sentait nerveux à l'idée de la savoir si loin de lui. Mais il devait la laisser aller de l'avant... Il eut les larmes aux yeux lorsqu'il la vit descendre les marches, son diplôme à la main. Elle paraissait si fraîche et si jeune, avec ses grands yeux verts et sa chevelure flamboyante... et ses lèvres qu'il mourait d'envie d'embrasser depuis quatre ans... Ces mêmes lèvres effleurèrent sa joue tandis qu'il la félicitait à nouveau. Durant un instant, un instant seulement, il la sentit près de lui, ce qui le laissa haletant.

— Merci, Harry, murmura-t-elle.

— De quoi ?

— Pour tout...

Puis les autres les bousculèrent et l'instant s'évanouit. Ils commençaient leurs vies respectives, et Harry ressentait cette séparation comme un véritable déchirement.

DEUXIÈME PARTIE

LA VIE COMMENCE

CHAPITRE VII

Tana prit un taxi jusqu'à l'aéroport, avec Jane qui avait insisté pour l'accompagner. Le trajet leur parut interminable. Des silences sans fin alternaient avec de brusques explosions de voix. Lorsqu'elles arrivèrent enfin, Jane voulut payer le taxi, comme si c'était là sa dernière chance de faire quelque chose pour sa fille. Il était clair qu'elle luttait pour ne pas pleurer pendant l'enregistrement des bagages de Tana.

— C'est tout ce que tu as emporté, chérie ? demanda-t-elle.

Tana acquiesça en souriant. La matinée avait été difficile pour elle aussi ; il n'était plus question de faire semblant. Elle ne reviendrait pas chez elle avant très, très longtemps, et seulement pour quelques jours. Et si elle réussissait à Boalt, elle ne vivrait probablement plus jamais à la maison. Tana était prête maintenant à faire face à cette situation, mais Jane, quant à elle, était envahie par la panique. Son regard avait la même expression que lorsque Andy Roberts était parti à la guerre ; c'était la certitude que rien ne serait jamais plus comme avant.

— Tu n'oublies pas de m'appeler ce soir, n'est-ce pas, chérie ?

— Non, maman, je n'oublie pas. Mais je ne peux pas te le promettre. Si ce qu'on m'a dit est vrai, ajouta-t-elle gentiment, je ne vais pas avoir le temps de souffler pendant les six prochains mois.

Elle avait déjà averti sa mère qu'elle ne reviendrait pas pour Noël cette année, d'autant que le voyage était trop cher. Jane s'y était résignée. Elle espérait qu'Arthur pourrait lui obtenir un billet, mais cela signifiait par ailleurs qu'il serait hors de question de passer Noël avec lui. La vie n'était décidément pas facile.

En attendant l'heure d'embarquement, elles prirent une tasse de thé tout en regardant les avions décoller. Tana vit sa mère l'observer à maintes reprises. Jane avait longtemps veillé sur sa fille, et cette séparation, difficile à vivre pour elles deux, marquait officiellement la fin d'une époque. Elle prit brusquement la main de la jeune fille.

— C'est vraiment ce que tu veux, Tan ?

— Oui, maman, répondit tranquillement Tana.

— Tu en es sûre ?

— Oui. Je sais que cela te paraît étrange, mais c'est vraiment ce que je désire. Je n'ai jamais été aussi sûre de moi.

Jane fronça les sourcils et secoua doucement la tête.

— C'est plutôt un métier d'homme. Je n'aurais jamais pensé...

— Je sais, répondit tristement Tana. Tu voulais que je sois comme Ann.

Celle-ci vivait à Greenwich, près de son père. Elle venait d'avoir son premier enfant, et elle était riche. Le rêve de sa mère.

— Ce n'est pas ce que je souhaite, et ça ne l'a jamais été, maman.

— Mais pourquoi ?

Jane ne comprenait pas. Peut-être s'était-elle trompée quelque part ? Peut-être était-ce sa faute ?

— Je crois que je veux davantage, expliqua la jeune fille. La réussite d'un mari ne me suffit pas.

— Je crois qu'Harry Winslow est amoureux de toi, Tan.

Mais Tana refusait ce genre de discours.

— Tu te trompes, maman. Nous nous aimons beaucoup, comme des amis, mais il n'est pas amoureux de moi, et je ne suis pas amoureuse de lui.

Elle ne voulait pas voir un amant en lui, mais un frère, un ami. Jane opina et resta silencieuse, tandis qu'on annonçait l'avion de Tana. Elle avait essayé de trouver un dernier argument qui puisse la faire changer d'avis, tout en sachant que rien ne le permettrait. Tana regarda sa mère, puis la serra contre elle en lui murmurant à l'oreille :

— Maman, c'est ce que je veux. J'en suis sûre. Je te le jure.

Elle avait l'impression de partir pour un monde différent, où sa vie serait tout autre, et c'était vrai d'une certaine façon. Le cœur brisé, elle vit sa mère bouleversée, le visage en pleurs, lui faire signe de loin.

— Je t'appellerai ce soir, lui cria-t-elle au moment d'embarquer.

— Mais ce ne sera jamais plus pareil, murmura Jane pour elle-même.

L'oiseau gigantesque roula sur la piste avant de décoller enfin. Lorsqu'elle ne distingua plus qu'un point minuscule dans le ciel, Jane sortit, avec le sentiment qu'elle était toute petite et abandonnée. Elle prit un taxi et regagna son bureau, où Arthur Durning avait besoin d'elle. Mais elle redoutait de rentrer chez elle, songeant à la solitude qui l'attendait ce soir-là, et durant toutes les années à venir.

CHAPITRE VIII

L'avion de Tana atterrit à Oakland, qui lui parut une ville sympathique, plus petite bien sûr que Boston ou New York, mais bien plus grande que Yolan, qui n'avait même pas d'aéroport du tout. Elle prit un taxi jusqu'au campus de Berkeley où elle s'installa dans la chambre qui lui avait été réservée. Elle défit ses valises, avant de regarder autour d'elle. Tout lui semblait différent, étranger et nouveau. C'était une belle journée, chaude et ensoleillée. Tous les étudiants se promenaient en tee-shirts et en jeans, les pieds chaussés de sandales. Mais cette décontraction allait de pair avec une volonté farouche de réussir que Tana sentit tout de suite et qui la stimula aussitôt, si bien que chaque jour, une fois ses cours terminés, elle se précipitait dans sa chambre pour y étudier tard dans la nuit. Elle ne sortait que pour se rendre à la bibliothèque et mangeait le plus souvent possible dans sa chambre ou en chemin, si bien qu'au bout du premier mois elle avait perdu trois kilos. Le seul avantage de son emploi du temps, c'était qu'il l'empêchait presque de ressentir trop durement l'absence d'Harry. Ils avaient été très liés, pendant trois ans, même s'ils fréquentaient des facultés différentes, et voilà qu'ils étaient séparés tout à coup, avec la seule possibilité de s'appeler de temps en temps. Ce 5 octobre, alors qu'elle était dans sa chambre, on frappa à la porte pour l'informer qu'on la demandait au téléphone. Elle crut qu'il s'agissait encore de sa mère. Elle n'avait pas vraiment envie de descendre, car elle révisait un examen pour le lendemain.

— Essayez de savoir qui c'est. Demandez si je peux rappeler.

— Je vais voir, une seconde.

La dame revint.

— Ça vient de New York.

— Je rappellerai, lança Tana avec agacement.

— Il dit que c'est impossible.

Il ? Harry ? Tana sourit. Pour lui, elle était prête à interrompre son travail.

— J'arrive tout de suite.

Elle attrapa son jean qu'elle finit d'ajuster en courant jusqu'au téléphone.

— Allô ?

— Mais qu'est-ce que tu fabriques ? Tu batifolais avec un mec au quatorzième étage, ou quoi ? Ça fait une heure que j'attends, Tan.

Elle le sentit mécontent et son oreille exercée lui apprit qu'il était soûl.

— Excuse-moi. J'étais en train d'étudier dans ma chambre et je croyais que c'était ma mère.

— Pas de chance, fit-il d'une voix sérieuse.

— Tu es à New York ? s'enquit-elle, heureuse d'avoir de ses nouvelles.

— Ouais.

— Je croyais que tu n'y retournais pas avant le mois prochain.

— Moi aussi. Je suis revenu pour voir mon oncle. Il pense qu'il a besoin de moi.

— Quel oncle ? s'étonna la jeune fille, car Harry n'avait jamais parlé de cet oncle auparavant.

— Mon Oncle Sam. Rappelle-toi, le type sur les affiches avec le ridicule costume rouge et bleu et la grande barbe blanche...

Il était décidément soûl. Elle commença à rire, mais son rire se figea lorsqu'elle réalisa qu'il était sérieux.

— Mais qu'est-ce que tu veux dire ?

— Je pars à la guerre, Tan.

— Oh non, ce n'est pas possible...

Elle ferma les yeux. On n'entendait plus parler que de ça. Le Vietnam... le Vietnam... le Vietnam... tout le monde y allait de sa petite phrase. Comme si les exemples fournis par l'Histoire ne suffisaient pas... Il était impossible de savoir ce qui se passait, mais quoi qu'il en soit, la situation était grave.

— Mais pourquoi donc es-tu revenu ? Pourquoi n'es-tu pas resté là-bas ?

— Je n'ai pas voulu. Mon père voulait même essayer de payer pour que je sois exempté, mais l'argent des Winslow ne peut pas tout. Et puis, ce n'est pas mon genre, Tan. Je ne sais pas, peut-être que, secrètement, j'ai envie d'aller me rendre compte sur place et de me sentir utile.

— Tu es complètement fou. Mon Dieu... Tu peux te faire tuer. Tu y as pensé ? Harry, retourne en France ! cria-t-elle dans le récepteur. Pourquoi ne vas-tu pas au Canada ? Pourquoi ne refuses-tu pas ? On est en 1964, pas en 1941 ! Ne sois pas si noble, il n'y a pas de quoi l'être, espèce d'idiot. Pars !

Elle avait les larmes aux yeux et redoutait d'apprendre la suite. Mais il le fallait.

— Où t'envoie-t-on ?

— A San Francisco. Enfin, dans un premier temps, pour cinq heures environ. Tu veux qu'on se retrouve à l'aéroport, Tan ? Nous pourrions déjeuner ensemble. Il faut que je sois à un endroit appelé Fort Ord vers dix heures du soir, et j'arrive à trois heures. Quelqu'un m'a dit que c'était à deux heures de route de San Francisco...

Sa voix se perdit ; ils pensaient tous deux à la même chose.

— Et ensuite ?

La voix de la jeune fille était rauque, tout à coup.

— Le Vietnam, je suppose. Sympathique, non ?

Elle répliqua, soudain en colère :

— Non, ce n'est pas sympathique, espèce de sombre idiot. Tu aurais dû venir faire du droit avec moi. Mais toi, tu voulais t'amuser et visiter tous les bordels de France, et maintenant, regarde-toi : tu pars au Vietnam pour aller te faire tuer...

Elle était en larmes. Plus personne n'osait passer à côté d'elle dans le hall.

— Si on parlait d'autre chose ? As-tu trouvé le grand amour ?

— Et quand donc ? Je passe mon temps à lire. A quelle heure arrive ton avion ?

— Demain, à trois heures.

— J'y serai.

— Merci.

Lorsqu'elle le vit, le lendemain, elle le trouva pâle et fatigué. Il n'était pas aussi en forme que la dernière fois, et l'atmosphère fut tendue. Comme ils n'avaient que cinq heures devant eux, Tana l'emmena dans sa chambre à Berkeley, puis ils allèrent déjeuner en ville, se promenèrent un peu, mais Harry gardait constamment un œil sur sa montre. Il avait renoncé à louer une voiture pour aller à Fort Ord. Il s'y rendrait en bus, ce qui lui laissait moins de temps à passer avec elle. Ils rirent beaucoup moins que d'habitude et restèrent abattus tout l'après-midi.

— Harry, pourquoi fais-tu ça ? Tu aurais pu te faire exempter.

— Ce n'est pas mon genre, Tan. Tu dois le savoir, depuis le temps ! Et peut-être ai-je l'impression, au fond de moi, de faire mon devoir. J'ai un côté patriotique, que j'ignorais jusqu'à présent.

— Mais le patriotisme n'est pas en jeu. Ce n'est pas notre guerre.

Elle découvrait avec terreur un Harry qu'elle ne connaissait pas, têtu et décidé.

— Je crois que ce sera bientôt notre guerre, Tan.

— Mais pourquoi toi ?

Ils restèrent assis un long moment sans rien dire et l'après-midi passa trop vite. Elle le serra contre elle lorsqu'ils se quittèrent et lui fit promettre d'appeler chaque fois qu'il le pourrait. Mais cela ne fut possible au jeune homme que six semaines plus tard, après l'entraînement de base. Il avait pensé être renvoyé à San Francisco, mais au lieu d'aller dans le Nord, il partait pour le Sud.

— Je pars pour San Diego demain soir, annonça-t-il, et pour Honolulu, au début de la semaine prochaine.

Tana, qui était soumise aux contrôles continus, ne pouvait se rendre à San Diego pour un jour ou deux.

— Tu vas rester quelque temps à Honolulu ?

— Manifestement, non.

— Ça signifie ?

— Que je vais être envoyé à Saigon à la fin de la semaine prochaine.

Sa voix était froide et dure comme une pierre, ce qui ne lui ressemblait pas du tout. Tout comme Tana, depuis six semaines, il se demandait comment cela avait pu lui arriver.

— La veine, je suppose, avait-il dit en plaisantant à ses amis.

Mais il n'y avait pas de quoi plaisanter, et l'atmosphère avait été pesante lorsqu'on leur avait distribué leur affectation. Personne n'osait parler à son voisin, surtout ceux qui étaient bien tombés. Harry faisait justement partie des malchanceux.

— C'est la poisse, Tan, mais c'est comme ça.

— Ton père est au courant ?

— J'ai appelé hier soir. Personne ne sait où il est. A Paris, ils le croient à Rome, et à Rome, ils le croient à New York. J'ai essayé l'Afrique du Sud, et puis j'ai laissé tomber. Il finira bien par trouver où je suis, tôt ou tard. Je lui ai écrit à son adresse de Londres et j'ai laissé un message à l'*Hôtel Pierre*. Je ne peux pas faire plus.

— C'est déjà bien suffisant. Harry, est-ce que je peux faire quelque chose ?

— Dire une prière.

La jeune fille était bouleversée. C'était impossible. Harry, son meilleur ami, son frère, presque son double, partait pour le Vietnam. Une vague de panique l'envahit, que vint renforcer son sentiment d'impuissance.

— Tu me rappelleras avant de partir ?... et aussi à Honolulu ?

Elle avait les larmes aux yeux. Et s'il lui arrivait quelque chose ? Mais elle serra les dents, refusant même d'envisager cette éventualité. Harry Winslow était invisible, il faisait partie d'elle, il occupait une place immense dans son cœur.

Elle resta pourtant très inquiète, attendant sans cesse ses coups de téléphone. Il ne put l'appeler que deux fois, de San Diego et d'Hawaï, avant de partir pour les profondeurs silencieuses du Vietnam. Elle l'imaginait tout le temps en danger. Quand elle reçut des lettres lui contant toutes ses frasques à Saigon, elle se rassura peu à peu. Cher vieux Harry ! Il n'avait pas changé depuis Harvard. De son côté, elle réussit ses examens, et un soir qu'elle était dans sa chambre pendant les vacances de Noël, entourée de piles de livres, quelqu'un frappa à sa porte.

— Téléphone pour vous.

Sa mère l'appelait souvent, mais Tana en connaissait la raison, même si elle n'avait pas été précisée. Jane passait des vacances difficiles. Arthur lui consacrait très peu de temps tout en se trouvant toujours des excuses. Tana supposait qu'il avait d'autres maîtresses, sans compter sa fille Ann, son mari et son bébé, et certainement aussi Billy qui devait être là-bas. Jane, malgré toutes ces années passées à leur service, ne faisait toujours pas partie de la famille.

— J'arrive, cria-t-elle en enfilant sa robe de chambre, car il faisait froid dans le hall.

— Allô ?

Elle s'attendait à entendre sa mère et eut un choc lorsqu'elle reconnut la voix d'Harry. Il semblait très fatigué, comme s'il était resté debout toute la nuit, ce qui était tout à fait envisageable, s'il était à Saigon. Il lui parut tout proche.

— Harry ?... fit-elle, tout émue. Harry ! C'est toi ?

— Eh oui, Tan.

— Où es-tu ?

Il y eut un silence, une fraction de seconde.

— Ici. A San Francisco.

— Quand es-tu arrivé ? Mon Dieu, mais je serais venue te chercher si j'avais su.

Le retour d'Harry ! Quel beau cadeau de Noël !

— J'arrive juste.

C'était un mensonge, mais c'était plus simple que d'avoir à expliquer pourquoi il avait tant tardé à l'appeler.

— Dieu merci, tu n'es pas parti longtemps.

Elle était si heureuse d'entendre sa voix qu'elle ne pouvait s'arrêter de pleurer. Lui aussi pleurait et riait en même temps, à l'autre bout du fil. Il avait cru ne jamais plus entendre sa voix et il l'aimait plus que jamais. Il n'était même pas certain de pouvoir le lui cacher à présent, mais il le fallait pour son bien et pour le sien.

— Pourquoi t'ont-ils laissé repartir si vite ? continuait-elle.

— Sans doute parce que je leur en ai trop fait voir. Et puis, la nourriture puait, les filles avaient des poux, je me suis attrapé des saletés et la plus belle chaude-pisse de ma vie...

Il essaya de rire.

— Espèce de vaurien. Est-ce que tu te conduiras bien, un jour ?

— Pas si j'ai le choix.

— Alors où es-tu en ce moment ?

Il y eut un autre silence.

— Ils me remettent à neuf à Letterman.

— L'hôpital ?

— Oui.

— Pour la chaude-pisse ? demanda-t-elle, si fort que deux jeunes filles se retournèrent dans le hall et se mirent à rire. Tu es vraiment impossible, tu sais. Tu les dépasses tous. Est-ce que je peux venir te voir, ou bien vais-je l'attraper, moi aussi ?

Elle riait toujours, mais lui avait la même voix rauque et lasse.

— Il te suffira de ne pas utiliser mes toilettes.

— Pas de danger ! D'ailleurs, je crois que je ne te serrerai pas la main avant qu'on l'ait ébouillantée devant moi. Dieu seul sait où ça se niche !

Il sourit. C'était tellement bon d'entendre sa voix. Elle consulta sa montre.

— Je peux venir maintenant ?

— Tu n'as rien de mieux à faire un samedi soir ?

— J'avais prévu une nuit d'amour avec une pile de bouquins de droit.

— Je vois que tu te divertis toujours autant.

160

— Peut-être, mais je suis bien plus intelligente que toi, idiot, et personne ne m'a envoyée au Vietnam.

Il y eut un étrange silence, puis Harry répondit, sans sourire :

— Dieu merci, Tan.

Son intonation produisit en Tana une sensation bizarre. Elle frissonna.

— Tu veux vraiment venir ce soir ? reprit Harry.

— Eh bien, oui, tu pensais que je ne viendrais pas ? Je ne veux pas attraper ta chaude-pisse, c'est tout.

— Je me tiendrai bien.

Mais il devait lui parler avant qu'elle arrive.

— Tan...

Il trébuchait sur les mots. Il ne l'avait encore dit à personne, pas même à son père, qui restait introuvable, alors qu'Harry était pourtant sûr qu'il séjournait en ce moment à Gstaad, où il passait toujours Noël.

— Tan... c'est un peu plus grave qu'une chaude-pisse...

La jeune fille ferma les yeux.

— Ah oui ? Précise...

Elle aurait voulu l'empêcher de parler, le faire rire à nouveau et lui redonner la santé, mais il était trop tard...

— Je me suis un peu blessé...

Elle entendit sa voix se perdre. La peur lui étreignit la poitrine. Elle demanda en refoulant un sanglot :

— Ah bon ? Mais pourquoi ?

— C'était la seule chose à faire, tu comprends. Les filles sont vraiment toutes des boudins là-bas... comparées à toi, Tan, ajouta-t-il d'une voix douce.

— Mon Dieu, j'ai l'impression que c'est le cerveau qui a été atteint.

Ils rirent un peu, puis Tana demanda :

— Letterman ? C'est bien ça ?

— Oui.

— J'y serai dans une demi-heure.

— Prends ton temps. Je ne vais nulle part.

Tana enfila son jean, une paire de chaussures au hasard, se passa un rapide coup de peigne, mit une écharpe sur sa tête et attrapa une veste. Il fallait qu'elle soit auprès de lui et qu'elle sache ce qui lui était arrivé... « Je me suis un peu blessé... » Elle prit le bus jusqu'en ville, puis un taxi pour gagner l'hôpital Letterman, avec cette unique phrase en tête. Elle mit deux fois plus de temps qu'elle ne le pensait, malgré sa hâte. Cinquante-cinq minutes plus tard, elle entrait dans l'hôpital et demandait la chambre d'Harry. Lorsqu'on lui indiqua le service de neurochirurgie, son inquiétude augmenta. Quand elle entra, elle vit que le visage d'Harry était aussi pâle que devait l'être le sien. Il était étendu à plat sur un lit, un miroir au-dessus de sa tête. Une infirmière veillait sur lui. La jeune fille pensa d'abord qu'il était paralysé. Il ne fit pas un mouvement. Elle ne s'était pas vraiment trompée : il était paralysé à partir de la ceinture. Il avait reçu une balle dans la colonne vertébrale, comme il le lui expliqua. Il avait fini par lui parler, par sangloter avec elle. Enfin, il lui confia ce qu'il ressentait. Il avait l'impression de n'être plus rien. Il voulait mourir, et ce désir ne l'avait pas quitté depuis qu'on l'avait ramené.

— Voilà...

Il parlait avec difficulté. Les larmes coulaient sur ses joues, le long de son cou, tombant sur les draps.

— Je serai dans une petite chaise roulante à partir de maintenant, jusqu'à...

Il sanglotait toujours. Il avait cru ne jamais la revoir, et voilà qu'elle était là, si belle, si bonne, si blonde... fidèle à elle-même. Rien n'avait changé ici, d'ailleurs. Personne ne savait rien du Vietnam, de Saigon, de Da Nang ou des Vietcongs, qui eux-mêmes étaient invisibles. Ils se contentaient de vous tirer dessus depuis une cachette, du haut d'un arbre, et certains n'étaient encore que des enfants. Mais personne ne s'y intéressait ici.

Tana l'observait en essayant de ne pas pleurer. Elle était tellement heureuse qu'il soit vivant ! Après ce qu'il avait vécu au Vietnam, dans la boue, sous des trombes d'eau, perdu dans la jungle pendant cinq jours, c'était un miracle qu'il soit en vie. Alors quelle importance s'il ne pouvait plus marcher ? Il était vivant, n'est-ce pas ? Et cette force que Miriam Blake avait perçue en elle déjà longtemps auparavant commença à se manifester.

— Ça t'apprendra à courir les prostituées ! Maintenant, tu peux rester coucher ici pendant un certain temps si tu le désires, mais je veux que tu saches que je ne vais pas le supporter longtemps. Compris ?

Elle se leva.

— Tu vas me faire le plaisir de te remuer et de réagir. C'est clair ?

Il la regardait avec étonnement, d'autant plus incrédule qu'elle semblait parler sérieusement.

— C'est clair ? répéta-t-elle d'une voix tremblante.

— Tu sais que tu es complètement folle, Tan ?

— Et toi, tu es un sacré paresseux, alors ne te réjouis pas trop de pouvoir te prélasser ici, parce que ça ne va pas durer longtemps. Compris ?

— Oui, madame, répondit-il en saluant.

Quelques minutes plus tard, l'infirmière vint faire une piqûre à Harry. Tana le regarda glisser dans le sommeil tout en lui tenant la main. Alors, elle se mit à pleurer doucement, murmurant des prières et des remerciements. Elle resta ainsi des heures, sa main toujours dans celle d'Harry, puis elle l'embrassa enfin sur la joue et sur les paupières, avant de quitter l'hôpital. Il était plus de minuit. Tout en reprenant le bus pour Berkeley, elle bénissait Dieu. Il était vivant ! Dieu merci, il n'était pas mort dans cette jungle du bout du monde où régnait l'enfer ! Le Vietnam avait pris une signification nouvelle pour elle. C'était un pays où les gens allaient se faire tuer. Ce n'était plus seulement un sujet de conversation dont on parlait en cours ou entre amis ; c'était devenu une réalité. Elle savait exactement ce que cela signifiait ; cela signifiait qu'Harry Winslow ne marcherait plus jamais. Cette nuit-là, elle regagna sa chambre de Berkeley avec la certitude qu'Harry et elle ne seraient jamais plus les mêmes dorénavant.

CHAPITRE IX

Tana resta au chevet d'Harry les deux jours suivants, ne rentrant chez elle que pour dormir un peu, se laver et se changer, avant de repartir aussitôt. Elle demeurait immobile en lui tenant la main. Lorsqu'il était réveillé, elle lui parlait de l'époque où il était à Harvard et elle à Boston, de leur tandem, des vacances au Cape Cod. Il était sous tranquillisants la plupart du temps, mais lorsqu'il avait des moments de lucidité, il faisait peine à voir et à entendre. Il refusait de passer le reste de sa vie dans cet état et voulait mourir, comme il le répétait souvent à Tana. Alors, elle se mettait en colère et le traitait de tous les noms. Elle redoutait pourtant de le laisser seul la nuit, de peur qu'il ne mette fin à ses jours. Elle avertit les infirmières, mais elles étaient habituées et ne parurent pas impressionnées. Elles gardaient un œil sur lui, mais d'autres malades étaient bien plus à plaindre, comme ce jeune homme, au rez-de-chaussée, qui avait eu les deux bras et le visage déchiquetés par une grenade que lui avait mise dans la main un gosse de six ans.

Le matin du réveillon de Noël, Tana reçut un appel de sa mère au moment de partir pour l'hôpital. Il était dix heures à New York. Jane, qui s'était rendue au bureau pour quelques heures, avait eu envie de prendre des nouvelles de sa fille. Elle avait espéré jusqu'à la dernière minute qu'elle changerait d'avis et rentrerait passer Noël avec elle, mais Tana lui répétait depuis des mois que c'était tout à fait improbable. Et elle ajoutait qu'il n'était nullement nécessaire que Jane vienne à Berkeley. Les vacances de Noël s'annonçaient donc tristes pour elles deux, d'autant qu'Arthur passait Noël en famille, à Palm Beach, avec Ann, Billy, son gendre et le bébé. Jane n'avait pas été prévue. Elle comprenait, bien sûr, que cela aurait été gênant pour lui.

— Alors, qu'est-ce que tu deviens, chérie ?

Jane était restée deux semaines sans l'appeler parce qu'elle se sentait trop déprimée et ne voulait pas que Tana s'en aperçoive au téléphone. Au moins, quand Arthur restait à New York pour les vacances, avait-elle l'espoir de le voir chez elle quelques heures, mais il n'en était même pas question cette année.

— Tu travailles aussi dur que tu le voulais ? continua-t-elle.

— Oui... je... enfin, non...

La jeune fille était encore à moitié endormie parce qu'elle était restée avec Harry jusqu'à quatre heures du matin. La fièvre était brusquement montée la nuit précédente et elle craignait à nouveau de le laisser seul. Mais à quatre heures du matin, les infirmières avaient insisté pour qu'elle rentre chez elle et dorme un peu. Harry mettrait très longtemps à remonter la pente. Si elle s'épuisait tout de suite, elle ne lui serait plus d'aucun secours, au moment où il en aurait le plus besoin.

— Je n'ai pas travaillé. Du moins depuis ces trois derniers jours, expliqua Tana en s'asseyant. Harry est rentré du Vietnam.

Ses yeux se mouillèrent à cette pensée ; c'était la première fois qu'elle en parlait à quelqu'un et c'était douloureux.

— Tu le vois ? fit Jane d'une voix contrariée. Je croyais que tu devais travailler. Si j'avais pensé que tu avais du temps pour t'amuser, Tana, je ne serais pas ici toute seule pour les vacances de Noël... Il me semble qu'au moins tu aurais pu...

— Arrête ! hurla Tana dans le hall désert. Arrête ! Il est à Letterman. Personne ne s'amuse, tu peux me croire !

Jane garda le silence à l'autre bout du fil. Elle n'avait jamais entendu Tana parler ainsi, avec cette voix proche de l'hystérie, où l'on percevait la peur et le désespoir.

— C'est quoi, Letterman ?

Elle imagina un instant que c'était un hôtel, mais elle eut la sensation immédiate qu'elle se trompait.

— L'hôpital militaire d'ici. Il a reçu une balle dans la colonne vertébrale...

La jeune fille se mit à respirer profondément pour s'empêcher de pleurer, mais sans succès. Elle pleurait d'ailleurs sans arrêt lorsqu'elle n'était pas au côté d'Harry.

— C'est un paraplégique, maintenant, maman... il ne survivra peut-être même pas... il a eu cette terrible fièvre la nuit dernière...

Elle resta assise, tremblant de la tête aux pieds, sans pouvoir s'arrêter de pleurer. Jane fixa le mur de son bureau, atterrée, songeant au jeune homme qu'elle avait vu si souvent. Elle le revoyait, si sûr de lui, si à l'aise pour son âge, gai, rieur, intelligent, irrévérencieux aussi, ce qui l'agaçait souvent, et elle remerciait Dieu à présent que Tana ne l'ait pas épousé, imaginant la vie qu'elle aurait eue.

— Oh, chérie... je suis tellement désolée !

— Et moi donc ! Et je ne peux rien faire, si ce n'est rester à ses côtés et le regarder.

— Tu ne devrais pas aller là-bas. C'est trop éprouvant pour toi.

— Il faut que j'y sois, tu comprends ? répliqua durement Tana. Il n'a que moi.

— Et sa famille ?

— Son père ne s'est pas encore manifesté, et ça m'étonnerait que ce salaud se montre, alors que son fils se trouve entre la vie et la mort.

— Mais tu ne peux rien faire de plus. Je crois, Tana, que tu ne devrais pas assister à de telles choses.

— Ah non ? s'exclama la jeune fille avec rage. Tu préférerais peut-être que j'aille à des soirées, chez le clan Durning, par exemple ? C'est immonde, ce que tu dis ! Mon meilleur ami manque se faire tuer au Vietnam, et tu trouves que j'ai tort d'agir comme ça ! Qu'est-ce que tu penses que je devrais faire, maman ? Le rayer de ma liste parce qu'il ne peut plus danser ?

— Ne sois pas cynique, Tana, répondit sa mère d'un ton ferme.

— Et pourquoi ? Tu as vu le monde dans lequel

nous vivons ? Qu'est-ce qu'ils ont tous ? Pourquoi ne voient-ils pas ce qui se passe au Vietnam ?

Sans parler de Sharon, de Richard Blake, de Kennedy et de tout ce qui n'allait pas dans le monde, ajouta-t-elle silencieusement.

— Tu n'y peux rien, ni moi non plus.

— Mais pourquoi toute cette indifférence ? Pourquoi personne n'a demandé à Harry ce qu'il ressentait avant de partir ?

Les sanglots empêchèrent la jeune fille de continuer.

— Allons, reprends-toi, conseilla Jane, qui se tut un instant avant de poursuivre : Je pense que tu devrais rentrer pour les vacances, Tan, surtout si tu passes ton temps à l'hôpital avec ce garçon.

— Je ne peux pas rentrer en ce moment, trancha Tana.

— Et pourquoi ? demanda sa mère, attristée.

— Je ne veux pas laisser Harry maintenant.

— Comment se fait-il qu'il compte autant pour toi ? s'enquit Jane, blessée de n'être que la seconde dans le cœur de sa fille.

— C'est comme ça. Tu passes Noël avec Arthur, de toute façon ?

— Pas cette année, Tan. Il va à Palm Beach avec ses enfants.

— Et il ne t'a pas invitée ? demanda Tana.

C'était vraiment le plus sale égoïste de la terre, quoique, à la rigueur, le père d'Harry pût paraître pire.

— Cela aurait été gênant pour lui.

— Pourquoi ? Sa femme est morte il y a huit ans et tout le monde te connaît. Il ne pouvait vraiment pas t'inviter ?

— Ça n'a pas d'importance. J'ai du travail ici, de toute façon.

La dévotion de sa mère pour cet homme exaspérait toujours la jeune fille.

— Oui, enfin, du travail pour lui. Pourquoi ne lui conseilles-tu pas de se jeter à l'eau, maman ? Tu as quarante-cinq ans, tu pourrais trouver quelqu'un d'autre et personne ne pourrait te traiter plus mal que lui.

Ces derniers mots vexèrent Jane au plus haut point.

— Tana, ce n'est pas vrai !

— Ah non ? Alors comment se fait-il que tu passes Noël toute seule ?

— Parce que ma fille ne rentre pas à la maison, rétorqua Jane avec vivacité.

Tana eut envie de lui raccrocher au nez.

— Ne me fais pas porter le chapeau, maman.

— Et toi, ne me parle pas comme ça, d'autant plus que c'est vrai, non ? Tu voudrais qu'Arthur soit là, pour n'avoir aucune responsabilité. Eh bien, ça ne marche pas toujours. Je conçois que tu puisses choisir de ne pas rentrer, mais n'essaie pas de me faire admettre que tu as raison.

— J'étudie le droit, maman. J'ai vingt-deux ans et je suis une adulte. Je ne peux plus rester tout le temps avec toi.

— Eh bien, lui non plus. Et il a de bien plus grandes responsabilités que toi.

— C'est contre lui que tu devrais être furieuse, maman, pas contre moi. Je suis désolée de ne pouvoir être avec toi, mais c'est vraiment impossible.

— Je comprends...

— Non, tu ne comprends pas, et ça aussi, ça me désole.

— Mettons que l'on ne puisse rien y faire pour l'instant, et que tu aies raison, soupira sa mère. Mais, s'il te plaît, chérie, ne passe pas tout ton temps à l'hôpital. C'est trop déprimant. Tu ne peux être d'aucun secours pour ce garçon. Il s'en sortira tout seul.

L'attitude de sa mère peinait Tana, mais elle ne répliqua pas.

— Bien sûr, maman.

Elles avaient chacune leur opinion. Ni l'une ni l'autre n'étaient près d'en changer. C'était sans espoir maintenant. Jane avait compris elle aussi que leurs routes s'étaient séparées. Elle songeait à la chance qu'avait Arthur de voir ses enfants si souvent. Ann avait constamment besoin de lui, pour des problèmes d'argent ou autres ; son gendre était en adoration devant lui et même Billy vivait à la maison. Comme cela devait être merveilleux ! songea-t-elle en raccrochant. Mais cela expliquait aussi qu'il n'ait jamais vraiment de temps à lui consacrer. Entre ses obligations de travail, ses vieux amis qui avaient été trop proches de Marie pour accepter Jane, et ses enfants, il lui restait très peu de temps pour elle. Il y avait pourtant une connivence entre eux qui, elle en était persuadée, ne cesserait jamais et valait bien toutes ces heures de solitude passées à l'attendre, c'est du moins ce qu'elle se répéta lorsqu'elle quitta son bureau, rentra chez elle et pénétra dans la chambre de Tana, si vide et si propre. Rien à voir avec celle qu'elle occupait à Berkeley, où les affaires traînaient sûrement partout.

Pendant ce temps, Tana se préparait à retourner au chevet d'Harry. Elle avait appelé l'hôpital pour avoir de ses nouvelles. On lui avait répondu que la fièvre était remontée. Il dormait, car on venait juste de lui faire une piqûre, mais elle voulait être là lorsqu'il se réveillerait. Tout en se passant un coup de peigne et en enfilant son jean, elle songea à ce que lui avait dit sa mère. Elle trouvait injuste que Jane la rende responsable de sa solitude. De quel droit espérait-elle qu'elle resterait toujours auprès d'elle ? C'était sa façon à elle de dégager Arthur de toute responsabilité. Voilà seize ans qu'elle le défendait devant Tana, ainsi que ses amis et ses collègues de bureau.

La jeune fille attrapa sa veste et dévala l'escalier. Il lui fallut une demi-heure en bus pour traverser le Bay Bridge, et encore vingt minutes pour arriver à l'hôpital. On était à la veille de Noël, si bien que la circulation avait encore empiré. Elle s'efforçait d'oublier sa mère. Jane pouvait se suffire à elle-même, ce qui n'était pas le cas d'Harry pour le moment. Lorsqu'elle entra dans sa chambre, il était encore endormi et les rideaux étaient tirés. Dehors, il faisait une belle journée ensoleillée, mais rien de toute cette lumière et de cette gaieté ne filtrait à l'intérieur. Elle s'installa tranquillement sur une chaise, à côté du lit, et observa le visage de son ami. Il dormait d'un sommeil lourd et resta immobile durant les deux heures qui suivirent. Tana, pour se dégourdir un peu les jambes, se résolut à sortir dans le couloir et se promena un peu. Elle évitait de regarder à l'intérieur des chambres les horribles instruments de torture, et les visages anéantis des parents venus voir leur fils, ou du moins ce qu'il en restait, les bandages, les traits décomposés, les membres brisés. C'était plus qu'elle ne pouvait en supporter. Au moment où elle atteignait le bout du couloir et se décontractait un peu, elle aperçut un homme dont la beauté lui coupa le souffle. Il était grand, brun, carré, avec des yeux d'un bleu éclatant, la peau bronzée, de longues jambes, un costume bleu marine d'une coupe impeccable, une chemise magnifique. Il portait sur le bras un manteau en poil de chameau. Tout en lui était beau, immaculé et soigné. Il avait l'air inquiet. Tana et lui s'observèrent pendant une fraction de seconde.

— Pouvez-vous me dire où se trouve le service de neurochirurgie ?

Tana acquiesça, se sentant d'abord désarmée et stupide, puis elle lui sourit timidement.

— Oui, c'est au fond du couloir.

Elle lui indiqua la direction d'où elle venait, notant son regard triste. Il avait l'air de quelqu'un qui vient de perdre ce qu'il a de plus précieux au monde. Tana se demandait pourquoi il se trouvait là. Il devait bien avoir une cinquantaine d'années, quoiqu'il parût plus jeune. Il gagna rapidement le fond du couloir, puis elle le vit tourner à gauche vers le bureau des infirmières. Il était temps de regagner la chambre d'Harry. Elle n'avait pas été absente longtemps, mais il pouvait très bien s'être réveillé. Elle avait beaucoup de choses à lui dire auxquelles elle avait songé toute la nuit, concernant le proche avenir. Elle avait été sincère lorsqu'elle lui avait dit qu'elle ne le laisserait pas se prélasser à l'hôpital. Il avait toute la vie devant lui. Deux infirmières lui sourirent quand elle passa devant le bureau. Elle entra sur la pointe des pieds dans la chambre d'Harry. Elle vit tout de suite qu'il était réveillé, mais il semblait encore à moitié endormi et ne lui sourit pas. Ils se fixèrent quelques secondes. Tana éprouva immédiatement la sensation étrange que quelque chose n'allait pas. Elle inspecta la pièce du regard, à la recherche d'un indice, et faillit sursauter lorsqu'elle le vit. Le bel homme aux cheveux grisonnants et au costume bleu foncé se tenait dans un coin de la chambre, l'air désespéré. Elle n'avait pas fait le rapprochement, mais elle comprenait tout à coup ; c'était Harrison Winslow Trois, le père d'Harry. Il avait fini par venir.

— Salut, Tan.

Harry semblait triste et mal à l'aise. La situation se compliquait maintenant que son père était là ; il faudrait compter avec lui et avec son chagrin, alors que la présence de Tana ne lui pesait pas, parce qu'elle avait toujours compris ce qu'il ressentait, à l'inverse de son père.

— Comment vas-tu ?

Durant un instant, ils ignorèrent la présence de cet homme, comme pour se donner mutuellement de la force. Tana ne savait même pas quoi dire à cet inconnu.

— Bien.

Mais l'expression de son visage le trahissait. Son regard se posa sur l'homme élégant.

— Papa, je te présente Tana Roberts, mon amie.

Le père d'Harry tendit la main à la jeune fille et lui adressa quelques mots polis. Il semblait la considérer comme une intruse. Il voulait des détails sur ce qui était arrivé à Harry. Il avait rejoint Londres depuis l'Afrique du Sud la veille, et dès qu'il avait trouvé les télégrammes il s'était envolé pour San Francisco. Mais il n'avait pas mesuré la gravité de la situation avant d'arriver, et il était encore sous le choc. Harry lui avait seulement dit très brièvement avant l'arrivée de Tana qu'il serait condamné au fauteuil roulant toute sa vie. Son fils ne l'avait pas ménagé, mais rien ne l'y obligeait dans son esprit. Il s'agissait de ses jambes à lui et, si elles ne fonctionnaient plus, c'était son problème, pas celui des autres. Il était donc inutile de mâcher ses mots.

— Tan, voici mon père, Harrison Winslow... Trois, ajouta-t-il avec une pointe de sarcasme dans la voix.

Rien n'avait changé entre eux, même maintenant, et son père en paraissait attristé.

— Voulez-vous que je vous laisse seuls ?

Tana regarda tour à tour les deux hommes. Elle vit instantanément qu'Harry n'en avait pas envie mais que son père n'était pas contre.

— Je vais prendre une tasse de thé, reprit-elle. Vous en voulez une ? demanda-t-elle ensuite au père d'Harry.

Il hésita, puis acquiesça.

— Oui, merci beaucoup.

Il lui sourit et elle fut encore frappée par sa beauté. Elle admirait la profondeur de son regard bleu, le menton bien dessiné et volontaire, les mains à la fois fines et puissantes. Il était difficile au premier abord de voir en lui le misérable qu'Harry lui avait décrit, même si elle ne doutait pas de la bonne foi de celui-ci. Un doute s'insinua dans son esprit. Elle regagna la chambre une demi-heure plus tard, se demandant s'il ne vaudrait pas mieux qu'elle s'en aille et ne revienne que le lendemain, ou plus tard dans la soirée, d'autant qu'elle avait beaucoup de travail. Mais Harry paraissait tellement abattu que l'infirmière, qui avait remarqué la tristesse de son malade sans en comprendre la cause, demanda à son père et à Tana de le laisser seul.

Tana se pencha pour embrasser Harry, qui lui murmura à l'oreille :

— Reviens ce soir... si tu peux...

— D'accord.

Elle l'embrassa sur la joue, se demandant si son

père et lui s'étaient disputés. Harrison Winslow jeta un coup d'œil par-dessus son épaule et quitta la chambre avec un soupir malheureux. Il s'éloigna, les yeux fixés sur ses chaussures bien cirées. Tana n'osait rien dire. Elle se sentait mal à l'aise à cause de sa tenue négligée, mais elle ne s'attendait pas à rencontrer quelqu'un à l'hôpital, encore moins le légendaire Harrison Winslow Trois. Elle n'en fut que plus surprise lorsqu'il se tourna vers elle pour lui demander :

— Comment le trouvez-vous ?

Tana prit sa respiration.

— Je ne sais pas encore... c'est trop tôt... Je pense qu'il est encore sous le choc.

Harrison Winslow acquiesça. Lui aussi l'était. Il avait parlé au médecin avant de monter. Ce dernier lui avait dit qu'il n'y avait rien à faire. La moelle épinière avait été si endommagée, avait expliqué le neurochirurgien, qu'il ne pourrait jamais plus marcher. Mais il demeurait tout de même optimiste et la meilleure nouvelle était qu'il pourrait encore faire l'amour, en se conformant à certaines instructions, car cette partie de son système nerveux n'avait pas été atteinte.

— Il pourrait même fonder une famille, avait ajouté le médecin.

Mais il y avait bien d'autres choses qu'il ne pourrait plus faire : marcher, danser, courir ou faire du ski... Harrison eut les larmes aux yeux à cette pensée, puis il se souvint tout à coup de la jeune fille qui marchait à ses côtés. Elle était jolie, il l'avait remarqué dès qu'il l'avait rencontrée dans le couloir. Son visage harmonieux, ses grands yeux verts et sa démarche gracieuse l'avaient frappé. Il avait été surpris lorsqu'il l'avait vue entrer dans la chambre d'Harry.

— Je suppose qu'Harry et vous êtes très amis ?

Il trouvait étrange qu'Harry ne lui ait pas parlé de cette jeune fille, mais il était vrai que son fils ne lui disait jamais rien.

— En effet. Nous sommes amis depuis quatre ans.

Il décida de jouer franc jeu avec elle. Jusqu'à quel point Harry s'était-il engagé avec cette jeune fille ?

Etait-ce une relation sans importance, un amour caché, ou bien alors était-il marié avec elle ?

— Vous êtes amoureuse de lui ?

Il plongea son regard dans le sien, et elle resta sans voix durant un instant.

— Je... non... enfin... balbutia-t-elle. Je l'aime beaucoup... mais... je ne suis pas « engagée avec lui » physiquement, si c'est ce que vous voulez dire.

Elle avait rougi jusqu'à la racine des cheveux. Il eut un sourire d'excuse.

— Je suis désolé de vous avoir posé une telle question, mais si vous connaissez bien Harry, vous savez comment il est. Je ne sais jamais ce qu'il fait et je présume qu'un de ces jours, je le retrouverai avec une femme et trois enfants.

Tana se mit à rire. Cette éventualité paraissait plus qu'improbable. Trois maîtresses auraient été plus plausibles. Elle se rendit compte tout à coup qu'elle avait du mal à détester Harrison autant qu'Harry l'aurait voulu. En fait, il ne lui était pas du tout antipathique.

Il consulta sa montre. Sa limousine l'attendait dehors.

— Voudriez-vous prendre une tasse de thé avec moi quelque part ? A mon hôtel peut-être ? Je suis descendu au *Stanford Court*, mais mon chauffeur pourra vous ramener où vous voudrez ensuite. Est-ce que ça vous va ?

La jeune fille hésita. Le pauvre homme venait de subir une rude épreuve lui aussi, après un très long voyage.

— Je... Il faudrait vraiment que je rentre... J'ai tellement de travail... dit-elle en rougissant.

Elle sentit sa déception et eut brusquement de la peine pour lui. Son élégance et son allure ne parvenaient pas à cacher sa vulnérabilité.

— Je suis désolée, je ne voulais pas être désagréable... reprit-elle. C'est simplement que...

— Je sais, fit-il avec un sourire triste qui la toucha profondément. Il vous a dit que j'étais un salaud. Mais c'est Noël, vous savez. Cela nous ferait peut-être du bien à tous les deux de sortir et de parler un peu. J'ai reçu un sacré choc. Vous aussi, j'imagine.

Elle opina tristement et le suivit jusqu'à la voiture. Le chauffeur ouvrit la portière et elle grimpa dans la limousine, suivie d'Harrison Winslow qui s'assit à côté d'elle sur la banquette de velours gris. Il demeura pensif jusqu'à ce que la voiture s'arrête devant le *Stanford Court*.

— Ça a toujours été difficile entre Harry et moi. Nous ne sommes jamais vraiment arrivés à être bons amis...

Il donnait presque l'impression de se parler à lui-même. Tana se dit une fois de plus qu'il n'y avait rien d'implacable en lui, absolument rien. Il semblait triste et très seul.

— Vous êtes une belle jeune fille... reprit-il, et votre âme l'est aussi, j'en suis sûr. Harry a de la chance de vous avoir pour amie.

Et le plus étrange était qu'elle ressemblait beaucoup à la mère d'Harry au même âge. Il en fut encore plus troublé en la regardant sortir prestement de la voiture et entrer dans l'hôtel. Ils se rendirent au restaurant et furent introduits dans un salon particulier. Il l'observait continuellement, comme s'il essayait de savoir qui elle était et ce qu'elle représentait pour son fils. Il avait du mal à croire qu'elle soit seulement son « amie », comme elle le prétendait, mais elle le lui répéta encore durant leur discussion, et elle n'avait aucune raison de lui mentir.

— Ma mère réagit comme vous, monsieur Winslow, poursuivit Tana en souriant. Elle persiste à me dire que « les hommes et les femmes ne peuvent pas être amis » et moi, je lui répète le contraire. C'est pourtant ce que nous sommes, Harry et moi... il est mon meilleur ami au monde... comme un frère pour moi... précisa-t-elle, les yeux au loin. Je ferai tout ce que je peux pour qu'il se rétablisse.

Elle regarda Harrison Winslow avec un air de défi,

175

qui ne s'adressait pas à lui, mais au destin qui s'en était pris à son fils.

— J'y arriverai, vous verrez... reprit-elle. Je ne le laisserai pas dans cet état, je l'obligerai à se lever, à bouger. D'ailleurs, j'ai une idée, mais il faut que j'en parle d'abord à Harry.

Harrison était intrigué. Peut-être avait-elle des vues sur son fils, en fin de compte. Il ne s'y opposerait d'ailleurs pas. Elle était non seulement belle, mais intelligente et courageuse. Lorsqu'elle parlait, ses yeux brillaient comme deux flammes vertes, et il savait qu'elle était sincère.

— Quelle sorte d'idée ?

Elle hésita. Il la trouverait certainement folle, surtout s'il avait aussi peu d'ambition que le disait Harry.

— Je ne sais pas... vous allez me trouver complètement folle... mais je pensais... je me disais qu'il pourrait faire l'école de la magistrature avec moi. Même si c'est nouveau pour lui, cela lui ferait du bien, surtout maintenant.

— Vous êtes sérieuse ? Une école de la magistrature ? Mon fils ?

Il lui tapota la main gentiment. Elle était surprenante, une vraie boule de feu, mais il la croyait capable de tout, même de convaincre Harry.

— Si vous arrivez à le persuader, surtout maintenant, vous serez encore plus extraordinaire que je ne le pense déjà.

— Je vais faire un essai lorsqu'il sera assez bien pour m'écouter.

— Il faudra attendre, je le crains.

Ils se turent. Dehors, quelqu'un chantait des chants de Noël. Tana demanda brusquement :

— Pourquoi le voyez-vous si peu ?

Elle devait absolument le lui demander, d'autant qu'elle n'avait rien à perdre et qu'elle pourrait toujours partir s'il se fâchait.

— Honnêtement ? Parce que ça a été peine perdue jusqu'à présent. J'ai essayé très, très longtemps, mais je n'ai jamais réussi. Il me déteste depuis qu'il est petit et ça n'a fait qu'empirer avec les années. Ça ne sert à rien de nous faire mutuellement du mal. Le monde est grand, j'ai beaucoup à faire et il mène sa propre vie... du moins était-ce le cas jusqu'à maintenant... conclut-il d'une voix émue.

Elle effleura sa main.

— Il la mènera à nouveau, je vous le promets... s'il vit... Mon Dieu... je vous en prie, ne le laissez pas mourir. Il est tellement merveilleux, monsieur Winslow ! C'est le meilleur ami que j'aie jamais eu.

— J'aimerais pouvoir dire la même chose. Nous sommes presque des étrangers maintenant. J'avais l'impression d'être un intrus dans sa chambre, aujourd'hui.

— Peut-être parce que j'étais là. J'aurais dû vous laisser seul avec lui.

— Ça n'aurait rien changé du tout. C'est allé trop loin, depuis trop longtemps. Nous sommes devenus des étrangers.

— Il ne faut pas parler ainsi.

Elle s'adressait à lui comme si elle le connaissait bien, et c'est vrai qu'il n'avait rien d'impressionnant, malgré son physique, sa distinction et son élégance. Il n'était rien d'autre qu'un être humain, confronté à une situation très grave.

— Vous pourriez devenir amis, maintenant, affirma-t-elle.

Harrison Winslow secoua la tête d'un air sceptique. Cependant, il trouvait décidément cette jeune fille très belle, et se posait à nouveau des questions sur ses rapports exacts avec son fils. Harry était trop séducteur pour laisser passer une occasion pareille, à moins qu'il ne l'aime... c'était peut-être ça... peut-être Harry l'aimait-il... Ce devait être cela la véritable explication, car cette amitié dont elle parlait lui semblait impossible.

— Il est trop tard. Beaucoup, beaucoup trop tard. Mes péchés sont impardonnables à ses yeux, soupira-t-il. Je crois que je penserais la même chose à sa place.

Il croit que j'ai tué sa mère, vous savez. Elle s'est suicidée quand il avait quatre ans.

— Je sais, parvint-elle à répondre.

Une souffrance insupportable passa dans les yeux d'Harrison. Son amour pour sa femme n'était jamais mort, tout comme celui qu'il portait à son fils.

— Elle avait un cancer, expliqua-t-il. Elle voulait que personne ne le sache. A la fin, elle aurait été défigurée, et elle ne pouvait pas le supporter. Elle avait déjà subi deux opérations avant de mourir... c'était terrible pour elle... et pour nous tous... Harry savait qu'elle était malade à l'époque, mais il ne s'en souvient plus maintenant. La douleur, les opérations, c'était invivable pour elle et moi, je ne supportais pas de la voir souffrir. Elle a fait une chose terrible, mais j'ai toujours compris. Elle était si jeune, si belle. Elle vous ressemblait beaucoup, en fait, et c'était presque une enfant...

Il ne cherchait pas à cacher les larmes qui coulaient sur son visage. Tana posa sur lui des yeux horrifiés.

— Pourquoi Harry ne sait-il pas la vérité ?

— Elle m'a fait promettre de ne jamais le lui dire.

Il se laissa aller sur la banquette comme s'il avait reçu un coup de poing. Le désespoir que lui avait causé la mort de sa femme n'avait jamais vraiment disparu. Il avait essayé de le fuir depuis des années, d'abord avec Harry, et avec des femmes, des jeunes filles, n'importe qui, puis tout seul. A cinquante-deux ans, il avait découvert que cette fuite serait à jamais vaine. Les souvenirs étaient là, le chagrin, la solitude... et Harry pouvait mourir à présent lui aussi... Il regardait Tana, jeune et belle, si pleine de vie et d'espoir, et cette pensée lui était insupportable.

— Les gens réagissaient différemment face au cancer, à cette époque-là, reprit-il. On en avait honte, en quelque sorte. Je n'étais pas d'accord avec elle, mais elle tenait absolument à ce qu'Harry ne sache rien. Elle m'a laissé une très longue lettre à ce sujet. Elle a avalé une dose massive de médicaments, un soir que j'étais allé à Boston voir ma grand-tante. Elle voulait qu'Harry garde d'elle l'image d'une femme belle, frivole, romantique et non celle d'une mère minée par la maladie. Alors elle s'en est allée. Pour lui, elle demeure une héroïne. Pour moi aussi. C'est une façon bien triste de mourir, mais l'autre aurait été bien pire. Je ne lui en ai jamais voulu de ce qu'elle a fait.

— Et vous lui laissez croire que ça a été votre faute !

— Je ne pensais pas qu'il aurait cette réaction. Quand je l'ai compris, il était déjà trop tard. Je suis beaucoup sorti quand il était petit, comme pour échapper au chagrin. Mais ça ne marche pas. La douleur vous suit partout, comme un chien galeux, elle vous attend devant votre chambre quand vous vous réveillez, elle gratte à votre porte et gémit à vos pieds. Aussi élégant, séduisant et occupé que vous puissiez paraître, malgré tous les amis dont vous vous entourez, elle est toujours là, sur vos talons, accrochée à vos basques... et c'était comme ça... Mais lorsque Harry a eu huit, neuf ans, il s'était fait sa propre opinion à mon sujet. Il est devenu si haineux pendant un temps, que je l'ai mis en pension. Quand il a décidé d'y rester, je me suis retrouvé sans personne, alors j'ai couru encore plus vite qu'avant... Elle est morte il y a presque vingt ans, en janvier, et nous voilà ici...

Son regard revint se poser sur Tana, sans que cette vue lui apporte un quelconque soulagement. Elle lui ressemblait tellement qu'il avait l'impression d'apercevoir son passé en la contemplant.

— Et maintenant, conclut-il, Harry est dans cet affreux pétrin... La vie est décidément bien dure et bien étrange, vous ne trouvez pas ?

Elle acquiesça en silence ; il n'y avait pas grand-chose à dire et toutes ces confidences lui avaient donné matière à réflexion.

— Je pense que vous devriez lui parler.

— De quoi ?

— De la façon dont sa mère est morte.

— Je ne pourrais pas. Je lui ai promis... à elle et

aussi à moi... Ce serait très égoïste de le lui dire maintenant.

— Alors pourquoi me l'avoir confié ?

Elle était furieuse lorsqu'elle songeait à tout ce temps perdu, à toutes ces années gâchées, pendant lesquelles ils auraient pu s'aimer, comme un père et son fils. Harry avait encore plus besoin de lui, aujourd'hui.

— Je suppose que je n'aurais pas dû vous dire tout ça, s'excusa-t-il. Mais j'avais besoin de parler à quelqu'un... et vous êtes... si proche de lui. Je voulais que vous sachiez que j'aime mon fils.

La gorge de Tana se serra. Elle ne savait pas si elle avait envie de le gifler, de l'embrasser, ou les deux. Jamais aucun homme ne l'avait mise dans cet état.

— Mais pourquoi ne pas le lui dire vous-même ?

— Ça n'arrangerait rien.

— Peut-être est-ce le moment... ?

— Oui, peut-être... Je ne le connais pas... et puis je ne saurais pas par où commencer...

— Comme ça, monsieur Winslow. Exactement comme vous venez de le faire.

Il parut fatigué tout à coup.

— Qu'est-ce qui vous rend si raisonnable, petite fille ?

Elle lui sourit, consciente de l'incroyable chaleur qui émanait de lui. Il ressemblait énormément à Harry, sur beaucoup de plans, mais il avait quelque chose de plus. Elle réalisa non sans embarras qu'il l'attirait, un peu comme si ses sens émoussés depuis des années se réveillaient tout à coup.

— A quoi étiez-vous en train de penser à l'instant ?

Elle rougit et secoua la tête.

— A quelque chose qui n'a rien à voir avec la situation... Excusez-moi... Je suis fatiguée... Ça fait près de deux jours que je n'ai pas dormi.

— Je vais vous ramener. Ainsi, vous pourrez vous reposer un peu.

Il demanda l'addition. Le regard chaleureux qu'il posait sur la jeune fille ravivait en elle le regret de ce père qu'elle n'avait jamais connu. Elle aurait voulu qu'Andy Roberts ait ses traits, et non ceux d'Arthur Durning qui se contentait de passer en coup de vent dans la vie de sa mère. Harrison Winslow était beaucoup moins égoïste qu'Harry n'avait voulu le lui faire croire, ou s'évertuait à le croire lui-même. Tana savait à présent qu'il avait eu complètement tort de haïr son père avec tant d'énergie. Elle se demanda si Harrison avait raison lorsqu'il disait qu'il était trop tard.

— Merci d'avoir discuté avec moi, Tana. Harry a de la chance de vous avoir pour amie.

— J'ai eu de la chance, moi aussi.

— Vous êtes fille unique ?

— Oui. Et je n'ai jamais connu mon père. Il est mort avant ma naissance, à la guerre.

Cet événement, qu'elle avait pourtant raconté des centaines de fois, prenait lui aussi une signification nouvelle, sans qu'elle en sache la raison. Elle se demanda si la sensation étrange qu'elle éprouvait en ce moment, assise en face de cet homme, était due seulement à la fatigue. Elle le laissa la reconduire jusqu'à la voiture, mais il la surprit lorsqu'il monta à ses côtés.

— Je vais faire le chemin avec vous.

— Ce n'est vraiment pas nécessaire.

— Je n'ai rien d'autre à faire. Je suis ici pour voir Harry, et je crois qu'il vaut mieux qu'il se repose pendant quelques heures.

Ils bavardèrent un peu en traversant le pont. Harrison lui donna ses impressions sur San Francisco, mais il parut distrait ensuite. Tana se dit qu'il pensait à son fils, mais en réalité, il songeait à elle. Il lui serra la main lorsqu'ils arrivèrent.

— Je vous reverrai à l'hôpital. Si vous avez besoin de vous déplacer, appelez mon hôtel et je vous enverrai la voiture.

Il avait appris au cours de la conversation qu'elle devait prendre le bus, ce qu'il trouvait dangereux pour une jeune et jolie fille.

— Merci pour tout, monsieur Winslow.

— Harrison, reprit-il en souriant d'un air presque aussi malicieux qu'Harry. A bientôt. Et reposez-vous maintenant !

Il agita la main, tandis que la limousine s'éloignait. Plus tard, Tana monta lentement l'escalier, songeant à leur conversation. Comme la vie était injuste par moments ! Elle s'endormit en pensant à Harrison, à Harry, au Vietnam, et à cette femme au visage inconnu, qui s'était suicidée. Lorsqu'elle se réveilla, la nuit était tombée. Elle s'assit en sursaut sur son lit pour consulter le réveil. Il était neuf heures. Elle descendit prendre des nouvelles d'Harry. On lui apprit qu'il n'avait plus de fièvre, qu'il s'était réveillé quelques instants, mais qu'il somnolait à nouveau. En entendant tout à coup quelqu'un chanter dehors, elle réalisa que c'était Noël et qu'Harry avait besoin d'elle. Elle se doucha rapidement puis, ayant décidé de se faire belle pour lui, elle mit une jolie robe blanche en lainage, des chaussures à hauts talons, et un manteau rouge avec une écharpe, qu'elle n'avait pas portés depuis l'hiver précédent à New York. Elle se parfuma discrètement, se brossa les cheveux et prit le bus. Il était dix heures et demie lorsqu'elle arriva à Letterman. Malgré les petits sapins illuminés et les Père Noël en plastique ici et là, l'ambiance n'était pas vraiment à la fête. La jeune fille frappa doucement à la porte de la chambre, entra sur la pointe des pieds, mais au lieu de le trouver endormi, elle le vit étendu sur son lit, en train de fixer le mur. Il sursauta en l'apercevant.

— Je vais mourir, n'est-ce pas ?

Elle fut frappée par ses paroles, l'expression vide de son regard et le ton de sa voix.

Elle fronça les sourcils en s'approchant du lit.

— Non, à moins que tu le veuilles. Ce dont je te crois tout à fait capable, conclut-elle avec une dureté voulue.

Elle se tenait tout près de lui et le regardait dans les yeux, mais il ne chercha pas à lui prendre la main.

— Ce n'est vraiment pas drôle ! Ce n'est pas moi qui ai eu l'idée de me faire tirer dessus.

— Mais si, c'est toi, répondit-elle avec nonchalance.

Il parut indigné durant un instant.

— Qu'est-ce que tu sous-entends ?

— Que tu aurais pu continuer tes études. Mais tu as préféré t'amuser. Tu as choisi la facilité. Tu as joué et tu as perdu.

— D'accord, mais je n'ai pas perdu dix dollars, j'ai perdu mes jambes. Ce n'est pas tout à fait la même chose.

— Moi j'ai bien l'impression qu'elles sont toujours là.

Tana jeta un coup d'œil vers les deux jambes inutiles et il répliqua, presque avec hargne :

— Ne sois pas stupide. A quoi servent-elles maintenant ?

— Tu les as, tu es en vie et tu peux entreprendre encore beaucoup de choses. D'ailleurs, d'après le médecin, tu peux encore faire l'amour.

Tana ne s'était jamais montrée aussi brusque avec lui, mais elle savait qu'il était temps de commencer à le faire réagir, surtout s'il pensait qu'il allait mourir.

— Tu te rends compte d'une chance ! continua-t-elle. Tu pourras même attraper une autre chaude-pisse !

— Tu me rends malade, dit-il en se détournant.

La jeune fille l'agrippa par le bras, pour le forcer à la regarder.

— Ecoute, c'est toi qui me rends malade. La moitié des soldats de ta section sont morts, et toi tu es vivant. Alors arrête de gémir sur ton sort. Pense à ce que tu vas faire. Ta vie n'est pas finie, à moins que tu le veuilles, et moi, je ne le veux pas. Je veux que tu te remues, quitte à te traîner par les cheveux pendant dix ans, pour que tu te reprennes et que tu vives. C'est clair ? Je ne te lâcherai pas. Jamais ! Tu comprends ça ?

Lentement, très lentement, elle vit une lueur de gaieté apparaître dans les yeux d'Harry.

— Tu sais que tu es complètement cinglée, Tan ?

— Peut-être, mais je le resterai jusqu'à ce que tu nous facilites la vie en faisant quelque chose de toi.

Il se mit à rire et, pour la première fois depuis plusieurs jours, elle retrouva le Harry qu'elle connaissait.

— Tu sais ce que c'est ?

— De quoi tu parles ?

— De toute cette énergie sexuelle qui est prisonnière en toi. C'est elle qui te permet de te donner autant dans d'autres domaines. Et ça te rend vraiment insupportable par moments.

— Merci.

— Pas de quoi. Dis-moi, pourquoi es-tu si bien habillée ? Tu vas quelque part ?

— Oui, ici, te voir. C'est Noël. Bienvenue chez les vivants, ajouta-t-elle d'une voix plus douce.

— Ça m'a plu, ce que tu as dit tout à l'heure.

— Qu'est-ce que j'ai dit... ? Que je t'obligerais à te remuer... Il me semble qu'il est temps.

— Non, à propos de mes capacités amoureuses.

— Toi alors !

Ils se mirent à rire, au moment où une infirmière entrait. Durant une minute, ils se crurent revenus au bon vieux temps. Puis le père d'Harry apparut. Aussitôt, ils cessèrent de rire, comme deux enfants pris en faute. Harrison Winslow sourit ; il mourait d'envie de se réconcilier avec son fils et il appréciait déjà beaucoup Tana.

— Puis-je partager votre bonne humeur ? Vous parliez de quoi ?

Tana rougit.

— Votre fils était grossier, comme d'habitude.

— Ce n'est pas nouveau, répondit Harrison en s'asseyant. Le jour de Noël, il pourrait faire un petit effort.

— En fait, il parlait des infirmières, et...

Harry rougit à son tour et voulut nier, mais à ce

moment Tana se mit à rire et le père d'Harry aussi. Aucun d'eux n'était très à l'aise, mais ils bavardèrent pendant une demi-heure, puis Harry commença à se fatiguer ; Tana se leva.

— Je viendrai juste te donner un baiser de Noël, mais je pense que tu ne seras même pas réveillé.

— Moi aussi, dit Harrison, en se levant. Nous reviendrons demain, fils.

Il vit Harry regarder Tana et crut comprendre la vérité. Elle ignorait ce qu'Harry éprouvait à son égard. Pour une raison qu'Harrison Winslow ne comprenait pas, il lui cachait son amour. C'était un mystère qu'il ne parvenait pas à élucider. Il posa de nouveau les yeux sur son fils.

— Tu veux quelque chose avant que nous partions ?

Harry prit un air triste puis secoua la tête. La seule chose qu'il désirait, mais que personne ne pouvait lui rendre, c'était l'usage de ses jambes. Son père comprit et lui effleura doucement le bras.

— A demain, fils.

— Bonne nuit, dit-il à son père, sans beaucoup de chaleur, mais son regard s'anima lorsqu'il se tourna vers Tana. Sois sage, Tana.

— Et pourquoi donc ? Tu ne l'es pas, toi, fit-elle en lui envoyant un baiser. Joyeux Noël, espèce d'idiot, murmura-t-elle ensuite.

Puis Tana suivit le père d'Harry dans le couloir.

— Je pense qu'il va mieux, vous ne trouvez pas ?

Le malheur qui s'était abattu sur Harry les avait rendus amis.

— Si. Je crois qu'il vient de passer le plus dur. Le reste va être long encore.

Il y avait une sorte de familiarité entre eux, comme s'ils se connaissaient depuis longtemps, mais la conversation qu'ils avaient eue dans l'après-midi les avait beaucoup rapprochés. Ils prirent l'ascenseur, puis Harrison lui tint la porte pour sortir. Il vit que la limousine attendait.

— Vous voulez manger quelque chose ?

Elle commença par refuser avant de se rappeler qu'elle n'avait pas encore dîné. Elle projetait d'aller à la messe de minuit, mais n'avait pas vraiment envie de s'y rendre seule. Elle se dit que cette cérémonie représentait peut-être quelque chose pour lui.

— Pourquoi pas ? Puis-je vous inviter à la messe de minuit, ensuite ?

Lorsqu'il acquiesça, avec beaucoup de sérieux, Tana fut encore frappée par sa beauté. Tout en dînant rapidement, ils parlèrent d'Harry. Tana lui confia toutes leurs frasques lorsqu'ils étaient étudiants. Harrison riait avec elle, toujours étonné par l'étrange relation de son fils avec cette jeune fille. Ils se rendirent à la messe de minuit. Tana se mit à pleurer tout en chantant *Douce Nuit ;* elle songeait à Sharon, son amie bien-aimée, et à Harry qui avait eu tant de chance de garder la vie sauve. Lorsqu'elle jeta un coup d'œil vers le père d'Harry, elle vit qu'il était ému aussi. Sur le chemin du retour à Berkeley, elle s'aperçut qu'elle se sentait très bien en sa compagnie.

— Que faites-vous, demain ? demanda-t-il.

— J'irai voir Harry. Et un de ces jours, il faudra vraiment que je me remette au travail.

Elle n'y avait presque plus pensé durant ces derniers jours.

— Voudriez-vous déjeuner avec moi avant d'aller à l'hôpital ?

La jeune fille fut touchée de cette invitation, qu'elle accepta tout en se demandant comment elle s'habillerait. Mais elle n'eut pas le temps d'y réfléchir longtemps. Elle était si épuisée qu'une fois dans sa chambre elle se dévêtit à la hâte, se mit au lit et s'endormit aussitôt.

A New York, en revanche, sa mère était restée éveillée. Elle avait pleuré toute la nuit, assise sur une chaise. Tana n'avait pas téléphoné, ni Arthur, qui était à Palm Beach. Elle avait lutté toute la nuit contre le désespoir qui envahissait son âme, et lui faisait entrevoir une solution à laquelle elle n'aurait jamais cru pouvoir penser un jour.

Elle était allée à la messe de minuit, comme elle le faisait toujours avec Tana. Une fois rentrée chez elle, à une heure et demie, elle avait un peu regardé la télévision.

Vers deux heures, elle fut en proie à un sentiment de solitude effroyable qu'elle n'avait jamais encore éprouvé. Elle était rivée à sa chaise, incapable de bouger et presque de respirer. Pour la première fois de sa vie, elle en vint à penser au suicide. A trois heures, cette issue lui parut la seule possible. Une demi-heure plus tard, elle allait dans la salle de bains pour prendre un tube de somnifères qu'elle s'obligea à verser dans sa main tremblante. Une partie d'elle-même la poussait à les avaler, une autre l'en empê-chait. Elle aurait voulu que quelqu'un lui ordonne d'arrêter et la rassure. Mais qui aurait pu s'en char-ger ? Tana était partie et ne reviendrait certainement plus jamais à la maison. Quant à Arthur, il avait sa propre vie et ne tenait compte d'elle que lorsque cela l'arrangeait. Tana avait raison sur ce point, mais l'admettre était trop douloureux. Elle préférait pren-dre toujours sa défense ainsi que celle de ses enfants méchants et égoïstes ; cette garce d'Ann, qui était toujours si désagréable avec elle ; et Billy, pourtant si adorable quand il était petit, qui maintenant... Il était tout le temps ivre. Jane se demanda si Tana n'avait pas dit la vérité, quatre ans auparavant... Et s'il avait vraiment... si elle n'avait pas cru... c'en était trop. Elle avait l'impression que sa vie s'écroulait, l'écrasait de tout son poids, et cette sensation lui était insuppor-table. Elle regarda longuement les somnifères. Que penserait Tana lorsqu'on la préviendrait par télé-phone ? Qui trouverait son corps ? L'officier de police peut-être... ou l'un de ses collègues... cela prendrait des semaines s'il fallait compter sur Arthur. Elle pensa écrire une lettre à Tana, mais elle trouva le procédé trop mélodramatique. D'ailleurs, il n'y avait plus rien à dire, si ce n'est combien elle avait aimé sa fille et tous les efforts qu'elle avait accomplis pour elle. Elle pleura en songeant à Tana, au petit appartement, à sa rencontre avec Arthur, qu'elle avait cru épouser un jour. Tout en serrant les somnifères dans le creux de sa main, elle avait l'impression de voir sa vie défiler devant ses yeux. Lorsque le téléphone sonna tout à coup, sa première réaction fut de consulter le réveil. Elle fut étonnée de constater qu'il était déjà cinq heures... C'était Tana peut-être, qui lui annonçait la mort de son ami... Elle décrocha d'une main tremblante, et ne reconnut pas tout d'abord la voix de son interlocuteur.

— John ?

— John York. Le mari d'Ann. Nous sommes à Palm Beach.

— Oh, oui, bien sûr.

Mais elle ne comprenait toujours pas la raison de cet appel. Les émotions de la nuit l'avaient éreintée. Elle déposa tranquillement les somnifères, en se disant que cela pouvait attendre un peu. John ne tarda pas à s'expliquer.

— C'est Arthur. Ann a pensé qu'il fallait vous appeler. Il a eu une crise cardiaque.

— Oh, mon Dieu...

Le cœur de Jane se mit à battre à grands coups dans sa poitrine et elle éclata en sanglots.

— Il va bien ? Est-ce qu'il est... ?

— Oui, ça va maintenant. Mais on a eu très peur. C'est arrivé il y a quelques heures, mais il n'est pas encore sorti d'affaire. C'est pour cette raison qu'Ann a pensé que je devais vous appeler.

— Oh, mon Dieu... mon Dieu...

Dire qu'Arthur avait failli mourir au moment où elle pensait mettre fin à ses jours. Que serait-il arrivé si elle avait... Cette pensée la fit frissonner.

— Où est-il maintenant ? reprit-elle.

— A l'hôpital Mercy. Ann a pensé que vous voudriez peut-être venir.

— Bien sûr.

Elle se leva d'un bond, tenant toujours le combiné, attrapa un crayon, un bloc, et bouscula les somnifères qu'elle regarda tomber par terre. Elle était de nouveau elle-même. Arthur avait besoin d'elle tout de suite. Elle n'avait pas commis l'irréparable, Dieu merci.

— Donnez-moi des détails, John. Je vais prendre le prochain avion.

Elle nota le nom et l'adresse de l'hôpital, le numéro de la chambre, et demanda s'ils n'avaient besoin de rien, avant de raccrocher. Elle ferma les yeux, songeant à Arthur, et à ce qu'elle avait failli faire.

CHAPITRE X

Le lendemain vers midi, Harrison Winslow fit chercher Tana en voiture à Berkeley. Ils allèrent déjeuner dans un restaurant que l'hôtel lui avait recommandé. Plus il discutait avec Tana, plus il appréciait sa compagnie et admirait son intelligence. Elle lui parla de Freeman Blake, de son amie qui était morte et de Miriam qui l'avait poussée à faire des études de droit.

— J'espère seulement que j'y survivrai. C'est encore plus dur que je l'avais imaginé, dit-elle en souriant.

— Et vous pensez vraiment qu'Harry pourrait suivre de telles études ?

— Il peut tout entreprendre du moment qu'il le veut. L'ennui, c'est qu'il a tendance à se laisser vivre, répondit-elle en rougissant.

— Je suis d'accord avec vous. Il adore ça. Il pense que c'est héréditaire. Mais en fait j'étais beaucoup plus sérieux que lui au même âge, et mon père était un grand érudit. Il a même écrit deux ouvrages de philosophie.

Ils continuèrent à bavarder pendant un moment. Tana ne s'était jamais sentie aussi bien depuis très longtemps. Elle finit par regarder sa montre avec un sentiment de culpabilité. Ils se précipitèrent à l'hôpital, avec une boîte d'excellents petits gâteaux et un cocktail dont Harry but une gorgée en riant.

— Joyeux Noël à vous aussi.

Mais elle voyait bien qu'il n'appréciait pas l'amitié qui s'était nouée entre son père et elle. Dès que ce dernier eut quitté la chambre pour descendre téléphoner, il lui adressa un coup d'œil réprobateur.

— Pourquoi cette mine réjouie ? se moqua-t-elle.

Cela ne la gênait pas qu'il soit en colère, au contraire, c'était un moyen de le faire réagir.

— Tu sais ce que je pense de lui, Tan. Ne te laisse pas embobiner.

— Tu te trompes. D'ailleurs, il ne serait pas là s'il ne se préoccupait pas de toi. Ne sois pas si têtu, et donne-lui une chance.

— C'est la meilleure ! ragea-t-il. C'est ce qu'il essaie de te faire croire ?

Il aurait quitté la chambre en claquant la porte s'il l'avait pu. Tana ne pouvait lui rapporter tout ce que lui avait confié Harrison, parce qu'elle savait qu'il ne le voulait pas, mais elle connaissait maintenant ses sentiments envers son fils. Elle était convaincue de sa sincérité. Elle l'appréciait de plus en plus et aurait souhaité qu'Harry fasse un effort.

— C'est un homme bien. Donne-lui une chance.

— C'est un salaud et je le hais.

Harrison entra dans la chambre juste à cet instant. Tana pâlit, mais Harrison ne tarda pas à la rassurer :

— Ce n'est pas la première fois que j'entends ces mots. Et je suis certain que ce n'est pas la dernière.

— Tu ne pourrais pas frapper, non ? demanda Harry avec agressivité.

— Ça t'ennuie que j'aie entendu ? Non, alors ? Tu me l'as dit souvent, et en face. Deviendrais-tu plus discret ? Ou moins courageux ? demanda-t-il d'un ton cassant.

Les yeux d'Harry lançaient des éclairs.

— Tu sais ce que je pense de toi. Tu n'as jamais été là quand j'avais besoin de toi. Tu te trouvais toujours je ne sais où, avec une fille ou une autre, dans une station thermale, ou à la montagne avec des amis... Je ne veux pas en parler, conclut-il en se détournant.

— Mais si, tu en parles. Et moi aussi. Tu as raison, je n'étais pas là, et toi non plus. Tu étais en pension, parce que tu l'avais choisi. Chaque fois que je m'occupais de toi, tu étais insupportable.

— Comment ne pas l'être ?

— C'est toi qui l'as voulu ainsi. Tu ne m'as jamais donné une chance depuis la mort de ta mère. J'ai compris quand tu as eu à peu près six ans que tu me détestais. Je pouvais l'accepter à l'époque, mais à ton âge, Harry, j'aurais pensé que tu serais devenu un peu plus fin, ou au moins un peu plus compatissant. Je ne suis pas aussi méchant que tu te plais à le croire, tu sais.

Tana aurait voulu se volatiliser, mais ni l'un ni l'autre ne semblait prêter attention à sa présence. Tout en les écoutant, elle réalisa qu'elle avait encore oublié de téléphoner à sa mère. Elle se promit de le faire dès que possible, mais elle ne pouvait pas quitter la chambre pour l'instant.

Harry fixait sur son père des yeux furieux.

— Mais pourquoi donc es-tu venu ?

— Parce que tu es mon fils. Le seul que j'aie jamais eu. Tu veux que je m'en aille ?

Harrison Winslow se leva tranquillement de sa chaise avant de reprendre presque bas :

— Je partirai dès que tu le voudras. Je ne veux pas t'imposer ma présence, mais je ne te permettrai pas non plus de continuer à croire que je me fiche complètement de toi. C'est une bien jolie histoire, le pauvre petit garçon riche et délaissé, mais ça ne tient pas. Il se trouve que je t'aime très fort, fit-il d'une voix brisée par l'émotion. Je t'aime très, très fort, Harry, comme je t'ai toujours aimé, et comme je t'aimerai toujours.

Il s'approcha de son fils, déposa un baiser sur son front et quitta la pièce. Harry ferma les yeux. Lorsqu'il les rouvrit, il vit Tana debout, le visage baigné de larmes.

— Fiche le camp.

Elle acquiesça avant de s'éloigner tranquillement mais, en refermant doucement la porte derrière elle, elle entendit Harry sangloter. Elle le laissa, comprenant son besoin de solitude. Pleurer lui ferait sans doute du bien.

Harrison l'attendait dehors, l'air plus détendu et soulagé.

— Il va bien ?

— Il ira mieux maintenant. Il avait besoin d'entendre ce que vous lui avez dit.

— Et moi, j'avais besoin de lui parler. Moi aussi, je me sens mieux.

A ces mots, il lui prit le bras. Ils descendirent l'escalier, avec l'impression d'avoir toujours été amis.

— Où allez-vous maintenant, jeune demoiselle ? demanda gaiement Harrison.

— Je crois que je vais rentrer. J'ai encore tout ce travail qui m'attend.

— Quelle tristesse ! Que diriez-vous de faire l'école buissonnière et d'aller au cinéma avec un vieil homme ? Mon fils vient de me renvoyer de sa chambre, je ne connais pas un chat dans cette ville, et c'est Noël, après tout. Qu'en dites-vous, Tan ?

Tana lui sourit, hésitant à lui dire qu'elle devait rentrer. Elle aussi mourait d'envie de rester avec lui.

— Il faudrait vraiment que je rentre, répondit-elle d'un ton si peu convaincu qu'il regagna la limousine, l'air joyeux.

— Maintenant que cette question est réglée, où allons-nous ?

Ils finirent par acheter un journal, où ils choisirent ensemble un film, se gavèrent de pop-corn, puis allèrent dîner dans un restaurant. La seule compagnie d'Harrison comblait Tana qui essayait de se persuader en vain qu'il n'était qu'une canaille, comme le répétait Harry. Mais elle ne pouvait plus y croire, d'autant qu'elle n'avait jamais été aussi heureuse de sa vie. Lorsqu'ils s'embrassèrent dans la limousine, devant chez elle, ils eurent l'impression d'avoir attendu cet instant toute leur vie. Comme il la contemplait, ensuite, il se demanda s'il devait regretter ce qu'il venait de faire. Mais il se sentait plus jeune et plus heureux qu'il ne l'avait été depuis des années.

— Tana, je n'avais jamais rencontré quelqu'un comme vous auparavant, ma chérie.

Il serra étroitement la jeune fille contre lui et l'embrassa à nouveau. Il aurait voulu la garder pour toujours, mais il se demandait s'il n'était pas à moitié fou. C'était l'amie d'Harry... et derrière cette amitié, il sentait autre chose, surtout de la part d'Harry. Il la regarda droit dans les yeux.

— Je veux savoir la vérité, Tan. Es-tu amoureuse de mon fils ?

Le chauffeur de la limousine semblait avoir disparu. En fait, il s'était discrètement éloigné, laissant la voiture garée devant le domicile de Tana.

— Non. Je n'ai jamais été amoureuse de personne... jusqu'à maintenant.

Elle décida de lui dire la vérité. Il s'était toujours montré honnête envers elle depuis leur rencontre.

— J'ai été violée, il y a quatre ans et demi, reprit-elle. Cela m'a complètement bloquée affectivement. Le peu de fois où je suis sortie depuis, c'est Harry qui m'y a forcée. Mais ça n'a pas compté pour moi et je ne fréquente personne ici. Je passe mon temps à travailler.

Elle lui sourit tendrement, consciente qu'elle était en train de tomber follement amoureuse du père de son meilleur ami.

— Harry le sait ?

— Que j'ai été violée ? Oui. Il croyait que j'étais anormale, alors j'ai fini par le lui dire. En fait, il a vu le type à une réception où nous étions allés, et il a deviné.

— C'était quelqu'un que vous connaissiez ?

— Le fils du patron de ma mère. Amant et patron, devrais-je dire. Ça a été affreux... non... – Elle secoua la tête. – Ça a été pire, bien pire que ça.

Harrison l'attira de nouveau contre lui. Il y voyait

plus clair, maintenant. C'était peut-être la raison pour laquelle Harry ne s'était jamais permis de tenter sa chance avec elle. Mais le désir était là, il en avait l'intuition, même s'il savait que Tana ne s'en doutait pas. De son côté, il n'avait jamais été aussi amoureux depuis le jour où il avait rencontré sa femme, trente-six ans auparavant. Il se demanda alors si la différence d'âge gênait Tana. Il avait exactement trente ans de plus qu'elle, ce qui en aurait choqué plus d'une.

— Qu'est-ce que ça fait ? lui répondit-elle lorsqu'il lui fit part de ses craintes.

Elle l'embrassa, sentant monter en elle, pour la première fois, un désir passionné que lui seul pourrait satisfaire.

Après une nuit agitée, elle l'appela dès 7 heures, le lendemain. Il était déjà réveillé, et parut surpris de l'entendre. Mais il l'aurait été bien davantage s'il avait su ce qu'elle éprouvait pour lui.

— Qu'est-ce que tu fais debout à cette heure ?

— Je pense à toi.

Cette réponse le flatta et l'enchanta au-delà des mots. Mais il ignorait le plus important. Tana avait confiance en lui comme jamais elle n'avait eu confiance en quelqu'un, même pas en Harry. Il représentait beaucoup pour elle, y compris le père qu'elle n'avait jamais connu. Il aurait certainement été effrayé de savoir qu'elle attendait tellement de lui. Ils allèrent voir Harry, puis ils déjeunèrent et dînèrent ensemble. Harrison éprouvait le désir ardent de passer la nuit avec elle, mais quelque chose lui disait que c'était dangereux. Pendant les quinze jours qui suivirent, ils ne se quittèrent pas. Ils allaient voir Harry séparément, de peur qu'il ne perçoive l'intensité de leurs sentiments. Cependant, un jour, Harrison s'assit au chevet de son fils, bien décidé à aborder le sujet. Leur amour devenait de plus en plus profond. Il ne voulait pas faire souffrir Tana. Mieux, il désirait lui offrir ce qu'il n'avait jamais offert à personne depuis des années, son cœur et sa vie. Il souhaitait l'épouser, mais il lui fallait connaître les sentiments d'Harry avant qu'il ne soit trop tard. Pour rien au monde, il n'aurait condamné son fils à souffrir. Il était prêt à tout sacrifier pour Harry, même la femme qu'il aimait.

— Je veux te demander quelque chose, en toute franchise.

Les relations entre le père et le fils s'étaient un peu améliorées depuis ces deux dernières semaines, en partie grâce aux efforts de Tana.

— De quoi s'agit-il ? s'enquit Harry avec méfiance.

— Qu'y a-t-il entre toi et cette jeune fille ?

Il fit un immense effort pour rester impassible et pria pour que son fils ne s'aperçoive de rien, mais il avait l'impression que son amour se lisait sur son visage.

— Tana ? demanda le jeune homme, avant de hausser les épaules. Je me demande bien en quoi cela te concerne. Enfin, je te l'ai dit, c'est mon amie.

— Permets-moi de m'en étonner.

— Et alors ? C'est tout. Je n'ai jamais dormi avec elle.

— Cela ne veut pas dire grand-chose. Ça vient peut-être d'elle, pas de toi.

Harrison n'avait aucune envie de plaisanter, mais Harry se mit à rire et voulut bien l'admettre.

— C'est bien possible.

Il se renversa tout à coup sur ses oreillers et regarda le plafond avec la sensation de n'avoir jamais été aussi proche de son père.

— Je ne sais pas... J'étais fou d'elle quand on s'est rencontrés, mais elle était murée... et elle l'est toujours.

Il lui parla du viol. Harrison fit mine d'apprendre la nouvelle.

— Je n'ai jamais connu quelqu'un comme elle, reprit le jeune homme. Je crois que j'ai toujours su que j'étais amoureux d'elle, mais j'ai eu peur de tout briser en le lui avouant. C'était une façon de la garder.

Ses yeux se mouillèrent de larmes tout à coup.

— Je ne pourrais pas supporter de la perdre. J'ai trop besoin d'elle.

Le cœur d'Harrison devint lourd comme une pierre, mais il fallait qu'il pense à son fils désormais. Cette seule préoccupation devait le guider, car il avait fini par le retrouver et il ne voulait plus le perdre, même pour Tana, qu'il aimait si désespérément.

— Tu pourrais peut-être t'armer de courage un de ces jours et le lui dire. Peut-être a-t-elle besoin de toi, elle aussi.

— Et si j'échoue ?

— Tu ne peux pas vivre comme ça, avec la crainte de perdre, ou de vivre, ou de mourir. Tu ne gagneras jamais de cette façon. Elle le sait mieux que quiconque. C'est une leçon que tu peux retenir d'elle.

— Je ne connais personne qui ait autant de cran qu'elle, sauf avec les hommes. Plus ça va, plus elle m'effraie.

— Donne-lui du temps. Beaucoup de temps.

Harrison se força à conserver une voix assurée. Son fils ne devait pas savoir.

— Et beaucoup d'amour, ajouta-t-il après un instant de réflexion.

Harry resta silencieux, cherchant le regard de son père. Ils commençaient enfin à faire connaissance.

— Tu crois qu'elle pourrait tomber amoureuse de moi ?

— C'est possible, répondit Harrison, le cœur brisé. Mais pour le moment, tu as beaucoup d'autres sujets de préoccupation. Une fois que tu seras remis, tu pourras y réfléchir.

Ils savaient tous les deux qu'Harry avait conservé à peu près ses aptitudes sexuelles, et qu'il pourrait même, selon l'avis du médecin, avoir des enfants. Cette possibilité ne comptait pas beaucoup pour Harry dans l'immédiat, mais son père pensait que cela pourrait être très important pour lui, plus tard. Harrison aurait adoré avoir un enfant de Tana. A cette pensée, il eut les larmes aux yeux.

Ils bavardèrent encore un peu, puis Harrison s'en

alla. Il devait dîner avec Tana ce soir-là, mais il lui téléphona pour s'excuser, prétextant l'arrivée d'une masse de télégrammes auxquels il était obligé de répondre. Lorsqu'ils déjeunèrent ensemble, le lendemain, Harrison fut parfaitement honnête avec elle. C'était le pire jour de sa vie depuis la mort de sa femme. Lorsqu'elle vit son visage triste, en entrant dans le restaurant, Tana comprit que les nouvelles n'étaient pas bonnes et qu'il allait lui dire quelque chose qu'elle ne voulait pas entendre.

— J'ai parlé à Harry, hier. Il le fallait, pour nous deux.

— A propos de nous ?

Elle était étonnée. Il était trop tôt. Il ne s'agissait pour l'instant que d'une innocente idylle...

— Non, à propos de lui et de ses sentiments pour toi. Je devais les connaître avant que nous allions plus loin.

Il lui prit la main et la regarda dans les yeux.

— Tana, je veux que tu saches dès maintenant que je suis amoureux de toi. Je crois que je n'ai jamais aimé qu'une seule femme comme je t'aime, et c'était ma femme. Mais j'aime aussi mon fils. Je ne voudrais lui faire du mal pour rien au monde, même s'il pense que je suis un salaud, ce que j'ai été parfois. Je t'aurais épousée... mais pas avant de savoir où en était Harry. Il est amoureux de toi, Tan.

— Quoi ! s'écria-t-elle, stupéfaite. Ce n'est pas vrai !

— Si. Il craint seulement de t'effrayer. Il m'a parlé du viol et de ta répugnance à sortir avec des hommes. Il se fait violence depuis des années, mais je n'ai aucun doute. Il a toujours été amoureux de toi. Il l'a avoué lui-même.

— Oh, mon Dieu. Mais je ne suis pas... je n'ai pas... Jamais je ne pourrais...

— Je m'en doutais aussi, mais c'est un problème entre toi et lui. S'il n'a jamais le courage de te l'avouer, il faudra que tu comptes avec ça. Ce que je voulais savoir, c'est quels étaient ses sentiments. Je connais les tiens à présent. Je m'en doutais avant de lui parler.

Il laissa passer quelques secondes avant de poursuivre :

— Chérie, je t'aime plus que ma propre vie, mais si je partais avec toi maintenant, en admettant que tu le veuilles, mon fils en mourrait. Cela lui briserait le cœur et détruirait probablement une relation dont il a besoin en ce moment. Je ne peux pas lui faire ça. Ni toi, j'en suis presque certain.

Tana se mit à pleurer. Il la prit dans ses bras. Sans nul doute, la vie venait de jouer un tour bien cruel à la jeune fille. Le premier homme qu'elle aimait ne pouvait répondre à son amour à cause de son fils, à cause d'un fils qui était son meilleur ami à elle, et qu'elle aimait aussi, mais pas de la même façon. Elle non plus ne voulait pas faire du mal à Harry, à aucun prix, mais elle était tellement amoureuse d'Harrison... Le déjeuner se poursuivit, triste et nostalgique. Elle voulait quand même passer la nuit avec lui, mais il ne la laissa pas commettre cette erreur.

— Lorsque cela t'arrivera, après l'expérience terrible que tu as vécue, il faudra que ce soit avec le bon.

La semaine suivante fut la plus affreuse de la vie de Tana. Lorsque Harrison finit par repartir pour Londres, elle se sentit complètement abandonnée. Elle était de nouveau seule avec ses études et Harry. Elle alla à l'hôpital tous les jours, emmenant ses livres avec elle, mais elle semblait fatiguée, pâle et triste.

— Bon Dieu, tu fais plaisir à voir, la railla-t-il. Qu'est-ce qui ne va pas ? Tu es malade ?

Elle l'était presque lorsqu'elle songeait à Harrison, mais elle était persuadée qu'il avait eu raison en ne songeant qu'au bonheur de celui qu'ils aimaient l'un et l'autre. Tana fut intraitable avec Harry, dorénavant, l'obligeant à faire ce que lui ordonnaient les infirmières, le poussant, l'insultant, le cajolant et l'encourageant aussi lorsqu'il en avait besoin. Elle était infatigable et d'un dévouement indescriptible. Lorsque Harrison lui téléphonait de l'autre bout du monde, son cœur bondissait dans sa poitrine. Mais il n'était pas revenu sur sa décision ; ce sacrifice, il l'avait fait pour son fils et Tana devait s'y soumettre. Il ne lui avait pas donné le choix, ni à lui non plus, même s'il savait déjà que son amour pour elle ne s'éteindrait jamais. Il voulait croire qu'elle parviendrait à s'en remettre. Elle avait la vie devant elle. Il fallait espérer que quelque part un homme, le bon, l'attendait.

CHAPITRE XI

Le soleil entrait à flots dans la chambre où Harry, étendu sur son lit, essayait de lire. Il venait de passer une heure à la piscine et deux heures en rééducation. Il avait du mal à supporter cet emploi du temps routinier et fatigant. Il jeta un coup d'œil à sa montre. Tana ne tarderait pas. Il était à l'hôpital depuis quatre mois, et elle venait le voir tous les jours, apportant avec elle des piles de papiers et de notes, et des montagnes de livres. Elle entra au moment même où il songeait à elle. Elle avait maigri depuis ces derniers mois, parce qu'elle travaillait très dur à l'école et qu'elle faisait sans cesse des allées et venues entre l'hôpital et Berkeley. Le père d'Harry avait voulu lui acheter une voiture, mais elle avait refusé catégoriquement.

— Alors, tout fonctionne bien ? demanda-t-elle avec un petit rire.

— Ne sois pas désagréable, Tan.

Mais il se mit à rire. Il était rassuré à présent ; cinq semaines auparavant, il avait fait l'amour avec une infirmière en stage. Tout s'était merveilleusement passé pour eux deux. Il se fichait bien de savoir qu'elle était fiancée avec un autre ; le grand amour n'était pas dans ses projets et il n'avait pas non plus l'intention de faire une tentative d'approche auprès de Tan. Elle représentait bien trop à ses yeux, comme il l'avait dit à son père, et elle avait assez de problèmes comme ça de son côté.

— Qu'as-tu fait aujourd'hui ?

Elle soupira, avant de s'asseoir en lui adressant un sourire lugubre.

— Je passe mon temps à quoi ? A étudier la nuit, à brasser des papiers et à passer des examens. Mon Dieu, je ne pourrai jamais tenir deux ans comme ça.

— Je suis sûr que si, répondit-il gaiement.

Elle était la lumière de sa vie. Il aurait été perdu si elle n'était pas venue le voir tous les jours, songea-t-il en la contemplant.

— Qu'est-ce qui te rend si affirmatif ?

— Tu es la personne la plus courageuse que je connaisse, Tan.

C'était cela qu'ils se donnaient l'un à l'autre, désormais : le courage et la foi. Lorsqu'il était déprimé, elle était là et le réprimandait jusqu'à ce qu'il ait envie de pleurer, mais elle l'obligeait à réagir. Et lorsqu'elle avait l'impression qu'elle ne pourrait plus supporter de rester à Boalt un seul jour de plus, il lui faisait réviser ses examens, la réveillait après lui avoir laissé faire un petit somme et soulignait même des textes pour elle.

— De toute façon, ce n'est pas aussi pénible que tu le prétends. J'ai lu quelques notes que tu avais laissé traîner.

Elle sourit, heureuse que sa ruse ait réussi. Elle se tourna vers lui, l'air faussement dégagé.

— Tout à fait. Alors pourquoi tu n'essaies pas ?

— Pourquoi devrais-je me faire suer ?

— Qu'as-tu à faire d'autre à part rester ici et pincer les infirmières ? D'ailleurs ça va durer combien de temps ? Ils vont te renvoyer en juin.

— Ce n'est pas encore sûr.

Cette pensée le rendit nerveux. Il n'était pas certain d'être prêt à rentrer chez lui. Quel « chez lui », d'ailleurs ? Son père était trop souvent en voyage. Et il n'aurait pas pu l'emmener, même s'il l'avait voulu. Il pouvait loger dans un hôtel, bien sûr, mais il avait peur de se sentir très seul.

— Rentrer n'a pas l'air de te mettre en joie.

Tana le regardait. Elle avait discuté par téléphone avec Harrison, quelques jours auparavant. Ils avaient justement évoqué cette question. Il l'appelait au moins une fois par semaine pour avoir des nouvelles d'Harry. Elle savait qu'il l'aimait toujours, mais leur résolution était ferme. Harrison Winslow ne trahirait pas son fils et Tana le comprenait.

— Je n'ai nulle part où aller, Tan.

La jeune fille y avait déjà pensé, sans trop s'y attarder, mais elle avait une idée. Peut-être était-il temps de la lui soumettre.

— Qu'est-ce que tu dirais d'habiter avec moi ?

— Dans cette chambre toute triste ?

Il se mit à rire, horrifié, avant de poursuivre :

— Me retrouver cloué sur un fauteuil roulant est largement suffisant. Cette chambre sinistre, c'est un coup à se suicider. Et puis, tu dormirais où ? Par terre ?

— Mais non, imbécile.

Elle se mit à rire en le voyant faire une grimace dégoûtée.

— Nous pourrions trouver quelque chose de pas trop cher, pour que je puisse payer ma part, moi aussi.

— Où par exemple ?

Il était sceptique, mais l'idée ne lui déplaisait pas.

— Je ne sais pas... Mais il suffit de chercher.

— Il faudrait que ce soit au rez-de-chaussée, dit-il en regardant pensivement le fauteuil roulant.

— Je le sais. Et j'ai une autre idée aussi, lança-t-elle décidée à jouer son va-tout.

— Quoi encore ? Tu sais, tu ne me laisses jamais un moment de répit. Tu as toujours une idée ou un projet. Tu m'épuises, Tan.

— C'est bon pour toi. Tu le sais.

— Alors quelle est cette idée ?

— Que dirais-tu de t'inscrire à Boalt ?

Elle retint sa respiration, tandis qu'il la fixait d'un air éberlué.

— Moi ? Tu es cinglée, ou quoi ? Mais qu'est-ce que j'irais y faire ?

— Draguer les filles, certainement, mais à part ça, tu pourrais étudier comme je me tue à le faire toutes les nuits. Tu ferais autre chose que regarder les mouches voler toute la journée.

— Quelle charmante vision vous avez de moi, ma chère ! Mais pourquoi donc irais-je me torturer avec cette école ? Rien ne m'oblige à faire quelque chose d'aussi sinistre.

— Tu réussirais.

Il aurait voulu trouver une réplique cinglante. Le pire était que l'idée lui plaisait.

— Tu es en train d'essayer de ruiner ma vie.

— Oui, répondit-elle avec un petit rire. Tu vas t'inscrire ?

— Je ne serai certainement pas admis. Je n'ai jamais eu tes diplômes.

— Je me suis déjà renseignée. Tu peux t'inscrire, en tant que vétéran. Ils pourraient même faire une exception pour toi...

Elle essayait de faire attention aux mots qu'elle employait, mais il avait l'air agacé de toute façon.

— Aucune importance. Si tu as été acceptée, je peux l'être aussi.

Et le pire de tout, c'est qu'il en avait envie tout à coup. Peut-être se sentait-il en reste vis-à-vis d'elle, à force de la voir travailler, alors qu'il était couché à ne rien faire depuis si longtemps.

Tana apporta les formulaires d'inscription dès le lendemain. Dès qu'ils furent envoyés, elle se mit en quête d'un appartement.

Elle venait tout juste d'en visiter deux qui lui avaient plu, lorsque sa mère l'appela un après-midi de la fin juin. Tana était chez elle ce jour-là, parce qu'elle avait beaucoup à faire et qu'elle savait qu'Harry allait bien. Lorsqu'on frappa à la porte pour la prévenir, elle crut que c'était lui qui téléphonait.

— Allô ?

Elle entendit que l'appel venait de loin. Son cœur s'arrêta, à l'idée que c'était Harrison. Harry n'avait jamais su ce qui s'était passé entre eux. Il n'avait pas soupçonné un seul instant leur sacrifice.

— Tana ?

Elle reconnut la voix de sa mère.

— Oh ! Bonjour, maman.

— Quelque chose ne va pas ? s'enquit Jane, surprise par le ton de sa fille.

— Non. Je croyais que c'était quelqu'un d'autre. Tu as des ennuis ?

Elle ne téléphonait jamais à cette heure-là. Peut-être Arthur avait-il eu une autre crise cardiaque. Jane était d'abord restée à ses côtés, à Palm Beach, pour s'occuper de lui après le départ d'Ann, de John et de Billy. Ils n'étaient rentrés à New York que depuis deux mois. Jane devait être très occupée, car elle donnait très peu de nouvelles.

— Je n'étais pas sûre de te trouver chez toi à cette heure-ci, fit-elle avec nervosité, comme si elle hésitait à parler.

— D'habitude, je suis à l'hôpital, mais j'avais des choses à faire ici.

— Comment va ton ami ?

— Mieux. Il va sortir dans un mois, à peu près. Je visite des appartements pour lui.

Elle ne lui avait pas encore dit qu'ils comptaient vivre ensemble. C'était parfaitement compréhensible à ses yeux, mais pas à ceux de Jane.

— Il peut vivre seul ? demanda-t-elle, surprise.

— S'il le faut, oui, je pense, mais ça m'étonnerait.

— C'est raisonnable... Je voulais te dire quelque chose, chérie.

— Oui. Quoi ?

— Arthur et moi, nous allons nous marier.

— Vous allez quoi ? s'exclama Tana.

— Nous marier... Je... Il sent que nous vieillissons... nous avons assez fait les idiots...

Jane buta sur les mots qu'il avait prononcés quelques jours auparavant et rougit, attendant avec terreur la réponse de Tana. Elle savait qu'elle n'avait jamais aimé Arthur, mais maintenant, peut-être...

— Ce n'est pas toi qui as été idiote dans cette histoire, maman. C'est lui. Ça fait au moins quinze ans qu'il aurait dû t'épouser.

Elle fronça les sourcils, songeant à ce que sa mère venait de lui dire.

— C'est vraiment ce que tu désires, maman ? Il n'est plus très jeune, et il est malade... Il t'a réservé le pire.

C'était abrupt, mais vrai. Jusqu'à sa crise cardiaque, il n'avait jamais songé à l'épouser. Mais tout avait changé brusquement lorsqu'il s'était rendu compte qu'il était mortel.

— Tu es bien sûre, maman ? insista la jeune fille après un silence.

— Oui, Tan, tout à fait.

Jane se sentait étrangement calme tout à coup. Elle attendait ce moment depuis presque vingt ans. Personne ne la ferait renoncer, même pas sa propre fille. Tana avait sa vie, mais Jane n'avait plus rien, hormis Arthur. Elle lui était reconnaissante qu'il l'épouse enfin. Ils auraient une existence confortable, agréable. Elle pourrait enfin se reposer, après toutes ces années de solitude et de soucis passées à se demander s'il viendrait et à l'attendre pendant des semaines. Tout cela était terminé. La vraie vie allait commencer, enfin. Elle le méritait grandement et était bien décidée à savourer chaque minute de cette nouvelle existence.

— Je suis tout à fait sûre de moi.

— Très bien, alors, fit Tana sans enthousiasme. Je suppose que je devrais t'adresser des félicitations, ou quelque chose comme ça. Quand vous mariez-vous ?

— En juillet. Tu viendras, n'est-ce pas, chérie ?

— Je ferai tout mon possible. – Puis elle eut une idée. – Est-ce qu'Harry peut venir ?

— En fauteuil roulant ? demanda sa mère, horrifiée.

— Ça m'en a tout l'air. Il n'a pas vraiment le choix.

— Eh bien, je ne sais pas... J'aurais pensé que ce serait gênant pour lui... Je veux dire, tous ces gens, et... Il faut que je demande à Arthur ce qu'il en pense...

— Ne te fatigue pas, lança la jeune fille avec violence. Je ne pourrai pas venir, de toute façon.

Jane éclata immédiatement en sanglots. Pourquoi Tana était-elle si difficile et si têtue sur certaines choses ?

— Tana, ne fais pas ça, je t'en prie... c'est seulement... Pourquoi es-tu obligée de l'amener ?

— Parce qu'il est dans cet hôpital depuis six mois, qu'il n'a vu personne d'autre que moi et que ça lui ferait peut-être du bien. Tu y as pensé ? D'autant que ce n'est pas arrivé dans un accident de voiture, mais en défendant un pays où nous n'aurions jamais dû nous trouver. Le moins qu'on puisse faire pour Harry à présent, c'est de le traiter avec gratitude et courtoisie...

Sa colère terrifia Jane, qui balbutia :

— Bien sûr... Je comprends... Il n'y a aucune raison pour qu'il ne vienne pas...

Puis elle ajouta tout à coup :

— John et Ann vont avoir un autre enfant, tu sais.

— Mais qu'est-ce que ça vient faire là ?

— Eh bien, il faudrait peut-être que tu y songes un de ces jours. Tu n'es plus si jeune, chérie. Tu as presque vingt-trois ans.

— Je suis à l'école de la magistrature, maman. As-tu une idée de ce que c'est ? Sais-tu combien je travaille dur, nuit et jour ? As-tu seulement songé à quel point ce serait ridicule pour moi de penser à me marier et à avoir des enfants en ce moment ?

— Ça ne risque pas de changer, si tu passes tout ton temps avec lui.

Cette attaque supplémentaire contre Harry augmenta la colère de Tana.

— Pas du tout ! Sexuellement, il est parfaitement normal, tu sais.

— Tana ! s'écria sa mère, outrée. Je déteste que tu t'exprimes de cette façon.

— Mais c'est ce que tu voulais savoir, n'est-ce pas ? Tu peux être rassurée là-dessus, maman. J'ai appris qu'il avait fait l'amour avec une infirmière, il y a quelques jours, et elle a dit que c'était très bien. Tu es tranquillisée, maintenant ?

— Tana Roberts, il t'est arrivé quelque chose.

Dans un éclair, Tana songea à toutes ces heures passées à étudier, à l'amour qu'elle avait ressenti pour Harrison, au choc qu'avait provoqué le retour d'Harry, estropié à vie... Sa mère avait raison : quelque chose de très important s'était produit en elle.

— Je pense que j'ai grandi. Ce n'est pas toujours très agréable, n'est-ce pas, maman ?

— Je ne savais pas que cela devait aller de pair avec la vulgarité. Mais j'ai l'impression que ce sont des sauvages, en Californie.

— Ça doit être ça. Enfin, félicitations, maman.

La perspective que Billy devienne son beau-frère la rendait malade, d'autant qu'il serait au mariage, à n'en pas douter.

— J'essaierai de rentrer à temps.

— Très bien.

Jane poussa un soupir. Discuter avec Tana était épuisant.

— Et emmène Harry, si c'est obligé.

— Je verrai si c'est possible. Je veux d'abord le sortir de l'hôpital, et nous devons emménager...

Elle s'aperçut trop tard de son étourderie. Il y eut un silence de mort à l'autre bout du fil.

— Tu veux dire que tu vas vivre avec lui ?

— Oui. Il ne peut pas vivre seul.

— Son père n'a qu'à embaucher une infirmière. A moins qu'on ne te paye pour ça ? s'enquit-elle sur un ton cassant.

— Pas du tout. Je partage le loyer avec lui.

— Tu es complètement folle. Il pourrait au moins t'épouser. Mais je vais mettre bon ordre à tout ça.

— Tu ne feras rien, répondit calmement Tana. De

toute façon, je ne veux pas me marier. Alors, calme-toi. Maman... Je sais que c'est dur pour toi, mais je dois vivre ma vie comme je l'entends. Est-ce que tu penses pouvoir arriver à comprendre au moins ça ?

Il y eut un long silence, puis Tana reprit avec gentillesse :

— Je sais, ce n'est pas facile.

Tout à coup, elle entendit Jane pleurer à l'autre bout du fil.

— Tu ne vois pas que tu es en train de ruiner ta vie ?

— Comment ? En aidant un ami à s'en sortir ? Où est le mal ?

— Quand tu te réveilleras, tu auras quarante ans et il sera trop tard, Tan. Tu auras gâché ta jeunesse, comme moi, et même davantage que moi.

— J'aurai peut-être des enfants un jour. Mais je n'y pense pas pour l'instant. Je travaille pour avoir un métier et faire quelque chose d'utile de ma vie. Après, j'aurai du temps pour songer à tout ça. Comme Ann.

C'était une gentille pointe, mais qui n'échappa pas à Jane.

— Tu ne peux pas avoir à la fois un métier et un mari.

— Pourquoi donc ? Qui a dit ça ?

— C'est la vérité, c'est tout.

— Foutaises !

— Non, pas du tout. D'autant que si tu t'accroches à ce Winslow, tu l'épouseras. C'est un infirme maintenant. Tu n'as pas besoin d'un tel souci. Trouve quelqu'un d'autre, un garçon normal.

— Pourquoi ? C'est un être humain, lui aussi. Beaucoup plus que d'autres, d'ailleurs.

— Tu ne connais presque aucun garçon. Tu ne sors jamais.

« Grâce à ton cher beau-fils », eut envie de répondre la jeune fille. Mais c'était surtout à cause de ses études. Depuis sa rencontre avec Harrison, ses sentiments envers les hommes avaient changé ; elle se montrait plus confiante et plus ouverte, mais aucun ne pouvait se mesurer à lui. Il avait été si bon avec elle ! Ce serait merveilleux de trouver un homme comme lui, mais en dehors de ses études et des heures qu'elle passait à l'hôpital, elle n'avait même pas le temps de sortir.

— Attends deux ans, maman. Je serai magistrat et tu seras fière de moi. Du moins, je l'espère.

— Je veux seulement que tu aies une vie normale.

— Quoi, normale ? Ta vie a-t-elle été si normale que ça, maman ?

— Elle était partie pour l'être. Ce n'est pas ma faute si ton père a été tué. Tout a changé, après ça.

— Je ne sais pas, mais c'est en tout cas ta faute si tu as attendu presque vingt ans avant qu'Arthur Durning t'épouse. Tu as fait ce choix. J'ai le droit de faire les miens, moi aussi.

— Tu as peut-être raison, Tan.

Mais elle ne comprenait pas vraiment sa fille et n'essayait même plus. Ann Durning lui paraissait tellement plus raisonnable ! Elle appréciait tout ce à quoi aspirent les jeunes filles : un mari, une maison, deux enfants, une belle garde-robe. Et si elle s'était trompée, la première fois, elle avait été assez intelligente pour se reprendre. Son mari venait de lui acheter un magnifique saphir de chez Cartier. C'était cela que Jane désirait pour sa fille. Malheureusement, Tana s'en moquait éperdument.

— Je t'appellerai bientôt, maman. Et félicite aussi Arthur de ma part. C'est lui qui a de la chance dans cette affaire, mais j'espère que tu seras heureuse, toi aussi.

— Bien sûr que oui.

Jane était loin de l'être lorsqu'elle raccrocha. Tana l'avait beaucoup démoralisée. Elle en parla un peu à Arthur qui lui conseilla simplement de se détendre. La vie était trop courte pour se laisser embêter par les enfants, et puis, ils avaient bien d'autres préoccupations. Jane allait redécorer la maison de Greenwich, Arthur voulait acheter un appartement à Palm Beach et un autre en ville. Tana avait reçu un choc en apprenant que sa mère allait quitter celui qu'elle occupait depuis des années.

— Eh bien, je n'ai plus de chez-moi, répéta-t-elle plus tard à Harry, qui ne parut pas s'en émouvoir.

— Ça fait des années que je n'en ai pas.

— Elle m'a dit qu'il y aurait toujours une chambre pour moi, là où ils vivront. Tu m'imagines en train de passer une nuit à Greenwich, après ce qui s'est passé ? J'en ai des cauchemars, quand j'y pense.

Lorsqu'elle critiqua à nouveau le style de vie bourgeois et étriqué que menait Arthur, Harry manifesta sa mauvaise humeur.

— Tu deviens de plus en plus radicale, Tan, et ça m'énerve, tu sais.

— Tu n'as jamais songé que tu étais plutôt à droite ? demanda-t-elle, un peu pincée.

— Peut-être, mais il n'y a pas de mal à ça. J'ai quelques principes, Tan, qui ne sont ni à droite ni à gauche, mais je crois qu'ils sont bons.

— Et moi, je suis persuadée que tu es dans l'erreur.

Elle était d'une véhémence inhabituelle, et ils se disputèrent une fois encore au sujet du Vietnam.

— Comment peux-tu défendre ces salauds qui sont là-bas ? s'exclama-t-elle en se levant brusquement.

Il y eut un étrange silence dans la pièce.

— Parce que j'étais l'un d'entre eux. Voilà pourquoi, finit-il par répondre.

— C'est faux. Tu n'étais qu'un exécutant. Tu ne comprends pas, espèce d'idiot ? Ils se sont servis de toi pour faire une guerre qui n'aurait jamais dû exister, dans un pays où tu n'avais pas à aller.

— Peut-être que si, répondit-il tranquillement.

— Comment peux-tu dire une telle absurdité ? Regarde ce que ça t'a coûté !

— Là est tout le problème.

Il se dressa sur son lit, le regard meurtrier.

— Si je ne défends pas cette guerre... si je ne crois pas à notre mission là-bas, alors à quoi bon tout ça ?

Il se mit à sangloter tout à coup, avant de poursuivre :

— Qu'est-ce que tout cela peut bien signifier, alors, Tan... Pourquoi leur avoir donné mes deux jambes, si je ne crois pas en eux ? Pourquoi ? Dis-le-moi, Tan ! hurla-t-il. Il faut que je croie en eux, tu comprends ? Parce que si je pense comme toi, je me dis que tout ça n'était qu'une mascarade. J'aurais pu aussi bien passer sous un train... Maintenant, fous le camp, espèce de gauchiste sans cervelle !

Elle partit et pleura tout le long du chemin. D'une certaine façon, elle lui donnait raison. Il ne pouvait pas se permettre d'avoir le même jugement qu'elle. Depuis qu'il était rentré du Vietnam, une sorte de rage s'était emparée d'elle. Elle n'avait jamais rien éprouvé de semblable auparavant. Elle en avait parlé un soir à Harrison, au téléphone. Il avait mis ce comportement sur le compte de sa jeunesse, mais l'explication était insuffisante, elle le savait. Elle en voulait à tout le monde, parce que Harry avait été cruellement blessé. Elle priait pour que les gens réagissent enfin politiquement. Le Président des Etats-Unis avait été assassiné un an et demi plus tôt. Comment pouvaient-ils être aveugles à ce point ? Mais Tana ne voulait pas faire de mal à Harry ; elle l'appela pour s'excuser, mais il ne voulut pas lui parler.

Pour la première fois depuis qu'il était rentré à l'hôpital, elle resta trois jours sans aller le voir. Lorsqu'elle revint enfin, elle agita d'abord une branche d'olivier avant d'entrer humblement.

— Qu'est-ce que tu veux ? s'enquit-il d'une voix agressive.

— Pour aller droit au but, le loyer.

Il essaya de réprimer un sourire. Il n'était plus fâché contre elle. Elle devenait d'extrême gauche, et alors ? Ils étaient tous comme ça à Berkeley. Elle en reviendrait, et ce qu'elle venait de lui dire l'intéressait bien davantage.

— Tu as trouvé un appartement ?

— Et comment ! C'est une toute petite maison sur Channing Way, avec deux chambres, un salon et une kitchenette. C'est de plain-pied, donc je te demanderai de bien te tenir ou du moins de dire à tes petites amies de ne pas crier trop fort.

Ils se mirent à rire. Harry semblait ravi.

— Tu vas l'adorer !

Elle lui donna des explications plus détaillées. Le week-end suivant, le médecin lui permit d'emmener Harry visiter leur futur logement. Les derniers soins étaient terminés depuis six semaines et le résultat était satisfaisant. Harry pouvant enfin rentrer chez lui, Tana signa le bail sans attendre. Le propriétaire ne parut pas s'étonner de leurs noms de famille différents, et ni l'un ni l'autre n'eurent envie de donner des justifications. Deux semaines plus tard, ils emménagèrent. Tana promit de veiller sur la rééducation d'Harry, qui reçut, quelque temps après les examens de Tana, une lettre de Boalt le félicitant pour son admission. Lorsqu'elle rentra, ce jour-là, il était assis dans son fauteuil roulant, l'air ému.

— Ils m'ont accepté, Tan... et tout ça par ta faute...

Ils tombèrent dans les bras l'un de l'autre, et s'embrassèrent. Jamais Harry ne l'avait tant aimée, mais Tana continuait à le considérer seulement comme son ami le plus cher. Ce soir-là, alors qu'elle préparait le dîner, il déboucha une bouteille de Dom Pérignon.

— Où as-tu eu ça ?

— Je la gardais en réserve.

— Pourquoi ?

Il l'avait mise de côté pour fêter un autre événement, mais il estimait que toutes les bonnes nouvelles de la journée valaient bien d'être célébrées.

— Pour toi, idiote !

L'aveuglement de Tana avait quelque chose de merveilleux. Il l'aimait aussi pour ça. Elle était tellement préoccupée par ses études, ses examens, son travail d'été et ses idées politiques, qu'elle ne voyait même pas ce qui se passait tout près d'elle. Harry n'était pas prêt, de toute façon ; sa crainte d'échouer lui dictait de patienter.

— C'est du bon, dit-elle en avalant une grande gorgée de champagne.

Elle était un peu grise et se sentait heureuse et détendue. Elle se rappela soudain qu'elle avait quelque chose à lui demander ; les soucis de l'emménagement le lui avaient fait oublier.

— Ecoute, il faut que je te demande une faveur... Je sais que ça va être une corvée... mais...

— Mon Dieu, quoi encore ? Elle m'a déjà obligé à m'inscrire en droit, quelle nouvelle torture va-t-elle m'infliger ?

Il prit un air terrifié, mais Tana semblait très sérieuse.

— C'est encore pire que ça. Ma mère se marie dans quinze jours. Tu viendras avec moi ?

— Au mariage de ta mère ?

Il posa son verre, l'air surpris.

— Est-ce recommandé ?

— Je ne vois pas pourquoi ça ne le serait pas.

Elle hésita avant d'ajouter :

— J'ai besoin que tu viennes.

— Je parie que le charmant beau-fils ne sera pas loin.

— C'est à prévoir et c'est un peu beaucoup pour moi, sans compter sa sœur, et Arthur faisant croire que ma mère et lui sont tombés amoureux la semaine précédente.

— C'est ce qu'il dit ? demanda Harry, amusé.

Tana haussa les épaules.

— Certainement. Je ne sais pas. Tout ça va être insupportable pour moi.

Harry réfléchit rapidement. Il pensait aller rejoindre son père en Europe, mais il pourrait s'arrêter en chemin... Il leva la tête. Il ne pouvait rien lui refuser, surtout après tout ce qu'elle avait fait pour lui.

— D'accord, Tan.

— Ça ne t'ennuie pas trop ?

Elle paraissait si reconnaissante qu'il se mit à rire.

— Si, bien sûr, mais toi aussi. Au moins, on pourra s'amuser.

— Je suis contente pour elle, tu sais... mais c'est toute cette hypocrisie qui est intolérable.

— Essaie de te refréner quand nous serons là-bas. Nous prendrons l'avion pour nous rendre à New York. Je partirai pour l'Europe le lendemain. Je pense retrouver papa dans le sud de la France, pour quelque temps.

Tana était heureuse de l'entendre parler ainsi de nouveau. Tout se déroulait à merveille. Ils s'étaient partagé les tâches de la maison, et ils menèrent une vie agréable en cet été 1965. Dans l'avion qui les emmenait à New York, au mois de juillet, Harry fit du charme à deux hôtesses de l'air. Tana, riant sur son siège, savourait chaque minute en remerciant Dieu d'avoir laissé la vie à Harry Winslow Quatre.

CHAPITRE XII

Le mariage fut simple et réussi. Jane portait une très jolie robe de mousseline grise. Elle en avait acheté une pour Tana, bleu pâle, craignant qu'elle n'ait pas le temps de faire des courses. Tana n'aurait assurément pas fait une telle dépense, d'autant que la robe coûtait très cher, mais c'était un cadeau d'Arthur. Elle n'osa pas protester.

Seule la famille devait assister à la cérémonie. Tana, au grand désespoir d'Harry d'ailleurs, insista pour qu'il puisse y être aussi. Ils étaient descendus à l'*Hôtel Pierre*. Tana était soulagée que sa mère et Arthur partent dès le lendemain pour leur lune de miel ; elle n'aurait pas à séjourner à Greenwich et pourrait regagner rapidement San Francisco. De son côté, Harry s'envolerait pour Nice, où il rejoindrait son père à Saint-Jean-Cap-Ferrat. Mais la journée fut difficile. Jane ne cessait d'observer Harry sans chercher à cacher son mécontentement, comme si elle espérait qu'il finirait bien par disparaître. La situation empira lorsque Billy arriva. Il était soûl, comme d'habitude, et ne se gêna pas pour faire à Tana des réflexions désobligeantes sur elle et sur Harry. Au moment où elle était sur le point de le gifler, Billy reçut un coup de poing en plein visage, qui le laissa assommé sur la pelouse. Lorsque Tana se retourna, elle vit Harry tout souriant dans son fauteuil roulant. Il s'était redressé pour rosser Billy et semblait très satisfait de lui.

— Tu sais, je voulais déjà le faire il y a un an.

Jane fut horrifiée par leur conduite. Ils repartirent donc dès que possible. Il y eut d'abord des adieux pleins de larmes entre Tana et sa mère. Plus exactement, Jane pleurait et Tana était nerveuse. Arthur l'avait embrassée sur la joue en lui annonçant qu'elle était désormais sa fille, et qu'il ne serait plus question qu'elle soit boursière. Elle s'évertua à refuser, impatiente de les quitter tous, surtout Ann, enceinte encore une fois, qui geignait sans cesse en exhibant ses bijoux coûteux. Elle était dotée d'un mari assommant qui avait fait les yeux doux à l'épouse d'un invité tout l'après-midi.

— Mon Dieu, mais comment peuvent-ils vivre comme ça ? fulminait Tana sur le chemin du retour.

Harry lui tapota le genou.

— Attends un peu, un jour il t'arrivera la même chose.

Elle l'envoya au diable et ils regagnèrent l'hôtel. Ils repartaient tous les deux le lendemain, mais ce soir-là, Harry l'emmena au *21*. Tout le monde fut heureux de les revoir, même si on déplorait l'accident d'Harry. Ils burent plus que de raison, à la mémoire du bon vieux temps. Lorsqu'ils rentrèrent à l'hôtel, ils étaient un peu gris. Suffisamment pour qu'Harry fasse quelque chose qu'il s'était pourtant promis de ne pas tenter avant un ou deux ans. Alors qu'ils étaient assis, l'un près de l'autre, il se tourna vers elle, lui effleura le menton et l'embrassa brusquement sur les lèvres.

— Tu sais que j'ai toujours été amoureux de toi ?

Tana parut d'abord interloquée, puis le chagrin se peignit sur son visage.

— Tu me fais marcher.

— Pas du tout.

— Mais c'est ridicule. Tu n'es pas amoureux de moi. Tu ne l'as jamais été.

— Oh si. Depuis toujours. Veux-tu m'épouser, Tan ? fit-il en lui prenant la main.

— Tu es complètement fou.

Elle retira sa main et se leva, les larmes aux yeux. Elle ne voulait pas qu'il soit amoureux d'elle. Elle voulait qu'ils restent toujours des amis, simplement des amis, rien de plus. Et voilà qu'il gâchait tout.

— Pourquoi dis-tu ça ?

— Ne pourrais-tu m'aimer, Tan ?

— Je ne veux pas gâcher notre amitié... elle est trop précieuse pour moi. J'ai trop besoin de toi.

— Moi aussi. Voilà le point crucial. Si nous sommes mariés, nous serons toujours ensemble.

Mais elle ne pouvait pas l'épouser... elle était toujours amoureuse d'Harrison... Comme la situation était malsaine... ! Elle s'étendit sur son lit et sanglota toute la nuit. Harry, quant à lui, ne se coucha pas du tout. Il l'attendait, lorsqu'elle sortit de sa chambre le lendemain matin, pâle et fatiguée, les yeux cernés. Il voulait réparer sa faute, s'il n'était pas trop tard. C'était plus important que tout. Il pouvait vivre sans l'épouser, mais il n'aurait pas supporté de la perdre.

— Je suis désolé pour ce qui est arrivé hier soir, Tan.

— Moi aussi, soupira-t-elle en s'asseyant à ses côtés. Qu'est-ce qu'on fait maintenant ?

— On met ça sur le compte de notre nuit d'ivresse. On a eu une journée difficile... ta mère qui se mariait... ma première sortie dans mon fauteuil roulant... rien de grave. On peut oublier ça, j'en suis certain.

Il priait pour qu'elle soit d'accord avec lui, mais son cœur se serra lorsqu'il la vit secouer lentement la tête.

— Que nous est-il arrivé ? Es-tu vraiment... amoureux de moi depuis tout ce temps ?

— Un peu. Mais quelquefois, je te déteste aussi.

Ils éclatèrent de rire. Sentant de nouveau le lien qui les unissait, elle passa les bras autour de son cou.

— Je t'aimerai toujours, Harry. Toujours.

— C'est tout ce que je voulais savoir, répondit-il en s'efforçant de dissimuler sa peine.

Ils commandèrent le petit déjeuner, s'amusèrent et plaisantèrent, essayant désespérément de recréer la relation privilégiée qui les unissait la veille encore. En regardant l'avion d'Harry s'envoler, cet après-midi-là, Tana se sentait le cœur lourd. Rien ne serait jamais tout à fait comme avant. Mais il faudrait s'y employer. Ils avaient trop investi l'un et l'autre dans leur amitié pour laisser quoi que ce soit la gâcher.

Lorsque Harry arriva enfin au Cap-Ferrat, son père se précipita vers la voiture que conduisait son chauffeur, pour aider son fils à s'asseoir dans un fauteuil.

— Tu vas bien, fils ?

Quelque chose dans le regard d'Harry l'inquiétait.

— Plus ou moins.

Le jeune homme semblait fatigué. Ces deux derniers jours avaient été éprouvants, sans parler du voyage en avion. Harry n'avait pas taquiné les hôtesses de l'air, cette fois. Il avait songé sans cesse à Tana. Elle resterait à jamais son plus grand amour, celle qui l'avait ramené à la vie. De tels sentiments ne pouvaient s'effacer, et si elle ne voulait pas l'épouser... il n'avait pas le choix. Il devait accepter sa décision. Même si cela lui faisait mal, il était obligé de se soumettre. Mais cela n'allait pas être facile ; il avait attendu si longtemps pour lui avouer ses sentiments...

Dorénavant, il fallait abandonner tout espoir. A cette pensée, une souffrance insupportable l'étreignit.

Harrison attrapa son fils par les épaules.

— Comment va Tana ?

Voyant la légère hésitation d'Harry, il comprit instinctivement que son fils avait essayé et échoué. Il en éprouva pour lui une grande peine.

— Elle va bien... Mais elle n'est pas d'un caractère facile.

— Oui, bien sûr...

A ce moment, une jolie fille traversa la pelouse, chassant quelques secondes l'image de Tana. Les yeux des deux hommes se croisèrent. Harry esquissa un sourire.

— Tu t'en sortiras, fils.

Pendant un instant, Harry sentit à nouveau sa gorge se serrer, puis après un petit rire nerveux il murmura, presque pour lui-même :

— J'essaierai.

CHAPITRE XIII

Lorsque Harry revint d'Europe, en automne, il était bronzé, heureux et reposé. Il avait suivi son père partout, à Monaco, en Italie, à Madrid pour quelques jours, à Paris et à New York. Il s'était laissé emporter par cette vie tourbillonnante qui lui avait tellement manqué quand il était petit, mais où il avait toujours sa place désormais. Jolies femmes, galas, concerts, réceptions, soirées, il en était à vrai dire fatigué lorsqu'il reprit l'avion pour New York. Il retrouva Tana à l'aéroport d'Oakland et constata avec soulagement qu'elle était la même qu'avant. Elle était bronzée et en pleine forme, sa chevelure blonde flottant dans le vent. Elle revenait de quelques jours de vacances passés à Malibu en compagnie de relations qu'elle avait rencontrées au cabinet juridique. La jeune fille avait beaucoup apprécié ce travail d'été. Elle parlait aussi de partir au Mexique pendant les prochaines vacances. Lorsque les cours reprirent à Boalt, Harry et elle ne se quittèrent plus, sauf pendant les cours, car ils ne suivaient pas les mêmes. Tana semblait s'être fait de nouveaux amis. Elle avait davantage de loisirs maintenant qu'Harry était sorti de l'hôpital, et les étudiants qui avaient réussi à franchir le cap de la première année paraissaient se serrer les coudes au lieu de s'éviter. Lorsque Noël arriva, Tana s'aperçut qu'Harry fréquentait toujours la même jeune fille, une jolie petite blonde originaire d'Australie, qui s'appelait Averil. Elle étudiait l'art, mais Harry semblait l'intéresser davantage. Elle le suivait partout comme son ombre sans qu'il semble s'y opposer. Tana essaya de prendre un air indifférent la première fois qu'Averil sortit de la chambre d'Harry, un samedi matin. Tous trois se mirent à rire nerveusement.

— Est-ce que je dois comprendre que vous me mettez à la porte ?

— Il n'en est pas question ! Il y a de la place pour tout le monde.

A la fin de l'année, Averil vivait avec eux. Elle était vraiment adorable, serviable, gaie, optimiste, si amoureuse d'Harry aussi que cela gênait Tana, surtout au moment de ses examens. Mais dans l'ensemble, tout se passait bien. Averil partit en Europe avec Harry l'été suivant pour rejoindre Harrison, tandis que Tana travaillait à nouveau dans le même cabinet juridique. Elle avait promis à sa mère d'aller lui rendre visite dans l'Est. Elle cherchait des excuses pour ne pas y aller, lorsque Arthur eut une autre alerte cardiaque, sans gravité cette fois, ce qui obligea sa mère à l'emmener se reposer sur le lac George. Ils promirent de venir voir Tana en automne, mais elle savait déjà ce qui l'attendait. Ils étaient déjà passés l'année précédente. Leur séjour avait été cauchemardesque. Cette maison qu'Harry et Tana partageaient « révoltait » Jane, elle se disait « choquée » qu'ils vivent toujours sous le même toit. Elle l'aurait été encore bien davantage si elle avait découvert qu'une autre jeune fille s'était jointe à eux. La seule consolation de Tana était qu'Ann venait encore de divorcer.

Ce n'était pas sa faute, bien sûr. John avait eu l'audace de la plaquer. Il filait le parfait amour avec la meilleure amie d'Ann.

Tana profita pleinement de son été solitaire cette année-là. Elle adorait Harry et Averil, mais ses études étaient si absorbantes qu'elle appréciait de se retrouver seule de temps en temps, d'autant qu'Harry et elle se disputaient sans cesse au sujet de la politique. Il continuait à soutenir la guerre du Vietnam, ce qui rendait folle Tana, tandis qu'Averil essayait désespérément de ramener la paix. Harry et Tana se connaissaient tellement bien qu'ils ne se sentaient plus obligés de rester polis. La pauvre Averil rougissait presque de honte en les entendant s'insulter. Il faut dire qu'elle était bien plus douce que Tana. A vingt-quatre ans, Tana ne craignait rien ni personne. Elle se sentait sûre d'elle et de ses opinions. Cela lui occasionnait des ennuis quelquefois, mais elle ne s'en souciait pas ; elle aimait les discussions de ce genre.

Lorsqu'elle vint s'inscrire à la faculté cette année-là – la dernière, songeait-elle avec satisfaction – elle se retrouva au centre d'une conversation plus qu'animée, à la cafétéria où huit ou neuf personnes parlaient du Vietnam. Elle se mêla tout de suite au débat, car il s'agissait de son sujet favori. Lorsqu'elle s'assit au milieu des autres, Tana fut surprise de se retrouver à côté d'un jeune homme encore plus radical qu'elle. Il avait des cheveux noirs épais et bouclés, qui lui faisaient comme une crinière, des sandales, un blue-jean, un tee-shirt turquoise, des yeux d'un bleu étrangement électrique et un sourire que Tana trouva irrésistible. Le mouvement qu'il fit pour se lever mit en valeur ses muscles puissants. Tana sentit le désir impérieux de tendre la main pour toucher son bras.

— Tu habites dans le coin ? demanda-t-il. Je ne pense pas t'avoir déjà vue.

— Je suis souvent à la bibliothèque. Troisième année de droit.

— Impressionnant.

— Et toi ?

— Dernière année en sciences politiques.

Il la suivit à la bibliothèque, où Tana le quitta ensuite à regret. Elle partageait ses opinions, et le trouvait étonnamment beau. Elle sut immédiatement qu'Harry ne l'apprécierait pas. Son ami avait des idées très arrêtées, surtout depuis qu'il vivait avec Averil, mais cela ne la chagrinait pas ; elle continuait à l'adorer comme un frère, et Averil faisait dorénavant partie de lui. Elle évitait seulement la plupart du temps de discuter politique avec eux, pour simplifier les choses.

Quelques jours plus tard, sur le campus, Tana écouta avec beaucoup d'intérêt son nouvel ami prononcer un discours sur le sujet qu'ils avaient déjà abordé. Elle admira son esprit brillant. Elle ne manqua d'ailleurs pas de le lui dire lorsqu'elle le vit ensuite. Elle avait appris qu'il s'appelait Yael McBee, mais si le nom était un peu ridicule, l'homme ne l'était pas. Sa ferveur et son intelligence donnaient à son emportement la force nécessaire pour ébranler ceux qu'il désirait convaincre, d'autant qu'il faisait preuve d'un réel talent pour haranguer les foules. Tana alla souvent le voir durant l'automne, si bien qu'il finit par l'inviter à dîner un soir. Ils partagèrent la note et regagnèrent son appartement pour continuer à discuter. Il y vivait avec une bonne douzaine de personnes. L'endroit n'avait vraiment rien à voir avec la petite maison bien propre que Tana partageait avec Harry et Averil. Elle aurait été gênée de l'inviter et préférait venir le voir, d'autant qu'elle se sentait un peu mal à l'aise chez elle, ces temps-ci. Averil et Harry passaient leurs journées à faire l'amour, enfermés dans leur chambre, à tel point que Tana se demandait quand Harry trouvait le temps d'étudier. Pourtant, il continuait à avoir de très bons résultats. Elle trouvait plus amusante la compagnie de Yael et de ses amis. Lorsqu'elle se retrouva seule pour les vacances de Noël, après le départ d'Harry et d'Averil, elle se résolut enfin à inviter Yael chez elle. Sa présence dans la petite maison douillette, sans ses bruyants amis, semblait presque incongrue. Il portait un pull à col roulé vert foncé, des jeans et des bottes militaires, bien qu'il ait fait un an de prison pour avoir refusé de partir au Vietnam.

Tana se sentait intimidée par lui, par ses yeux aussi fascinants que ceux d'un Raspoutine, par son ardeur à combattre les idées reçues. C'était un jeune homme exceptionnel. Tana ne s'étonnait pas qu'il ait été séduit très jeune par le communisme. Lorsqu'il la prit doucement dans ses bras et lui fit l'amour, elle ne songea pas à résister. Il sut provoquer en elle un désir et une passion qu'elle n'aurait jamais cru éprouver pour un homme, à tel point qu'elle ne parvint plus à se passer de lui. Lorsque Harry et Averil rentrèrent, elle alla dormir presque tous les soirs chez Yael. Il n'avait qu'un matelas, défoncé et froid, mais lorsqu'il posait la main sur elle, la vie lui semblait tout à coup merveilleuse et étincelante. Tana se sentit brusquement devenir une femme à part entière, épanouie et toute dévouée à l'homme qu'elle chérissait.

— Mais où es-tu donc toujours fourrée, Tan ? On ne te voit plus, lui dit un jour Harry.

— J'ai beaucoup de travail à la bibliothèque, à cause de mes examens.

Il lui restait cinq mois avant ses examens, ce qui la terrorisait, mais elle passait aussi la plupart de son temps avec Yael. Elle n'avait encore rien dit à Harry et à Averil, ne sachant comment leur annoncer la nouvelle. Ils vivaient dans des mondes si différents qu'elle avait du mal à imaginer qu'ils puissent un jour se rencontrer.

Harry la soupçonnait d'avoir une idylle lorsqu'il la surprenait l'air absent et rêveur, mais il ne la vit avec Yael qu'au printemps suivant. Il fut horrifié de cette découverte et l'attendit après ses cours, pour la gronder comme un père mécontent.

— Veux-tu me dire ce que tu fais avec ce raseur ? Tu sais qui c'est ?

— Bien sûr que oui... Je l'ai fréquenté toute cette année.

— Est-ce que tu sais la réputation qu'il a ? C'est un extrémiste, un communiste, un agitateur de la pire espèce. Je l'ai vu se faire arrêter l'an dernier, et quelqu'un m'a dit qu'il avait fait de la prison... Bon Dieu, Tan, réveille-toi !

— Va te faire voir !

Ils s'injurièrent devant la bibliothèque. Des étudiants se retournaient de temps à autre, sans qu'ils y fassent attention.

— Il a été emprisonné parce qu'il n'a pas voulu partir à la guerre, ce qui est certainement pour toi le pire des crimes, mais pas pour moi.

— Je suis parfaitement au courant de tout ça. Mais tu ferais mieux de t'occuper de toi, parce que tu n'auras même pas besoin de penser à tes examens, si ça continue. Tu seras arrêtée et renvoyée avant même de t'en apercevoir.

— Tu ne sais pas de quoi tu parles !

Mais la semaine suivante, Yael organisa un grand rassemblement à l'issue duquel une vingtaine d'étudiants furent incarcérés.

— Tu vois de quoi je voulais parler ? s'empressa de triompher Harry.

Elle partit de la maison en claquant la porte. Heureusement, Yael avait réussi à ne pas se faire arrêter. Tana ne le quitta pas de toute la semaine suivante. L'arrivée des examens l'obligea pourtant à rester davantage chez elle pour étudier. C'est à ce moment-là qu'Harry essaya de la raisonner, gentiment cette fois, car il était mort de peur à l'idée qu'il lui arrive quelque chose. Il aurait fait n'importe quoi pour l'arrêter, avant qu'il soit trop tard.

— Je t'en prie, Tan, s'il te plaît... écoute-moi... tu vas avoir des ennuis à cause de lui... tu l'aimes ?

Cette pensée lui brisait le cœur, non qu'il fût encore amoureux d'elle, mais parce qu'il y voyait un terrible coup du sort. Il détestait ce type, qu'il trouvait grossier, rustre, égoïste et ennuyeux. On le disait violent. Il était certain qu'il aurait des ennuis, tôt ou tard. La passion aveuglante que son amie éprouvait pour Yael le rendait malade et l'inquiétait.

Tana s'évertua à lui affirmer qu'elle n'était pas amoureuse de Yael. Mais Harry savait que ce n'était pas aussi simple que ça pour elle. C'était le premier homme auquel elle se soit donnée de son plein gré. Elle était restée chaste si longtemps que son jugement était faussé, d'une certaine façon. Il avait suffi que le premier venu passe et réussisse à éveiller ses sens pour qu'elle devienne sa proie, pensait Harry. Elle était hypnotisée par Yael et le milieu marginal dans lequel il vivait. Il lui faisait découvrir un monde qu'elle n'avait jamais connu et il la fascinait sexuellement. Deux atouts difficiles à vaincre.

Juste avant ses examens, alors qu'ils se connaissaient depuis six mois, Yael mit Tana à l'épreuve.

— J'ai besoin de toi la semaine prochaine, Tan.

— Pour quoi faire ?

Elle se retourna distraitement. Il lui fallait lire deux cents pages cette nuit.

— Une manifestation... en quelque sorte.

— Quel genre de manifestation ?

— Nous voulons marquer un point auprès des gens qui comptent.

— Qui ça ?

— Je pense qu'il est temps de nous adresser directement à ceux qui ont du pouvoir. Nous allons chez le maire.

— Vous allez échouer, c'est certain.

— Alors ? insista-t-il, impassible.

— Si je vais avec vous et que je suis arrêtée, je raterai mes examens.

— Bon Dieu, et après, Tan ? Qu'est-ce que tu seras, après tout ? Un juge de deuxième catégorie qui défendra la société telle qu'elle est ? Tout ça c'est du vent. Tu peux attendre un an pour passer tes examens, Tan. Ce que nous allons faire est bien plus important.

Elle le regarda, horrifiée par ce qu'il venait de lui dire. S'il lui parlait comme ça, c'est qu'il ne la comprenait pas du tout.

— Tu ne sais pas combien j'ai travaillé dur pour ça, Yael ?

— Et toi, tu ne te rends pas compte que ça n'a aucun sens ?

C'était la première fois qu'ils se disputaient ainsi. Il continua à la harceler pendant des jours, mais elle tint bon. Finalement, elle rentra chez elle pour préparer ses examens. Mais elle n'en crut pas ses yeux lorsqu'elle vit les informations télévisées, le jour dit. La maison du maire avait été plastiquée, ses deux enfants avaient failli mourir et sa femme avait été brûlée. L'attentat avait été revendiqué par un étudiant de Berkeley appartenant à un mouvement extrémiste. Sept jeunes gens avaient été arrêtés pour tentative de meurtre, attentat à main armée et autres chefs d'accusation. Parmi eux se trouvait Yael McBee. Tana réalisa, les jambes tremblantes, que sa vie aurait été finie si elle l'avait écouté... non seulement sa carrière future aurait été compromise, mais sa liberté, pour de très longues années. Elle les regarda, pâle comme une morte, monter dans les fourgons de police. Harry, qui l'observait, garda le silence. Elle se leva au bout d'un long moment. En une seconde, tout ce qu'elle avait éprouvé pour Yael explosa et se désagrégea, comme l'une de ses bombes.

— Il voulait que j'aille là-bas, Harry...

Elle se mit à pleurer.

— Tu avais raison.

Elle en était malade. Il avait failli détruire sa vie, parce qu'elle était complètement sous son emprise. Et pour quoi ? Une simple dépendance sexuelle. Elle ne s'était jamais rendu compte jusqu'à quel point allait son engagement politique. Elle fut rétrospectivement terrifiée de l'avoir connu, lui et ses amis. Elle eut peur d'avoir à subir un interrogatoire, ce qui finit par arriver, mais l'affaire en resta là. Elle n'était qu'une étudiante qui avait dormi avec Yael McBee, et elle n'était pas la seule.

Elle réussit ses examens et obtint un poste de magistrat auprès du procureur. Elle venait d'entrer définitivement dans le monde des adultes. Sa période d'engagement politique était loin, maintenant que sa vie d'étudiante avait pris fin et qu'elle vivait à nouveau avec Harry et Averil. Elle loua un appartement à San Francisco et commença à emballer sans hâte ses affaires. Tout lui était brusquement douloureux. Une époque venait de s'achever à jamais.

— Tu respires le bonheur, lui dit Harry pour plaisanter, tandis qu'elle jetait une autre pile de livres dans une caisse.

Elle lui sourit. Elle était encore sous le choc de ce qui était arrivé à Yael, surtout lorsqu'elle songeait aux ennuis qu'elle avait évités de justesse à cause de lui. Elle n'était pas remise, et pourtant cet épisode de sa vie lui semblait de plus en plus irréel. Le procès n'avait pas encore eu lieu, cependant il était évident qu'il passerait des années en prison.

— J'ai l'impression que je m'enfuis de chez moi.

— Tu peux revenir quand tu veux, tu sais, nous serons toujours là.

Il la regarda, l'air penaud. Tana éclata de rire. Ils se connaissaient depuis trop longtemps pour pouvoir se cacher quelque chose.

— Eh bien, qu'est-ce qui ne va pas ?

— Rien.

— Harry...

Elle s'avança vers lui, l'air menaçant. Il se recula, l'air faussement effrayé.

— Juré, Tan... oh, bon ! Très bien, très bien... Ave et moi, on va se marier.

Durant un instant, Tana parut abasourdie. Ann Durning venait d'épouser en troisièmes noces un gros producteur de cinéma de Los Angeles. Il lui avait offert une Rolls Royce comme cadeau de mariage, et une bague avec un diamant de vingt carats, dont Jane avait beaucoup parlé à sa fille. Si c'était bien le genre d'Ann, en revanche, elle n'avait jamais pensé qu'Harry penserait à se marier.

— Vraiment ?

— J'ai pensé qu'après tout ce temps... c'est une fille formidable, Tan...

— Je le sais bien, espèce d'idiot. J'ai vécu aussi avec elle. C'est plutôt que ça fait tellement sérieux...

Ils avaient vingt-cinq ans, mais elle ne se sentait pas encore assez mûre pour se marier. Elle se demandait quelle était la raison de leur décision.

— Félicitations. C'est pour quand ?

— Le plus vite possible.

Tana vit tout à coup un éclair passer dans les yeux d'Harry. Elle y discerna une gêne mêlée de fierté.

— Harry Winslow... ne me dis pas que tu as...

— Si. Elle est enceinte, avoua Harry, un peu rouge.

— Mon Dieu...

Le visage de Tana s'assombrit tout à coup.

— Tu n'es pas obligé de te marier, tu sais. C'est elle qui te force ?

Il se mit à rire. Tana songea qu'elle ne l'avait jamais vu aussi heureux,

— Non, c'est plutôt moi. Je lui ai dit que je la tuerais si elle s'en débarrassait. C'est notre enfant, je le veux et elle aussi.

— Mon Dieu, répéta Tana en se laissant tomber sur le lit. Un mariage et une famille ! Eh bien, on ne peut pas dire que tu perdes de temps.

Averil entra à ce moment-là, un sourire timide sur les lèvres. Pendant un instant, Tana envia presque leur bonheur et leur sérénité. Ils allaient se marier en Australie, d'où était originaire Averil, et Tana était naturellement invitée au mariage. Ils reviendraient vivre ensuite dans la petite maison, mais Harry commençait déjà à chercher un logement plus confortable, jusqu'à ce qu'il finisse son droit. Plus tard dans la soirée, il se tourna vers Tana et lui dit :

— Tu sais, si je suis là, c'est uniquement grâce à toi, Tan.

— Ce n'est pas vrai, Harry, tu le sais. Tu t'en es sorti tout seul.

Mais il lui agrippa le bras.

— Je n'aurais pas réussi sans toi. Reconnais-le,

Tan. L'hôpital, mes études... tout ça... Je n'aurais même pas connu Ave, sans toi...

La jeune fille souriait, touchée.

— Et le bébé, c'est moi aussi, peut-être ?

— Oh, toi, alors...

Il tira sur la chevelure blonde avant d'aller rejoindre sa future femme, déjà endormie. Tana était heureuse pour eux, mais elle se sentait tout à coup très seule. Elle avait vécu deux ans avec lui, un an avec Averil. Ils allaient avoir leur propre vie, désormais. Pourquoi les gens voulaient-ils se marier... Harry... sa mère... Ann... qu'y avait-il donc de si magique là-dedans ? Le seul but de Tana avait été de réussir ses études. Lorsqu'elle avait fini par vivre une idylle, elle avait élu un fou, qui allait croupir en prison... Elle s'endormit sans trouver de réponse à toutes les questions qu'elle se posait.

Tana emménagea dans un bel immeuble qui donnait sur la baie de San Francisco. La voiture d'occasion qu'elle avait achetée lui permettait d'être au tribunal en un quart d'heure. Elle essaya d'économiser le plus possible pour aller au mariage d'Harry et d'Averil, mais Harry voulut absolument lui offrir le voyage. Elle ne resta que quatre jours à Sydney, car elle devait commencer à travailler tout de suite après. Averil ressemblait à une petite poupée dans sa robe d'organdi. Rien ne laissait soupçonner qu'elle était enceinte. Ses parents ne se doutaient pas qu'elle allait être maman, et Tana l'oublia tout à fait lorsqu'elle vit Harrison Winslow s'approcher d'elle.

— Bonjour, Tan.

Lorsqu'il l'embrassa tendrement sur la joue, elle se sentit défaillir. Il était resté ce qu'il était, séduisant, gentil, et plus distingué que jamais, mais il n'était plus question d'idylle entre eux. Ils discutèrent pendant des heures et firent une longue promenade dans la soirée. Harrison la trouva différente et plus mûre, mais dans son esprit, elle serait toujours l'amie de son fils. Il savait qu'en dépit de tout, Harry considérait

Tana un peu comme à lui. Il respecterait toujours ce sentiment.

Harrison emmena Tana à l'aéroport, car Harry et Averil étaient déjà partis pour leur lune de miel. Lorsqu'il l'embrassa, comme il l'avait fait si longtemps auparavant, l'âme de la jeune fille s'envola vers lui. Elle entra dans l'avion, le visage baigné de larmes. L'hôtesse la laissa seule, se demandant quel lien pouvait bien l'unir à cet homme séduisant. Peut-être était-elle sa maîtresse ou sa femme. Les gens la regardaient avec curiosité. C'était une grande et jolie jeune femme blonde, vêtue d'un simple ensemble beige en lin, qui avait une démarche assurée, et une allure altière. Mais ce que personne ne savait, c'est qu'elle se sentait au fond d'elle-même effrayée et seule. Il lui fallait affronter à nouveau l'inconnu, débuter dans sa fonction, s'habituer à un nouvel appartement, sans personne pour l'épauler. Elle comprit tout à coup pourquoi des gens comme Ann Durning ou sa mère se mariaient. C'était plus sécurisant...

TROISIÈME PARTIE

LA VRAIE VIE

CHAPITRE XIV

L'appartement qu'avait loué Tana possédait une jolie vue sur la Baie. Il comprenait une chambre minuscule, un salon, une cuisine, et donnait sur un petit jardin situé derrière l'immeuble. Tana avait inconsciemment choisi un rez-de-chaussée, pour qu'Harry n'ait aucune difficulté lorsqu'il reviendrait. Elle s'étonna elle-même de s'habituer si rapidement à vivre seule. Harry et Averil vinrent la voir plusieurs fois, au début. Très vite, Averil perdit ses formes, au fur et à mesure que son ventre s'arrondissait. Mais cette grossesse restait pour Tana un événement totalement extérieur. Elle passait sa vie à s'occuper de meurtres, de cambriolages et de viols. C'était sa seule préoccupation. L'idée d'avoir des enfants était très loin d'elle, même si sa mère lui avait appris qu'Ann Durning était encore enceinte, ce dont Tana se moquait éperdument. Elle avait laissé tout cela loin derrière elle. Entendre parler des Durning ne lui produisait plus aucun effet. Elle porta à sa mère le coup de grâce lorsqu'elle lui apprit que Harry venait d'épouser une autre jeune fille.

Pauvre Tana, après toutes ces années passées à

s'occuper de lui, il en avait choisi une autre... pensa aussitôt Jane.

— Quand je pense qu'il t'a fait une chose pareille !

Tana avait été interloquée, tout d'abord, puis elle avait éclaté de rire. C'était vraiment trop amusant ! Sa mère n'avait décidément jamais cru qu'ils n'étaient que des amis.

— Mais pas du tout ! Ils sont parfaitement assortis.

— Ça ne te fait rien, alors ?

— Bien sûr que non. Je te l'ai dit il y a des années, maman. Harry et moi sommes juste des amis. Des amis intimes. Et je suis très heureuse pour eux.

— Et toi, Tan ? Quand vas-tu songer à te marier ?

— Tu ne renonceras donc jamais, maman ? soupira la jeune femme.

— Et toi, tu ne te décideras jamais ?

— Je n'ai même pas commencé à y songer.

Elle sortait tout juste de son idylle avec Yael McBee, qui était vraiment la dernière personne avec laquelle on puisse songer à se marier. Son nouvel emploi ne lui laissait pas le temps d'avoir ce genre de préoccupation. Six mois passèrent avant qu'elle pense à se distraire. Un juge d'instruction l'invita et elle accepta parce qu'il était intéressant, mais l'homme en lui-même ne l'attirait pas. Elle sortit aussi avec deux ou trois avocats, mais elle ne songeait qu'à son travail. Au mois de février, elle eut son premier procès important, commenté par la presse nationale. Elle avait l'impression que tous les regards étaient fixés sur elle. Elle voulait à tout prix réussir. C'était une affaire de viol et de meurtre particulièrement horrible. Une jeune fille de quinze ans avait été violée par l'amant de sa mère à neuf ou dix reprises, dans une maison abandonnée, avant d'être torturée et tuée. Tana voulait la plus sévère condamnation pour le coupable. Elle travailla d'arrache-pied toutes les nuits. L'accusé était un homme séduisant, âgé de trente-cinq ans environ, bien élevé et habillé décemment. La défense allait tout tenter pour le disculper.

Harry l'appela tard, une nuit. Elle jeta un coup d'œil

à la pendule, surprise qu'il soit encore levé, car il était presque trois heures.

— Comment ça va, Tan ?

— Bien. Quelque chose ne va pas ? Averil se porte bien ?

— Et comment !

Elle eut l'impression de voir son visage rayonnant.

— Nous venons juste d'avoir un garçon, Tan. Quatre kilos et quelques grammes... c'est la femme la plus courageuse du monde, tu sais, Tan... J'étais là, et c'était si beau... J'ai vu sa petite tête sortir, et puis il était là, tout entier. Ils me l'ont donné le premier...

Il était haletant, sa voix trahissait son émotion. Il riait et pleurait en même temps.

— Ave vient juste de s'endormir, continua-t-il, alors j'ai pensé t'appeler. Tu étais debout ?

— Bien sûr que oui. Oh Harry, je suis si heureuse pour vous deux ! s'écria-t-elle les larmes aux yeux, avant de l'inviter à venir prendre un verre.

Il arriva cinq minutes plus tard, l'air fatigué, mais plus heureux que jamais. C'était étrange de le voir parler de l'accouchement, comme s'il s'agissait d'un événement unique. Il chanta les louanges d'Averil. Tana les enviait presque, et cependant, en même temps, une partie d'elle-même restait insensible. Elle avait l'impression d'entendre quelqu'un lui parler une langue étrangère, qui provoquait son admiration, mais qu'elle ne comprenait pas du tout.

Harry ne partit que vers cinq heures du matin. Tana dormit un peu moins de deux heures avant d'affronter son grand procès. Il dura plus de trois semaines. Puis le jury siégea neuf jours, après l'héroïque réquisitoire de Tana. Lorsque les jurés firent connaître leur verdict, Tana sut qu'elle avait gagné. Toutes les charges contre l'accusé étaient retenues. Bien que le juge eût refusé d'appliquer la peine capitale, il fut condamné à la prison à vie. Tana en fut satisfaite, car elle voulait qu'il paie pour son crime, même si son incarcération ne pouvait ramener la jeune fille à la vie.

Les journaux vantèrent son talent. Harry la taquina à ce sujet lorsqu'elle alla voir le bébé.

— Ça va, ça va. Laisse-moi voir ce prodige que tu as fait, au lieu de me mettre en boîte.

Elle s'attendait à devoir masquer son ennui mais découvrit, non sans surprise, à quel point le bébé était adorable. Elle hésita à le prendre lorsqu'Averil le lui présenta.

— Mon Dieu... J'ai peur de le casser...

— Ne sois pas bête.

Harry prit le nouveau-né des mains de sa femme et le mit dans les bras de Tana. Elle resta assise à le contempler, sous le charme. Lorsqu'elle le rendit, elle eut comme l'impression d'avoir perdu quelque chose. Il y avait tant d'envie dans son regard que, lorsqu'elle fut partie, Harry dit victorieusement à Averil :

— Je crois qu'on l'a convertie, Ave.

Elle y songea effectivement beaucoup ce soir-là, mais la semaine suivante, elle eut à s'occuper d'un autre cas très grave de viol, ainsi que de deux affaires de meurtre. Lorsque Harry la rappela, ce fut pour lui annoncer fièrement qu'il avait non seulement été reçu au barreau, mais qu'on lui avait offert un poste qui lui plaisait énormément.

— Où vas-tu travailler ?

Tana était heureuse pour lui, car il s'était donné beaucoup de mal.

— Tu ne vas pas me croire, Tan. Je vais travailler pour la défense.

— Tu veux dire que nous allons avoir à nous battre l'un contre l'autre ? fit gaiement Tana.

Ils allèrent déjeuner pour fêter l'événement et ne parlèrent que de travail.

Le mariage et les enfants étaient toujours la dernière des préoccupations de Tana. Deux ans passèrent ainsi, sans qu'elle s'en aperçoive. Elle ne travailla en fait qu'une ou deux fois sur la même affaire qu'Harry, mais ils déjeunaient ensemble dès qu'ils le pouvaient. Il était avocat depuis deux ans lorsqu'il annonça à Tana qu'Averil était encore enceinte.

— Déjà ? demanda Tana, surprise.

Il lui semblait que la naissance d'Harrison Winslow Cinq était encore toute récente.

— Il aura deux ans le mois prochain, Tan.

La jeune femme fut abasourdie. Elle se rendit compte, sans y croire, qu'elle avait effectivement vingt-huit ans. Elle avait l'impression que l'époque où elle était à Green Hill avec Sharon, où elle se promenait avec elle à Yolan, où Harry pouvait encore danser, datait d'hier...

Averil eut une petite fille dotée d'un joli visage rose, d'une bouche parfaite et d'immenses yeux en amande. Elle ressemblait de façon frappante à son grand-père. Tana ressentit un étrange coup au cœur lorsqu'elle la vit, mais à nouveau elle se dit qu'une chose pareille ne lui arriverait jamais. Elle en parla à Harry la semaine suivante, alors qu'ils déjeunaient ensemble.

— Mais pourquoi pas, bon Dieu ? Tu n'auras que vingt-neuf ans dans trois mois. Ne passe pas à côté de ça, Tan, ajouta-t-il l'air sérieux. C'est ce qui compte vraiment pour moi... ma femme et mes enfants.

Elle fut interloquée par ses propos, car elle pensait que sa carrière était plus importante pour lui. Elle le fut encore bien davantage lorsqu'elle le vit songer à s'établir dans le privé.

— Tu parles sérieusement ? Pourquoi ?

— Parce que je n'aime pas travailler pour quelqu'un d'autre. En outre, j'en ai assez de défendre tous ces minables. Les voir pour la plupart nier ce qu'ils ont effectivement fait, ça me rend malade. Il est temps de changer. Je songe à m'associer avec un avocat que je connais.

— Tu ne crois pas que ça va être ennuyeux ?

— Non. Je n'ai pas besoin d'un travail aussi prenant que toi, Tan. Je ne pourrais pas partir en croisade, comme tu le fais tous les jours, du matin au soir. Je t'admire d'y parvenir, mais je me sentirai parfaitement heureux avec un job tranquille, Averil et les enfants.

Harry n'avait jamais eu beaucoup d'ambition. Tana, tout en l'enviant presque, sentait autre chose en elle, une sorte de feu intérieur qui lui donnait envie de se surpasser continuellement. C'était ce besoin d'aller toujours plus loin que Miriam Blake avait perçu dix ans auparavant. C'était ce qui lui faisait désirer des affaires de plus en plus complexes, des condamnations toujours plus justes, et des défis toujours plus importants. Elle fut particulièrement flattée, l'année suivante, d'être désignée pour faire partie d'une commission qui devait s'entretenir avec le gouverneur au sujet d'une série de mesures qui concernaient les procédures criminelles dans tout l'Etat. Six juristes avaient été choisis, parmi lesquels Tana était la seule femme. Deux d'entre eux venaient de Los Angeles, deux autres de San Francisco, un de Sacramento et le dernier de San Jose. Tana passa la semaine la plus passionnante de sa vie. Lorsqu'elle allait se coucher, tard dans la nuit après les débats, elle était si excitée par la discussion qu'elle mettait deux heures à s'endormir.

— Intéressant, n'est-ce pas ?

Le deuxième jour, le juriste qui était assis près d'elle se pencha pour lui parler à voix basse, tandis qu'ils écoutaient le gouverneur discuter d'une mesure que Tana avait défendue la veille au soir. Il était exactement du même avis que Tana.

— Oui, très, chuchota-t-elle.

C'était un des deux juristes de Los Angeles. Il était grand, séduisant, les cheveux grisonnants. Le lendemain, pendant le déjeuner, ils se retrouvèrent l'un à côté de l'autre. Tana fut surprise de constater combien il avait les idées larges. C'était un homme intéressant, originaire de New York. Il avait fait ses études de droit à Harvard, puis il était allé s'installer à Los Angeles.

— En fait, j'ai travaillé à Washington ces dernières années, pour le gouvernement. Je viens juste de revenir dans l'Ouest, ce qui me plaît beaucoup.

Il était simple, son sourire était chaleureux. Tana

apprécia ses idées lorsqu'ils discutèrent de nouveau ce soir-là. A la fin de la semaine, ils étaient devenus des amis et avaient échangé une foule d'idées.

Il était descendu au *Huntington*. Il lui offrit un verre à *l'Etoile* avant de partir. C'était avec lui que Tana avait le plus d'opinions en commun ; en outre il s'était révélé un compagnon très agréable.

— Vous aimez votre métier ? lui demanda-t-il avec curiosité.

Généralement, les femmes qu'il connaissait n'aimaient pas être au bureau du Procureur de la République.

— Je l'adore. Il me laisse très peu de temps pour moi, mais c'est très bien, dit-elle en lissant ses cheveux en arrière.

Elle les avait toujours longs, mais se faisait un chignon lorsqu'elle travaillait. Elle portait aussi des tailleurs habillés et des chemisiers quand elle allait au tribunal, mais se contentait chez elle d'un simple jean.

— Mariée ? demanda-t-il en jetant un coup d'œil sur sa main gauche.

— Pour ça non plus, je n'ai pas le temps.

Il y avait eu quelques hommes dans sa vie, ces dernières années, mais jamais pour longtemps. Son métier ne lui laissait pas le loisir de songer à eux. Cela l'inquiétait très peu, même si Harry s'évertuait à lui répéter qu'elle le regretterait un jour.

— Que faisiez-vous auprès du gouvernement, Drew ?

Il s'appelait Drew Lands, et elle aimait la façon dont il lui souriait. Elle se surprit à se demander quel pouvait être son âge. Elle supposa avec raison qu'il devait avoir autour de quarante-cinq ans.

— J'ai occupé un poste au ministère du Commerce pendant quelque temps. Quelqu'un est mort et j'ai assuré l'intérim.

Tout en le regardant, Tana songea qu'elle n'avait pas rencontré depuis longtemps un homme qui lui plaisait autant.

— C'était un travail intéressant, poursuivait-il. Washington est une ville très stimulante. Tout tourne autour du gouvernement. Si vous n'y travaillez pas, vous n'êtes rien du tout là-bas. Le pouvoir est la seule chose qui compte.

— Ce doit être dur d'y renoncer, répondit-elle, intriguée.

Elle s'était souvent demandé si la politique l'intéresserait, mais elle se croyait plutôt faite pour son métier actuel.

— Il était temps. J'étais content de revenir à Los Angeles. J'ai un peu l'impression d'être rentré chez moi. Et vous, Tana ? Vous êtes de San Francisco ?

— Non, de New York. Mais je n'y ai plus habité depuis que je suis allée à Boalt.

Que de temps s'était écoulé depuis qu'elle était arrivée ! C'était vraiment incroyable.

— Je ne peux pas imaginer de vivre ailleurs maintenant... ni d'exercer une autre profession... ajouta-t-elle en songeant aux années qui filaient si vite.

— Vous aviez l'air terriblement sérieux à l'instant.

Ils échangèrent un sourire, puis elle haussa les épaules, l'air philosophe.

— Je songeais seulement à la façon dont le temps nous échappe. J'ai peine à croire que j'exerce ce métier depuis cinq ans.

— J'ai éprouvé la même sensation à Washington. Ces trois ans m'ont paru trois semaines et, tout d'un coup, il a fallu que je m'en aille.

— Vous pensez y retourner, un jour ?

— Pour quelque temps, en tout cas. Mes enfants sont encore là-bas. Je n'ai pas voulu les changer d'école en milieu d'année. Ma femme et moi n'avons toujours pas décidé où ils vivront. Nous les recevrons à tour de rôle. C'est la seule solution qui nous convienne. Ce sera certainement difficile pour eux, au début. Mais les enfants s'adaptent.

Manifestement, il venait tout juste de divorcer.

— Quel âge ont-ils ?

— Treize et neuf ans. Deux filles. Elles sont formidables. Elles sont très attachées à Eileen, mais elles sont aussi restées très proches de moi. Elles seront vraiment plus heureuses à Los Angeles qu'à Washington. Ma femme a beaucoup de travail, elle n'a pas le temps de s'occuper d'elles.

— Que fait-elle ?

— Elle est l'assistante de l'ambassadeur de l'Organisation des Etats Américains, mais elle a en réalité un poste d'ambassadeur en vue. Ce qui l'empêchera tout à fait de garder les enfants. C'est moi qui m'en chargerai si ça marche. Mais rien n'est encore fait.

— Depuis quand êtes-vous divorcés ?

— En fait, nous allons commencer les démarches. Nous avons pris le temps avant de nous décider, quand nous étions à Washington, mais c'est définitif maintenant. Je vais déposer la demande de divorce dès que je serai tout à fait installé. J'ai à peine eu le temps de défaire mes valises.

Tana songea que sa situation ne devait pas être facile, entre ses enfants, sa femme, et ses voyages de Washington à Los Angeles. Mais cela ne semblait pas lui ôter son talent. Il avait fait très grande impression durant la session. Tana l'avait jugé le plus percutant des six. Sa façon d'affirmer posément ses idées libérales l'avait aussi beaucoup marquée. Depuis qu'elle avait quitté Yael McBee, et surtout après cinq ans passés à travailler au tribunal, son libéralisme avait disparu... A présent, elle était favorable à des lois plus dures, des contrôles plus rigoureux. Cet idéal auquel elle avait cru n'avait plus de signification pour elle. Pourtant, grâce à Drew Lands, ces idées reprirent vie, même si elles ne l'attiraient plus du tout. Elle le félicita pour son argumentation, ce qui le toucha beaucoup. Après avoir pris un autre verre, il la déposa chez elle et repartit dans le taxi qui l'emmenait jusqu'à l'aéroport.

— Je pourrai vous appeler, de temps en temps ? demanda-t-il avec hésitation, de peur qu'elle ait quelqu'un d'important dans sa vie.

Mais il n'y avait justement personne. La jeune

femme avait fréquenté le directeur artistique d'une agence de publicité pendant quelques mois, l'année précédente. Mais comme il était aussi occupé et aussi fatigué qu'elle, leur liaison s'était terminée aussi tranquillement qu'elle avait commencé. Elle avait pris l'habitude de dire qu'elle avait épousé son métier, et qu'elle était « l'autre femme du Procureur », ce qui faisait rire ses collègues.

Drew la regarda, plein d'espoir, et elle acquiesça en souriant.

— Bien sûr, ça me fera grand plaisir.

Dieu seul savait quand il reviendrait, de toute façon. En outre, elle avait une très grosse affaire de meurtre qui allait l'accaparer pendant deux mois.

Mais, à sa grande surprise, il l'appela dès le lendemain, alors qu'elle était assise à son bureau en train de boire du café tout en prenant des notes. Le procès allait être très difficile. Il lui fallait définir précisément sa position. Tana attrapa le téléphone et demanda, avec brusquerie :

— Allô, oui ?

— Mademoiselle Roberts, s'il vous plaît.

— C'est moi.

Elle était si épuisée qu'elle se sentait comme hébétée. Il était presque cinq heures, pourtant elle n'avait pas quitté son bureau de la journée, même pas pour déjeuner. Elle n'avait rien avalé depuis la veille au soir, sinon des litres de café.

— Je ne vous reconnaissais pas, répondit-il d'une voix douce.

Elle fut surprise d'abord, croyant à une farce.

— Qui est à l'appareil ?

— Drew Lands.

— Mon Dieu... excusez-moi... J'étais tellement plongée dans mon travail que je n'ai pas reconnu tout de suite votre voix. Comment allez-vous ?

— Très bien. Je voulais vous appeler pour savoir comment vous alliez, vous, ce qui me paraît plus important.

— Je prépare un procès concernant un meurtre. Il doit débuter la semaine prochaine.

— Ça m'a l'air très amusant, plaisanta-t-il. Et que faites-vous pendant vos loisirs ?

— Je travaille.

— Je m'en doutais un peu. Vous ne savez pas que c'est mauvais pour la santé ?

— Je m'en préoccuperai quand je serai à la retraite. Pour l'instant, je n'ai pas le temps.

— Et ce week-end ? Vous pouvez vous arrêter un peu ?

— Je ne sais pas... Je...

La jeune femme travaillait toujours le week-end, surtout en ce moment. D'autant que la commission à laquelle elle avait participé pendant une semaine l'avait empêchée de poursuivre l'étude de ses dossiers.

— Il faudrait vraiment que...

— Allons, vous pouvez vous octroyer quelques heures de liberté. Je pensais emprunter le yacht d'un ami. Vous avez même le droit d'emporter du travail... même si c'est un sacrilège.

On était en octobre. Le temps serait parfait pour passer un après-midi dans la Baie. Il faisait beau et chaud, et à cette époque de l'année, San Francisco était magnifique. Tana fut presque tentée d'accepter, mais elle refusait d'abandonner sa tâche.

— Il faudrait vraiment que je prépare...

— Alors, un dîner plutôt ? Un déjeuner... ?

— Ça me ferait vraiment plaisir, Drew.

— Eh bien, acceptez. Et je vous le promets, je m'en tiendrai au temps dont vous disposez. Qu'est-ce qui est le plus facile pour vous ?

— Cette sortie dans la Baie me séduit beaucoup. Je pourrais peut-être faire l'école buissonnière pour une journée.

— Parfait, alors. Que diriez-vous de dimanche ?

— Idéal.

— Je passerai vous prendre à neuf heures.

Habillez-vous chaudement au cas où le vent se lèverait.

— Oui, monsieur.

Le dimanche matin, à neuf heures précises, Drew Lands arriva, vêtu d'un pantalon blanc, d'une chemise rouge vif, et chaussé d'espadrilles, avec un parka jaune sous le bras. Son visage était déjà bronzé, et ses cheveux prenaient des reflets argentés dans le soleil. Il la fit monter dans la Porsche métallisée avec laquelle il était arrivé à Los Angeles, le vendredi soir. Une demi-heure plus tard, après avoir pris le bateau au Yacht Club, ils voguaient dans la Baie. Il était excellent marin, et un skipper se trouvait sur le bateau, si bien que Tana s'étendit avec plaisir sur le pont, offrant sa peau aux rayons du soleil. Elle s'efforçait de ne pas penser à son affaire de meurtre et se félicitait maintenant d'avoir accepté l'invitation de Drew.

— Le soleil est bon, n'est-ce pas ?

Lorsqu'elle ouvrit les yeux, il était assis sur le pont, à côté d'elle.

— C'est vrai. On a l'impression tout d'un coup que le reste n'a plus d'importance.

Elle lui sourit tout en se demandant si ses enfants lui manquaient. Il ajouta, comme s'il avait lu dans ses pensées :

— Un de ces jours, j'aimerais bien que vous connaissiez mes filles. Elles seront folles de vous.

— Je n'en sais rien, répondit-elle avec hésitation. Je crains de ne pas en savoir très long sur les petites filles.

— Vous n'avez jamais voulu avoir d'enfants ?

— Non. Je n'en ai jamais eu le désir, ni le temps.

Elle ajouta, avec un grand sourire :

— Je n'ai pas rencontré l'homme qu'il faut pour ça, et les circonstances ne s'y sont jamais prêtées.

— Tout ça peut s'arranger, vous ne croyez pas ?

— Sans doute... Et vous ? Vous en voulez d'autres ?

Il secoua la tête. Tana pensa qu'elle aimerait rencontrer un jour un homme comme celui-ci, qui ne lui demanderait pas d'être mère. Elle avait trente ans, il était trop tard pour qu'elle ait des enfants. D'ailleurs elle ne se sentait pas d'affinités avec eux.

— Je ne peux plus en avoir, expliquait-il. Après la naissance de Julie, Eileen et moi avons décidé que c'était suffisant et j'ai subi une vasectomie.

Il en parlait si franchement que Tana en fut un peu gênée, mais de quel droit le juger, alors qu'elle-même n'avait jamais eu d'enfants ?

— Ça résout le problème, n'est-ce pas ?

— Oui, répondit-il avec un brin de malice, et sur bien des plans.

Tana lui parla ensuite d'Harry, de ses deux enfants, d'Averil, de son retour du Vietnam aussi, et de l'année épouvantable qu'il avait passée à l'hôpital, à lutter contre la mort.

— Ça a beaucoup changé ma vie. Je crois que je ne suis plus la même depuis...

Elle contempla pensivement la mer tandis qu'il regardait les rayons du soleil jouer dans la chevelure dorée de la jeune femme.

— D'un seul coup, tout prend de l'importance. C'est là qu'on s'aperçoit que rien n'est jamais acquis dans la vie.

Elle soupira, avant d'ajouter :

— J'avais déjà ressenti une impression semblable auparavant.

— Quand ça ?

— Lorsque mon amie de collège est morte. Nous étions à Green Hill ensemble, dans le Sud.

— Je sais où ça se trouve.

— C'était Sharon Blake... la fille de Freeman Blake. Elle est morte il y a neuf ans au cours d'une manifestation avec Martin Luther King. Elle et Harry ont beaucoup influé sur ma vie.

— Vous êtes une femme sérieuse, n'est-ce pas ?

— Oui, très, je crois. Peut-être que « passionnée » conviendrait mieux. Je travaille trop, et ce n'est pas facile tous les jours.

Il l'avait déjà remarqué, mais ça ne le gênait pas. Sa femme était ainsi elle aussi. C'était elle qui avait souhaité reprendre sa liberté. Elle avait une liaison avec son patron à Washington, et elle voulait pouvoir prendre du recul, comme elle le disait, alors il avait accepté de s'éloigner. Mais il ne désirait pas rentrer dans ce genre de détails pour l'instant.

— Vous avez déjà vécu avec quelqu'un, je veux dire en couple, en dehors de votre ami Harry ?

— Non, je n'ai jamais eu ce genre de relation.

— Je crois que ça vous conviendrait très bien. L'intimité, mais sans les contraintes.

— Ça ne me paraît pas mal.

— À moi aussi.

Il parut pensif à nouveau, puis ajouta, avec un sourire presque enfantin :

— Dommage que nous n'habitions pas dans la même ville.

C'était une remarque un peu prématurée, mais il aimait ce qui allait vite. Il se révéla bientôt aussi passionné qu'elle. Il fit l'aller et retour en avion deux fois dans la semaine pour dîner avec elle. Le week-end suivant, il l'emmena à nouveau faire du bateau, alors même que Tana était en plein dans son affaire de meurtre. Mais il avait l'art d'aplanir les difficultés et de dédramatiser les situations. En revenant de leur promenade en bateau, il la ramena chez elle. Ils firent l'amour dans le salon, devant la cheminée. Leur relation fut tendre, romantique et douce. Il l'emmena dîner, puis il passa la nuit chez elle, mais là encore, il se montra extraordinairement discret. Il se leva à six heures, prit une douche, s'habilla, lui porta le petit déjeuner au lit et partit en taxi pour l'aéroport à sept heures quinze. Il attrapa l'avion de huit heures pour Los Angeles, et à neuf heures vingt-cinq, il était dans son bureau, tiré à quatre épingles. Au fil des semaines, il institua un système régulier d'allers et retours, sans vraiment avoir demandé son avis à Tana. Mais tout se passait si facilement, et elle se sentait tellement plus heureuse, qu'elle avait l'impression que sa vie était devenue beaucoup plus agréable. Il vint la voir deux fois au tribunal. Comme il était présent lorsqu'elle obtint gain de cause au procès, il l'invita pour célébrer l'événement et lui offrit un bracelet en or de chez Tiffany. Le week-end suivant, ce fut elle qui alla le voir chez lui, à Los Angeles. Ils se rendirent au restaurant, firent des achats, et le dimanche soir, après avoir tranquillement dîné chez lui, Tana reprit seule l'avion pour San Francisco. Elle avait conscience de s'être très vite engagée avec lui, mais Drew avait tout fait pour que cela se passe ainsi. Elle savait aussi qu'il se sentait seul. Il vivait dans une maison magnifique, moderne, remplie d'objets d'art coûteux, mais les deux chambres de ses petites filles étaient vides. Il donnait l'impression de ne plus pouvoir se passer de Tana. Lorsque Thanksgiving arriva, Tana s'était habituée à ce qu'il vive la moitié de la semaine à San Francisco avec elle. Deux mois plus tard, cela lui paraissait tout à fait normal.

— Qu'est-ce que tu fais, la semaine prochaine, chérie ?

— Pour le Thanksgiving ?

Elle le regarda, prise de court. Elle n'y avait pas du tout songé. Elle avait trois affaires en cours, qu'elle espérait bien régler si les protagonistes étaient prêts à accepter un arrangement, ce qui éviterait le procès.

— Je ne sais pas. Je n'y ai pas beaucoup réfléchi.

La jeune femme n'était pas rentrée chez elle depuis des années. Passer des fêtes avec Arthur et Jane lui était absolument insupportable. Ann avait encore divorcé et vivait maintenant à Greenwich ; quant à Billy, qui n'était toujours pas marié, il y passait quelques jours quand il n'avait rien de mieux à faire. Arthur était de plus en plus fatigué avec l'âge, et sa mère de plus en plus nerveuse. Elle se plaignait constamment, surtout du fait que Tana ne soit pas encore mariée, et ne le serait certainement jamais. « Une vie gâchée », répétait-elle à longueur de temps, ce à quoi Tana se contentait de répondre : « Merci, maman. »

L'autre solution était d'aller passer les fêtes chez Harry et Averil. Mais malgré l'affection qu'elle éprouvait pour eux, elle avait du mal à supporter leur vie monotone, dans une maison investie par les enfants. Elle admirait Harry de le supporter, et en avait beaucoup ri une année avec le père d'Harry. Il venait rarement, mais comme il savait Harry heureux et choyé, il continuait à vivre à sa guise.

— Tu veux aller à New York avec moi ? lui demanda Drew avec espoir.

— Tu es serieux ? Pourquoi ?

Qu'aurait-il fait à New York ? Ses parents étaient morts et ses deux filles étaient à Washington.

— Eh bien, tu pourrais rendre visite à ta famille, pendant que je m'arrêterais à Washington pour voir mes filles. Puis je te rejoindrais à New York, où nous pourrions nous distraire un peu. Je pourrais peut-être même ramener les enfants avec moi. Qu'en dis-tu ?

La jeune femme réfléchit un instant avant de répondre :

— C'est possible. Même tout à fait possible, si on met à part le chapitre de la famille. La perspective de passer des vacances avec eux me donne des envies de suicide !

Drew se mit à rire.

— Ne sois pas cynique, méchante.

Il lui tira gentiment les cheveux et l'embrassa sur les lèvres. Elle n'avait jamais encore rencontré un homme aussi aimant. Il la mettait tellement en confiance qu'elle s'abandonnait chaque jour un peu plus.

— Sérieusement, tu crois que tu pourrais t'échapper ? insista-t-il.

— Je pense que ça serait tout à fait possible.

— Alors... ?

Elle vit ses yeux briller et se précipita dans ses bras.

— Tu as gagné. Mieux ! Je veux bien faire le sacrifice d'aller voir ma mère.

— Tu iras sûrement au ciel pour ça. Je m'occuperai de tout. Nous pourrions prendre tous les deux l'avion mercredi prochain. Je te retrouverai à New York le jeudi soir avec les filles, à... voyons...

— L'*Hôtel Pierre ?* proposa-t-elle.

— Non, au *Carlyle*. J'essaie toujours d'y descendre, surtout quand j'ai les filles. C'est très bien pour elles.

Il s'y rendait périodiquement en compagnie d'Eileen depuis dix-neuf ans, mais il ne le dit pas à Tana.

Le mercredi suivant, ils prenaient l'avion chacun de leur côté. Tana s'étonna un instant de l'avoir laissé décider à sa place, car ce n'était jamais encore arrivé. Ce ne fut qu'à la descente de l'avion qu'elle réalisa qu'elle était bien à New York. Il faisait froid, et la neige était déjà tombée. Dans le taxi qui l'emmenait chez sa mère, elle songea à Harry et au jour où il avait frappé Billy. Elle regrettait qu'il ne soit pas là. Elle n'avait pas vraiment envie de passer les fêtes avec les Durning. Elle aurait mille fois préféré aller à Washington avec Drew, mais elle ne voulait pas s'immiscer dans sa vie privée, alors qu'il n'avait pas vu ses filles depuis longtemps. Harry l'avait invitée, comme chaque année, mais elle lui avait expliqué qu'elle allait à New York.

— Mon Dieu, tu dois être malade, s'exclama-t-il en riant.

— Pas encore, mais je le serai quand je partirai. J'ai l'impression d'entendre ma mère d'ici... « Une vie gâchée »...

— A ce propos, je voulais te présenter mon associé.

Il avait ouvert son cabinet privé, mais Tana n'avait jamais eu le temps d'y aller. Les affaires marchaient bien, et Harry était enchanté.

— Peut-être que je reviendrai.

— C'est ce que tu dis toujours. Si ça continue, tu ne feras jamais sa connaissance, Tan. Je t'assure que c'est un garçon charmant.

— Oh, oh ! Je flaire un rendez-vous arrangé d'avance. J'ai raison ?

Elle se mit à rire, imitée par Harry.

— Méfiante, va ! Qu'est-ce que tu crois ? Que tu es irrésistible ?

— Pas du tout. Mais je te connais. S'il a moins de quatre-vingt-quinze ans, et s'il ne voit aucune objection à se marier, tu vas essayer de me le coller ! Tu ne sais pas que je suis une dure à cuire, Winslow ? Laisse tomber, s'il te plaît.

— Ça ne fait rien, idiote. Mais tu ne sais pas ce que tu perds, cette fois. Il est absolument formidable. Averil est du même avis.

— Je n'en doute pas. Mais place-le auprès de quelqu'un d'autre.

— Pourquoi ? Tu vas te marier ?

— Peut-être, répondit-elle pour plaisanter.

Harry tendit immédiatement l'oreille, et elle regretta ce qu'elle venait de dire.

— C'est vrai ? Avec qui ?

— Frankenstein. Pour l'amour du ciel, fiche-moi la paix !

— Tu veux rire ! Tu connais quelqu'un, n'est-ce pas ?

— Non... oui ! Enfin, non... Oh, tiens ! Oui, mais ce n'est pas sérieux. Ça te va ? Ça te satisfait ?

— Bien sûr que non ! Qui est-ce, Tan ? C'est sérieux ?

— Non, pas plus que les autres. C'est tout. Il est gentil, très agréable. Rien d'important.

— D'où est-il ?

— De Los Angeles.

— Qu'est-ce qu'il fait ?

— C'est un violeur, je l'ai rencontré au tribunal.

— Ça ne prend pas. Recommence.

Elle avait l'impression d'être traquée, ce qui lui était très désagréable.

— C'est un avocat, et maintenant, tu me laisses tranquille. Ce n'est pas important.

— Et moi, quelque chose me dit que ça l'est.

Il la connaissait bien. Drew semblait différent des autres, mais Tana ne voulait pas l'avouer à Harry, et encore moins à elle-même.

— C'est que tu divagues complètement, comme d'habitude. Ecoute, tu embrasses bien Averil pour moi et je vous verrai tous les deux quand je rentrerai de New York.

— Qu'est-ce que tu vas faire pour Noël, cette année ? lui demanda-t-il, un rien implorant.

Elle eut envie de raccrocher.

— Je vais à Sugar Bowl, est-ce que ça te convient ?

— Toute seule ?

— Harry !

Bien sûr que non. Elle y allait avec Drew, c'était déjà convenu, mais Tana ne voulait pas en discuter avec Harry.

— Au revoir. A bientôt.

— Attends... Je voulais te parler de...

— Non ! trancha-t-elle en interrompant brutalement la communication.

Tout en approchant de Greenwich, elle se demanda ce qu'Harry penserait de Drew. Elle était à peu près sûre qu'ils s'entendraient bien. Evidemment, Harry ferait subir à Drew un véritable interrogatoire, c'était la raison pour laquelle elle préférait attendre. Elle lui présentait très rarement les hommes qui passaient dans sa vie. Ou alors seulement lorsqu'elle avait décidé qu'ils ne comptaient absolument pas. Mais c'était différent, cette fois...

Sa mère et Arthur se trouvaient à l'aéroport. Tana fut frappée de voir combien Arthur avait vieilli. Sa mère n'avait que cinquante-deux ans, ce qui était encore jeune, mais son mari en comptait soixante-six. Il ne vieillissait pas bien. Les années de tension passées auprès d'une épouse alcoolique avaient laissé des traces, sans parler de la direction de son entreprise. Il avait eu plusieurs alertes cardiaques et une petite attaque, ce qui l'avait beaucoup affaibli. Jane semblait très nerveuse. Tana eut l'impression qu'elle s'accrochait à elle comme un naufragé au canot de sauvetage sur une mer démontée. Lorsque Arthur fut parti se coucher, ce soir-là, elle entra dans la chambre de Tana et s'assit au pied du lit. Tana, qui couchait en fait pour la première fois dans la maison, occupait une chambre récemment décorée que sa mère lui avait promise. Il avait été hors de question qu'elle dorme à l'hôtel.

— Tout va bien, chérie ?

— Très bien, se contenta de répondre la jeune femme.

— J'en suis contente.

Elle attendait d'habitude un jour avant de commencer à évoquer avec douleur la « vie gâchée » de Tana, songea celle-ci avec agacement.

— Ton travail se passe bien ?

— Merveilleux.

Jane parut attristée à l'idée que sa fille fût tellement attachée à son métier. Cela voulait dire qu'elle n'était pas près d'y renoncer. Elle continuait à espérer secrètement qu'un jour Tana abandonnerait tout pour l'homme de sa vie.

— Pas de nouvelles conquêtes ?

C'était toujours la même conversation. D'ordinaire Tana répondait non, mais cette fois, elle décida de donner à sa mère un petit os à ronger.

— Si, une.

Le regard de Jane s'illumina.

— C'est sérieux ?

— Pas encore.

Tana se mit à rire. C'était presque de la cruauté, que de la taquiner ainsi.

— Et ne t'énerve pas, parce que je crois que ça ne le sera jamais. Il est gentil, c'est très agréable, mais je ne pense pas qu'il faille chercher plus loin.

Mais la flamme qui brillait dans ses yeux la trahissait. Jane s'en aperçut.

— Depuis quand le connais-tu ?

— Deux mois.

— Pourquoi ne l'as-tu pas amené ?

Tana se lança, les yeux fixés sur ceux de sa mère.

— En fait, il est allé voir ses filles à Washington.

Elle n'ajouta pas qu'elle le retrouvait le lendemain soir à New York. Elle avait prétendu qu'elle repartait directement à San Francisco.

— Depuis quand est-il divorcé, Tana ?

— Quelque temps, mentit la jeune femme.

Sa mère plongea son regard dans le sien.

— Depuis quand ?

— Calme-toi, maman. Il est en train de s'en occuper. Ils ont entamé la procédure.

— Depuis combien de temps ?

— Quelques mois. Je t'en prie... calme-toi !

Jane se leva brusquement pour arpenter la chambre d'un pas nerveux, puis elle posa sur sa fille des yeux durs.

— Tu n'aurais jamais dû accepter de sortir avec lui.

— Que c'est bête de dire ça ! Tu ne le connais même pas.

— Je n'en ai pas besoin, Tan, répliqua-t-elle avec une sorte d'aigreur. Je connais le cas. Il arrive même parfois que l'homme ne tienne pas du tout à se séparer de sa femme. A moins qu'il ne soit vraiment divorcé, qu'il ait les papiers en main, et qu'il soit parfaitement clair avec lui-même.

— Je n'ai jamais rien entendu d'aussi stupide. Alors tu n'as confiance en personne, maman ?

— J'ai simplement quelques années de plus que toi, Tan. Et bien que tu sois très intelligente, j'en connais davantage que toi là-dessus. Même s'il est sincère, il peut être tellement tenu par ses enfants qu'il ne divorcera pas. Dans six mois, il est très possible qu'il revienne vers sa femme, et toi tu te retrouveras toute seule, toujours amoureuse de lui. Cette histoire peut traîner deux ans... cinq ans... dix ans. Avant que tu t'en aperçoives, tu auras quarante-cinq ans. Alors, avec un peu de chance, il aura sa première crise cardiaque, et il aura besoin de toi. Mais sa femme sera peut-être toujours en vie. Il y a des choses contre lesquelles on ne peut pas se battre, en particulier quand il s'agit d'un lien que l'autre est seul à pouvoir rompre. Avant que tu sois très malheureuse, chérie, j'aimerais que tu te sortes de cette histoire.

Le ton de son discours était si triste et si attendrissant que Tana eut pitié d'elle. Sa vie n'était pas beaucoup plus agréable depuis qu'elle avait épousé Arthur. Mais elle avait fini par gagner, après de longues et difficiles années de solitude.

— Je ne veux pas que tu subisses le même sort que moi, poursuivait Jane. Tu mérites mieux. Pourquoi ne prends-tu pas un peu de recul pour mieux évaluer la situation ?

— La vie est trop courte pour ça, maman. Je n'ai pas assez de temps pour jouer à ce genre de jeu avec quelqu'un. J'ai bien trop de choses à faire. Et puis, qu'est-ce que ça change ? Je ne veux pas me marier, de toute façon.

Jane soupira en se rasseyant.

— Je ne comprends pas pourquoi. Qu'est-ce que tu as contre le mariage, Tan ?

— Rien. Je suppose qu'il a une signification lorsqu'on veut des enfants ou qu'on n'a pas soi-même un métier. Mais moi, ma vie est trop remplie pour que je sois dépendante de quelqu'un, et je suis trop vieille pour avoir des enfants. J'ai trente ans, j'ai pris des habitudes. Personne ne pourrait me faire changer de vie. Je ne suis pas faite pour ça, c'est tout.

— Tu ne sais pas tout ce que tu rates, lui répondit Jane avec tristesse.

Elle se demanda ce qui avait manqué à sa fille pour qu'elle raisonne de cette façon.

— Je n'arrive pas à le mesurer, maman.

— Tu sais que tu es plus importante que tout pour moi, Tana.

La jeune femme avait du mal à le croire. Pourtant sa mère avait tout sacrifié pour elle pendant des années. Si elle avait accepté la charité que lui faisait Arthur, c'était pour offrir davantage à sa fille. Tous ces souvenirs déchirèrent le cœur de Tana et lui rappelèrent combien elle devait éprouver de reconnaissance envers sa mère. Elle la serra dans ses bras.

— Je t'aime, maman. Et je sais tout ce que je te dois.

— Je ne recherche pas ta gratitude. Je désire te voir heureuse, chérie. Si cet homme est honnête, alors c'est merveilleux, mais s'il te ment, ou s'il se ment à lui-même, il te brisera le cœur. Je ne veux pas de ça pour toi... jamais...

— Ça n'a rien à voir avec ce qui t'est arrivé.

Tana en était certaine, mais pas Jane.

— Comment peux-tu en être sûre ?

— Parce que je le sais, c'est tout. Je le connais maintenant.

— Au bout de deux mois ? Ne sois pas stupide. Tu ne sais rien, rien de plus que ce que je savais il y a vingt-quatre ans. Arthur ne me mentait pas, il se mentait à lui-même. C'est ça que tu veux, dix-sept années de nuits passées toute seule ? Ne t'inflige pas ça.

— Je ne le ferai pas. J'ai mon métier.

— Ça ne suffit pas. Promets-moi de penser à ce que je te dis.

— Je te le promets, répondit Tana gaiement.

Les deux femmes s'embrassèrent encore en se souhaitant bonne nuit.

Tana était touchée de la sollicitude de sa mère, mais elle était persuadée qu'elle se trompait à propos de Drew. Elle s'endormit le sourire aux lèvres, en songeant à lui et à ses petites filles.

Le lendemain, le repas de fête fut ennuyeux pour tout le monde, mais Jane était heureuse de la présence de Tana. Arthur semblait distrait, et s'endormit deux fois au cours du repas, si bien que Jane finit par l'aider à regagner sa chambre. Ann arriva avec ses trois enfants, qui étaient de plus en plus insupportables. Elle parlait de se marier avec un important armateur grec. Tana essaya de ne pas l'écouter, mais c'était impossible. La seule bénédiction de la journée était que Billy était en Floride avec des amis.

A partir de cinq heures, Tana consulta sa montre régulièrement. Elle avait promis à Drew d'être au *Carlyle* à neuf heures, et ils ne s'étaient pas appelés de toute la journée. Elle mourait subitement d'envie de le voir, de toucher son visage, et de sentir ses mains sur son corps. Elle monta l'escalier pour faire ses bagages, suivie de sa mère.

— Tu vas le retrouver, n'est-ce pas ?

Elle aurait pu lui mentir, mais elle avait trente ans,

cela aurait été trop puéril. Elle se retourna pour faire face à sa mère.

— Oui, je vais le retrouver.

— Tu me fais peur.

— Tu te fais trop de soucis. Ce n'est pas de nouveau l'histoire de ta vie, maman, c'est la mienne. C'est différent.

— J'aimerais en être sûre.

— Tu te trompes, cette fois.

— Je l'espère pour toi.

Mais lorsque Tana prit un taxi, vers huit heures, sa mère paraissait bouleversée. Tana, quant à elle, songea durant tout le trajet à leur conversation. Lorsqu'elle arriva à l'hôtel, elle était en colère contre Jane. Pourquoi fallait-il qu'elle lui inflige le poids de ses tristes expériences, de sa déception et de son chagrin ? De quel droit ? La jeune femme refusait cet amour envahissant. Elle n'en avait plus besoin. Elle souhaitait qu'on la laisse libre de mener sa propre vie.

Elle pénétra dans le hall du *Carlyle*, qui était un hôtel de luxe. Lorsqu'elle eut donné le nom de Drew, elle fut introduite dans sa chambre, car il n'était pas encore arrivé, mais le personnel de l'hôtel semblait très bien le connaître. La chambre était aussi somptueuse que le laissait supposer le hall d'entrée, avec vue sur Central Park et sur l'horizon qui brillait de mille feux. La pièce était tendue de soie rose et de lourds tissus de satin. Un magnum de champagne, cadeau de la direction, attendait dans un seau à glace. Tana s'assit sur un canapé magnifique, tout en se demandant s'il valait mieux qu'elle prenne un bain ou qu'elle attende. Elle n'était pas encore sûre qu'il viendrait avec ses filles, mais si c'était le cas, elle ne voulait pas les choquer en étant à moitié dévêtue lorsqu'elles arriveraient. Une heure s'était écoulée quand il appela enfin.

— Tana ?

— Non, Sophia Loren.

— Je suis déçu, plaisanta-t-il. Je préfère Tana Roberts, et de loin.

— Maintenant, je suis sûre que tu es fou, Drew.

— Oui, de toi.

— Où es-tu ?

Il y eut une très courte pause.

— A Washington. Julie a un rhume affreux et nous avons peur qu'Elizabeth couve la grippe. J'ai pensé qu'il vaudrait mieux que je reste ici, et je crois que je ne les emmènerai pas avec moi. J'arriverai demain, Tan. Ça te va ?

— Bien sûr.

Elle comprenait, mais elle avait noté aussi le « nous ». « Nous avons peur qu'Elizabeth... » Cela ne l'enchantait guère.

— La chambre est magnifique, reprit-elle après un silence.

— N'est-ce pas ? Ils ont été gentils avec toi ?

— Absolument.

La jeune femme parcourut la chambre des yeux.

— Mais sans vous, ce n'est pas amusant, monsieur Lands, ajouta-t-elle.

— Je serai là demain, je le jure.

— A quelle heure ?

Il réfléchit un instant.

— Je vais prendre le petit déjeuner avec les filles... voir comment elles vont... ça nous amène à dix heures... Je pourrai prendre l'avion de midi... je serai à l'hôtel vers deux heures sans faute.

Ce qui signifiait que la moitié de la journée était perdue. Tana eut envie de le lui dire, mais se ravisa.

— Très bien.

Mais elle n'était pas contente. Une fois qu'elle eut raccroché, elle dut à nouveau chasser de son esprit les paroles de sa mère. Elle prit un bain chaud, regarda la télévision et commanda une tasse de chocolat. Elle se demandait ce qu'il était en train de faire à Washington. Subitement, elle se sentit coupable d'avoir réagi comme elle l'avait fait. Ce n'était pas la faute de Drew si ses enfants étaient malades. Cela dérangeait leurs plans, mais il n'y était pour rien. Elle prit le téléphone pour appeler l'hôtel où il était descendu à Washington. Comme il était absent, elle laissa un message, puis s'endormit devant la télévision allumée.

La jeune femme se réveilla le lendemain matin à neuf heures, et sortit pour profiter de la journée qui était splendide. Elle se promena dans la 5e Avenue, entra dans un grand magasin où elle acheta quelques petites choses pour elle, un pull en cachemire bleu pour Drew, des cadeaux pour ses filles, une poupée pour Julie et un joli calendrier pour Elizabeth. Ensuite, elle regagna l'hôtel, où un message l'attendait. Les deux filles étaient très malades, il pensait donc arriver vendredi soir. Mais il se décommanda encore, si bien que Tana passa une autre nuit seule à l'hôtel. Le samedi, elle alla visiter le Metropolitan Museum. Drew n'arriva que le dimanche à cinq heures de l'après-midi, juste à temps pour lui faire l'amour, commander le dîner, s'excuser toute la nuit, et reprendre avec elle l'avion pour San Francisco le lendemain. Leur week-end à New York avait été mémorable.

— Il faudra vraiment qu'on recommence, lui dit-elle, à demi sarcastique, tandis qu'ils terminaient de déjeuner dans l'avion.

— Tu es furieuse contre moi, Tan ?

Il avait un air misérable depuis qu'il était arrivé. Il se sentait coupable envers elle, s'inquiétait au sujet de ses filles, et parlait vite, trop vite, comme s'il n'était pas lui-même.

— Non, je suis plutôt déçue. Comment va ton ex-femme, à propos ? ne put-elle s'empêcher de demander, ne parvenant pas à oublier les propos de sa mère.

— Bien.

Il parut surpris que Tana lui pose cette question. Visiblement, il n'éprouvait aucune envie d'y répondre. Elle avala une bouchée de son dessert, et lui demanda en lui lançant d'un coup d'œil étrangement froid :

— Tu es toujours amoureux d'elle ?

— Bien sûr que non, c'est ridicule. Ça fait des

années que je ne l'aime plus, s'exclama-t-il d'une voix contrariée.

Tana fut satisfaite de cette réaction. Sa mère avait tort. Comme d'habitude.

— Tu ne t'en es peut-être pas aperçue, Tan, mais il se trouve que je suis amoureux de toi.

Ils échangèrent un long regard. La jeune femme finit par sourire, mais ne répondit rien. En fermant les yeux, elle posa un baiser sur les lèvres de Drew. Elle ne voulait rien ajouter, d'autant qu'il paraissait étrangement mal à l'aise. Le week-end avait constitué une dure épreuve, pour l'un comme pour l'autre.

CHAPITRE XV

Entre les affaires sans gravité dont elle eut à s'occuper et les réceptions où elle se rendit en compagnie de Drew, Tana ne vit pas le mois de décembre passer. Drew n'hésitait pas à faire le voyage pour rester une nuit avec elle, ou même seulement pour qu'ils dînent ensemble. Ils passaient de délicieux moments de tendresse, des soirées tranquilles à la maison et partageaient une sorte d'intimité que Tana n'avait jamais connue auparavant. C'est à ce moment qu'elle se rendit compte à quel point elle avait été seule pendant des années. Après sa liaison tumultueuse avec Yael, elle n'avait connu que des amours de passage, qui n'avaient pas beaucoup compté dans sa vie. Mais Drew Lands était différent. Il était si sensible, si passionné, si attentionné, qu'elle se sentait entourée et protégée. Lorsque les vacances de Noël arrivèrent, la perspective de revoir ses filles le rendit fou de joie. Elles devaient venir passer les vacances avec lui. Drew avait du même coup annulé le voyage qu'il devait faire à Sugar Bowl avec Tana.

— Tu viendras nous rejoindre, Tan ?

Elle allait devoir s'occuper d'une grosse affaire mais elle était tout à fait sûre que celle-ci ne serait pas jugée immédiatement.

— Je pense que ça sera possible.

— Fais de ton mieux. Tu pourrais descendre le vingt-six, et nous irions passer quelques jours à Malibu.

Il y louait effectivement un petit appartement le week-end. Mais ce qui surprit Tana, ce fut la date qu'il venait de fixer... le vingt-six... Il voulait donc être seul avec ses filles pour les fêtes ?

— Tu viendras, Tan ? demanda-t-il d'un ton implorant.

— D'accord, d'accord. Qu'est-ce que je pourrais offrir à tes filles, à ton avis ?

— Toi, répondit-il en l'embrassant.

La semaine qui précéda Noël, Drew resta à Los Angeles pour tout préparer avant l'arrivée de ses filles. Tana essayait quant à elle de régler les affaires du bureau pour pouvoir s'échapper quelques jours, d'autant qu'elle avait beaucoup de courses à faire. Elle acheta à Drew une chemise, un cartable magnifique qu'il avait vu et qui lui plaisait, une bouteille de son eau de Cologne, et une cravate. Pour chacune des filles, elle choisit une poupée, quelques babioles pour l'école, des barrettes, un adorable survêtement pour Elizabeth et un lapin en fourrure véritable pour la plus petite. Elle emballa tous les cadeaux et les mit dans une mallette qu'elle emporterait à Los Angeles.

Elle passa Noël avec Harry, Averil et leurs enfants. Harry n'avait jamais eu l'air aussi heureux, et Averil paraissait comblée. Quant au petit Harrison, il courait partout en attendant le Père Noël ! Après avoir laissé des provisions pour le Père Noël et son renne, il alla se coucher. Sa sœur dormait déjà. Averil entra dans leur chambre sur la pointe des pieds pour les regarder dormir avec un sourire tranquille. Tana observait Harry, contente de le voir ainsi, heureux et en vie. Il jeta un coup d'œil à son amie, comme s'il avait deviné ses pensées.

— C'est marrant, n'est-ce pas, Tana, comment tourne la vie...

— Oui, c'est vrai.

Ils se connaissaient depuis douze ans, maintenant, presque la moitié de leur vie. C'était incroyable.

— La première fois que je t'ai rencontrée, j'étais sûr que tu serais mariée deux ans après.

— Et moi que tu mourrais dégénéré, ou plutôt... en séducteur alcoolique.

— Tu me confonds avec mon père, plaisanta-t-il.

— Sûrement pas.

Elle avait encore un petit faible pour Harrison. Harry s'en était douté, sans en être jamais certain. Il avait cru le comprendre, une fois, mais son père n'avait jamais rien laissé paraître, et Tana non plus.

Harry était un peu étonné que Tana passe Noël avec eux, surtout après toutes les allusions qu'elle avait faites à propos de Drew. Il avait le sentiment étrange que c'était sérieux pour elle, beaucoup plus même qu'elle ne voulait bien l'avouer.

— Où est ton ami, Tan ? Je croyais que vous alliez à Sugar Bowl.

Elle le regarda d'un air interrogateur, comme si elle n'avait pas compris à qui il faisait allusion. Il se mit à rire.

— Allons, ne me fais pas le coup de celle qui ne voit pas du tout ce que je veux dire. Je te connais trop.

— D'accord, d'accord, admit-elle en riant. Il est à Los Angeles avec ses enfants. On a renoncé à Sugar Bowl parce qu'elles venaient. Je le rejoins le vingt-six.

Harry trouva cela bizarre, mais ne le dit pas.

— Il compte beaucoup pour toi, n'est-ce pas ?

Tana acquiesça en évitant prudemment son regard.

— C'est vrai... d'une certaine façon.

— De quelle façon, Tan ?

La jeune femme se renfonça dans son fauteuil.

— Dieu seul le sait, soupira-t-elle.

Harry ne put s'empêcher de lui poser la question qui le tracassait :

— Comment se fait-il que tu ne sois pas là-bas, aujourd'hui ?

— Je ne veux pas m'imposer, affirma-t-elle en rougissant car en réalité elle n'avait pas été invitée.

— Je suis sûr que tu n'es pas une intruse pour lui. Tu as déjà rencontré ses enfants ?

— Ce sera la première fois après-demain.

— Ça t'effraie ? demanda-t-il en souriant.

— Plutôt, oui, répondit-elle avec nervosité. Tu ne le serais pas, toi ? C'est elles qui comptent le plus dans sa vie.

— Avec toi, j'espère.

— Je le crois.

Harry fronça les sourcils.

— Il n'est pas marié, n'est-ce pas, Tan ?

— Je te l'ai déjà dit. Il est en instance de divorce.

— Alors pourquoi n'a-t-il pas passé Noël avec toi ?

— Mais comment veux-tu que je le sache ?

L'interrogatoire commençait à agacer Tana qui se demandait où était Averil.

— Tu ne lui as pas posé la question ?

— Non. Je me suis toujours sentie très bien, jusqu'à maintenant.

— C'est ça l'ennui avec toi, Tan. Tu es tellement habituée à être seule qu'il ne te vient même pas à l'idée qu'il pourrait en être autrement. Tu aurais dû passer Noël avec lui, à moins que...

— A moins que quoi ?

Tana était furieuse contre Harry. Ce n'était pas son affaire si elle passait ou non Noël avec Drew, et elle respectait le désir de celui-ci d'être seul avec ses enfants.

Mais Harry n'était pas décidé à battre en retraite.

— A moins qu'il passe Noël avec sa femme.

— Mon Dieu... que tu peux être stupide. Tu es l'être le plus cynique et le plus soupçonneux que je connaisse... et moi qui pensais être méchante...

Elle était hors d'elle, mais quelque chose d'autre perçait dans son regard, comme s'il avait touché un point sensible.

— Peut-être ne l'es-tu pas assez, insista-t-il.

Elle se leva sans répondre, cherchant son sac des yeux.

Lorsque Averil revint, elle les trouva tendus tous les deux, mais elle ne s'en inquiéta pas. Ils étaient comme ça quelquefois. Elle était habituée à leurs relations si particulières qui les poussaient souvent à se disputer comme des chiffonniers, sans pourtant se détester le moins du monde.

— Qu'est-ce qui se passe ici ? Vous vous battez encore ? demanda-t-elle en souriant.

— J'y pensais justement, répondit Tana, irritée.

— Ça lui ferait beaucoup de bien, renchérit Harry.

Tous trois se mirent à rire.

— Harry est en train de m'énerver, comme toujours.

— On dirait que je viens de commettre un crime, répliqua Harry.

— Encore ? plaisanta Averil.

Tana finit par se radoucir.

— Tu sais, tu es le type le plus enquiquineur que je connaisse. Un vrai champion !

Il s'inclina poliment tandis que Tana prenait son manteau.

— Il ne faut pas partir, Tan.

Il était toujours désolé lorsqu'elle s'en allait, même après une dispute. Le lien qui les unissait était toujours aussi fort.

— Il faut que je rentre et que je m'y mette. J'ai apporté une tonne de travail.

— Pour le jour de Noël ? s'exclama-t-il avec horreur.

— Il faut bien que je le fasse.

— Pourquoi ne restes-tu pas avec nous ?

Ils attendaient des amis, parmi lesquels se trouverait l'associé d'Harry. La jeune femme secoua la tête, prétendant que ça ne la gênait pas d'être seule chez elle.

— Tu es cinglée, Tan.

Mais il l'embrassa sur la joue, tout en posant sur elle un regard affectueux.

— Passe un bon séjour à Los Angeles. Et puis, Tan... fais attention à toi... peut-être que j'avais tort... mais ça ne coûte rien d'être prudent pour certaines choses...

— Je sais, dit-elle d'une voix douce.

En rentrant chez elle, Tana songea de nouveau à ce qu'il lui avait dit. Elle était persuadé qu'il avait tort. Drew ne passait pas Noël avec sa femme... Pourtant, elle aurait dû en effet se trouver avec lui pour cette occasion. Elle avait essayé de se convaincre que c'était sans importance, mais cela en avait. Et brusquement elle se souvint de la peine qu'elle éprouvait en voyant sa mère attendre Arthur, assise devant le téléphone, dans l'espoir qu'il appellerait... Ils n'avaient jamais pu prendre des vacances ensemble du temps où Marie était en vie, et même après. Il y avait toujours eu une excuse... sa belle-famille, ses enfants, son club, ses amis... et Jane restait là, les larmes aux yeux, retenant son souffle, à l'attendre... Tana repoussa cette pensée. Non, ce n'était pas comme ça avec Drew. Ce n'était pas comme ça ! Elle ne l'accepterait pas. Mais le lendemain après-midi, alors qu'elle travaillait, les mêmes questions lui revinrent à l'esprit. Drew l'appela une fois, mais très rapidement. Il paraissait débordé.

— Il faut que je reparte m'occuper des enfants, lui dit-il à la hâte avant de raccrocher.

Lorsqu'elle arriva à Los Angeles, le lendemain, il l'attendait à l'aéroport. Il la serra dans ses bras jusqu'à l'étouffer.

— Mon Dieu... attends... ! Arrête... !

Ils regagnèrent le parking en riant et en s'embrassant. Tana était ravie de le retrouver. Elle dut s'avouer qu'il lui avait manqué, d'autant plus qu'elle avait cru longtemps passer ses vacances avec lui. Drew avait laissé les enfants à la maison, sous la garde d'une baby-sitter, pour pouvoir aller la chercher seul, et passer quelques minutes de tranquillité.

— Comment vont-elles ? demanda Tana.

— A merveille. Je suis prêt à jurer qu'elles ont doublé de taille ces quatre dernières semaines. Attends de les voir.

La jeune femme fut ravie lorsqu'elle fit leur connaissance. Elizabeth était adorable et ressemblait de façon frappante à son père ; quant à Julie, c'était un petit bout de chou affectueux qui grimpa sur les genoux de Tana presque aussitôt. Elles apprécièrent beaucoup les cadeaux et parurent accepter Tana facilement, même si elle vit plusieurs fois Elizabeth l'observer à la dérobée. Mais Drew s'en tira merveilleusement bien, il évita toute démonstration de tendresse, comme si lui et Tana étaient de simples amis qui avaient décidé de passer un après-midi agréable ensemble. Il était évident qu'il connaissait bien Tana, mais il aurait été impossible de deviner leur liaison d'après son comportement.

— Qu'est-ce que vous faites comme métier ? demanda Elizabeth, qui ne cessait de l'examiner.

Tana sourit en ramenant en arrière sa chevelure blonde que la fillette lui enviait depuis qu'elle l'avait vue.

— Je suis magistrat, dit-elle.

— Maman est l'assistante de l'ambassadeur de l'O.E.A. à Washington. Mais elle aura son propre poste l'année prochaine.

— Moi, je veux pas ! intervint Julie en faisant la moue. Je veux qu'elle revienne vivre ici, avec papa.

Elizabeth ajouta aussitôt :

— Il pourrait habiter avec nous. Ça dépend où maman sera nommée.

Tana éprouva une sensation étrange. Elle regarda Drew, mais il était occupé à faire autre chose. Elizabeth poursuivit :

— Peut-être même que maman reviendra ici si on ne lui offre pas le travail qu'elle veut. Enfin, c'est ce qu'elle a dit.

— C'est très intéressant, lança Tana qui s'aperçut qu'elle avait la gorge sèche.

Elle aurait voulu que Drew reprenne la direction de la conversation, mais il ne disait rien.

— Vous aimez vivre à Washington ?

— Beaucoup, répondit Elizabeth.

Julie grimpa à nouveau sur les genoux de Tana. Elle leva les yeux en souriant et dit :

— Vous êtes jolie. Presque aussi jolie que notre maman.

— Merci !

Tana trouvait difficile de parler avec elles, d'autant qu'elle ne connaissait pas d'enfants en dehors de ceux d'Harry. Mais il fallait qu'elle fasse cet effort pour Drew.

— Qu'est-ce qu'on va faire, cet après-midi ? demanda-t-elle, dans l'espoir qu'elles ne parleraient plus de leur mère.

— Maman compte faire des courses, lui répondit Julie en souriant.

Tana faillit s'étrangler.

— Ah ?

Ebahie, elle regarda Drew, avant de se retourner vers l'enfant.

— C'est très bien. Voyons, que diriez-vous d'aller au cinéma ?

Tana avait l'impression d'escalader une montagne à toute vitesse, sans savoir où elle allait. Leur mère faisait des courses... cela voulait dire qu'elle était venue à Los Angeles avec les filles... Pourquoi Drew n'avait-il pas voulu qu'elle arrive hier ? Avait-il passé Noël avec sa femme en fin de compte ? Tana bavarda avec les petites filles pendant une heure qui lui parut interminable, puis, quand elles finirent par sortir pour aller jouer, elle se tourna aussitôt vers Drew.

— Je parierais que ta femme est à Los Angeles, fit-elle d'une voix tendue.

— Ne me regarde pas comme ça, dit-il avec douceur, tout en détournant les yeux.

— Et pourquoi ?

Elle se leva pour venir vers lui.

— Est-ce que tu as passé les vacances avec elle, Drew ?

Il ne pouvait plus éviter son regard car Tana se tenait exactement en face de lui. Elle se doutait déjà de sa réponse, mais lorsqu'il leva enfin les yeux, elle sut immédiatement qu'elle avait raison.

— Pourquoi m'as-tu menti ?

— Je ne t'ai pas menti... Je ne pensais pas... oh, mon Dieu...

Il la fixa avec une sorte de haine. Elle l'avait mis au pied du mur.

— Je n'avais pas prévu ça, mais les petites ont toujours fêté Noël avec nous, Tan... c'est vraiment difficile pour elles...

— Et maintenant ?

Le regard et la voix de la jeune femme étaient durs. Elle s'efforçait de cacher le chagrin qu'elle éprouvait... et dont il était la cause, parce qu'il lui avait menti.

— Et quand exactement penses-tu qu'elles s'habitueront ?

— Bon Dieu, mais crois-tu que j'ai envie de voir mes enfants souffrir ?

— Elles me paraissent très bien.

— Bien sûr qu'elles le sont. Parce que Eileen et moi sommes des gens civilisés. C'est la moindre des choses. Ce n'est pas leur faute si ça ne va pas entre nous.

Il prit un air désolé. Tana dut se faire violence pour ne pas s'asseoir et pleurer, non sur lui ou ses filles, mais sur elle-même.

— Il n'est peut-être pas trop tard pour que ça s'arrange avec Eileen ?

— Ne sois pas ridicule.

— Où as-tu dormi ?

La réponse de Drew lui fit l'effet d'une décharge électrique.

— Ce n'est pas une question très convenable, d'autant que tu le sais très bien.

— Mon Dieu... murmura la jeune femme. Tu as dormi avec elle.

Il arpenta la pièce de long en large avant de lui répondre :

— J'ai passé la nuit sur le canapé.

— Tu me mens, j'en suis sûre.

— Bon Dieu, Tan ! Ne m'accuse pas ! Ce n'est pas aussi facile que tu le crois. Nous sommes mariés depuis près de vingt ans, tu comprends ? Je ne peux pas tout changer en un jour, surtout quand les petites sont impliquées.

Il s'avança lentement vers elle.

— S'il te plaît... Je t'aime, Tan... j'ai simplement besoin d'un peu de temps pour régler tout ça...

Elle se leva et traversa la pièce.

— J'ai déjà entendu ça avant, fit-elle, le dos tourné. Ma mère a passé dix-sept ans à écouter ce genre de bobards, Drew.

— Je ne te raconte pas des bobards, Tan. Donne-moi du temps. C'est très difficile pour tout le monde.

— D'accord.

Elle prit son sac et son manteau.

— Alors appelle-moi quand tu t'en seras sorti. Je crois que j'apprécierai mieux ensuite.

Mais avant qu'elle ait pu atteindre la porte, il l'agrippa par le bras.

— Ne me fais pas ça. Je t'en prie...

— Mais pourquoi ? Eileen est ici. Tu n'as qu'à l'appeler, elle te tiendra compagnie ce soir, répliqua-t-elle. Tu pourras dormir sur le canapé... ou avec elle, si tu veux.

Elle ouvrit la porte à toute volée. Il parut sur le point de fondre en larmes.

— Je t'aime, Tan.

Ces mots donnèrent à Tan l'envie de s'asseoir pour pleurer. Elle se tourna brusquement vers lui. A la vue du visage implorant de Drew, elle eut l'impression que toute son énergie la quittait.

— Ne joue pas ce jeu-là, Drew. Ce n'est pas juste. Tu n'es pas libre... tu n'as aucun droit de...

Mais elle avait ouvert juste assez la porte de son cœur pour qu'il puisse s'y introduire à nouveau. Sans un mot, il l'attira dans ses bras et l'embrassa avec une telle passion qu'elle se sentit chavirer. Lorsqu'il relâcha son étreinte, elle posa sur lui des yeux tristes.

— Ça ne résout rien.

— Non. Mais le temps le peut, lui. Donne-moi seulement une chance. Je te le jure, tu ne le regretteras pas.

Puis, il prononça les mots qui effrayèrent le plus la jeune femme :

— Je veux t'épouser un jour, Tan.

Elle voulut lui dire d'arrêter, mais n'en eut pas le temps, car les fillettes arrivèrent presque aussitôt en riant et en criant. Elles désiraient jouer avec leur père. Drew fixa Tana par-dessus leur tête et murmura :

— S'il te plaît, reste.

Elle hésita. Elle savait qu'elle aurait dû partir. Elle n'avait pas sa place ici. Il venait de passer la nuit avec sa femme et ensemble ils avaient fêté Noël avec leurs deux filles. Que venait-elle faire là-dedans ? Et pourtant, lorsqu'elle le regardait, elle ne désirait plus s'en aller. Elle avait envie de faire partie de son univers, même s'il ne l'épousait jamais. Elle souhaitait seulement être avec lui. Lentement, elle reposa son sac et son manteau. Au même moment Julie s'accrocha à sa taille, tandis qu'Elizabeth demandait en riant :

— Où vous allez, Tan ?

Elizabeth était curieuse. Tout ce qui concernait Tana semblait la fasciner.

— Nulle part. Et maintenant, qu'est-ce que vous voulez faire, les filles ? demanda-t-elle gaiement.

La bonne humeur était revenue. Ils allèrent tous ensemble au cinéma, mangèrent des cornets de popcorn, puis dînèrent au restaurant. Lorsqu'ils rentrèrent enfin à la maison, ils étaient tous morts de fatigue. Une fois les deux fillettes couchées, Tana et Drew restèrent assis dans le salon, devant la cheminée, pour parler à voix basse.

— Je suis content que tu sois restée, chérie... Je ne voulais pas que tu partes...

Elle se sentait vulnérable et inexpérimentée, ce qui

lui parut absurde. Elle aurait dû être plus mûre, pensa-t-elle, moins sensible. Mais jamais aucun homme n'avait su toucher son cœur comme lui.

— Promets-moi, Drew, que ça n'arrivera plus...

Sa voix se perdit dans un murmure. Il répondit avec un tendre sourire :

— Je te le promets, chérie.

CHAPITRE XVI

Tana et Drew passèrent un printemps idyllique, digne d'un conte de fées. Drew venait la voir trois fois par semaine. Elle allait le rejoindre à Los Angeles tous les week-ends. Ils sortaient, faisaient des promenades en mer et voyaient beaucoup d'amis. Tana présenta même Drew à Harry et à Averil. Les deux hommes s'entendirent à merveille. Harry la félicita lorsqu'ils déjeunèrent ensemble au restaurant, la semaine suivante.

— Tu sais, petite, je crois que tu as enfin fait le bon choix.

Elle fit la grimace, ce qui eut le don de le faire rire.

— Je sais ce que je dis. Regarde un peu les types avec qui tu traînais. Tu te souviens de Yael McBee ?

— Harry !

Elle lui lança sa serviette de table sur le nez.

— Comment peux-tu le comparer à Drew ? En plus, je n'avais pas l'âge que j'ai aujourd'hui.

— Ce n'est pas une excuse. Tu n'es pas plus intelligente qu'avant.

— Bien sûr que non ! D'ailleurs tu as dit toi-même...

— Peu importe ce que j'ai dit, idiote. Est-ce que tu vas enfin arrêter de me donner du souci et épouser ce type ?

— Non, répondit-elle trop vite.

Harry découvrit sur son visage une expression qu'il attendait depuis des années. Il lut dans ses yeux une sorte de vulnérabilité, de timidité toutes nouvelles.

— Oh ! là là ! C'est sérieux, n'est-ce pas, Tan ? Tu vas l'épouser, c'est ça ?

— Il ne me l'a pas demandé, fit-elle d'un ton grave.

— Mon Dieu, j'en étais sûr, tu vas l'épouser ! Attends que je l'annonce à Ave !

— Harry, calme-toi, conseilla Tana. Il n'a même pas encore divorcé.

Mais elle n'était pas inquiète. Elle savait que Drew faisait tout son possible pour y parvenir. Il lui racontait chaque semaine ses entrevues avec l'avocat, ainsi que ses conversations avec Eileen pour faire hâter la procédure. Comme il devait aller voir ses filles pour Pâques, il espérait pouvoir faire signer les papiers à sa femme, s'ils étaient prêts à temps.

— Il s'en occupe, n'est-ce pas ?

Harry parut soucieux durant un instant, mais Drew lui plaisait, il était obligé de l'admettre. Il était d'ailleurs presque impossible de ne pas l'apprécier ; il était simple, intelligent, et visiblement fou de Tana.

— Bien sûr que oui.

— Alors, ne t'en fais pas, s'exclama joyeusement Harry. Dans six mois, tu seras mariée, et neuf mois après, tu auras un enfant. Tu peux y compter.

— Quelle imagination débridée, Winslow ! D'abord, il ne m'a pas encore demandé de l'épouser, du moins pas sérieusement. Et deuxièmement, il a subi une vasectomie.

— Eh bien, il se fera réopérer. Tu parles d'une affaire ! Je connais des types qui ont fait ça.

— Tu ne penses donc qu'à la procréation ! lança malicieusement Tana.

Ils finirent de déjeuner et regagnèrent chacun leur bureau. Elle allait devoir s'occuper d'une grosse affaire, certainement la plus importante de sa carrière. Il s'agissait de trois criminels ayant commis dix meurtres particulièrement horribles. Il y avait trois avocats de la défense et plusieurs avocats pour la partie civile. Toute la presse serait présente. Tana devait connaître le dossier à la perfection. C'est pour cette raison qu'elle ne partit pas avec Drew pour les vacances de Pâques. C'était d'ailleurs tout aussi bien, car Drew serait préoccupé par son divorce, et elle par le procès.

Il passa le week-end à San Francisco avec elle avant de partir. Le dernier soir, ils restèrent des heures à discuter. Une fois de plus, elle réalisa combien elle était profondément éprise de lui.

— Tu n'as jamais songé au mariage, Tan ?

— Jamais auparavant.

La jeune femme lui effleura les lèvres du bout des doigts et il l'embrassa.

— Tu crois que tu pourrais être heureuse avec moi, Tan ?

— Est-ce une proposition, monsieur ? Tu n'es pas obligé de m'épouser, tu sais, ajouta-t-elle aussitôt. Je suis heureuse comme ça.

— C'est vrai ? demanda-t-il, une expression étrange au fond des yeux.

— Pas toi ?

— Pas complètement.

Elle contemplait ses cheveux aux reflets argentés, ses yeux d'un bleu éclatant, avec la certitude qu'elle ne voulait aimer que lui.

— Je voudrais mieux que ça, Tan... Je te voudrais tout le temps...

— Moi aussi... murmura-t-elle.

Ils firent l'amour devant la cheminée, puis Drew resta étendu un long moment à la caresser des yeux. Il demanda enfin, la bouche enfouie dans ses cheveux, tout en étreignant le corps qu'il aimait tant :

— Tu m'épouseras quand je serai libre ?

— Oui, répondit-elle, presque haletante. Je t'épouserai.

Elle n'avait jamais prononcé ces mots, auparavant. Elle comprenait tout à coup ce qu'on devait ressentir au moment d'un tel serment... pour le meilleur et pour le pire... jusqu'à ce que la mort sépare les époux.

Lorsqu'elle l'accompagna à l'aéroport le lendemain, cette certitude de vouloir passer sa vie avec lui la submergeait encore.

— Tu pensais ce que tu m'as dit hier soir, Drew ? lui demanda-t-elle gravement.

— Comment peux-tu me poser une telle question ? s'exclama-t-il d'une voix contrariée, avant de la serrer contre lui. Bien sûr que oui.

— Ça veut dire que nous sommes fiancés, alors ? demanda-t-elle avec l'air d'une petite fille.

Il se mit à rire, tout à coup, heureux comme un enfant.

— Absolument. Je verrai quel genre de bague je peux rapporter de Washington.

— Aucune importance. Contente-toi de revenir sain et sauf.

Ces dix jours allaient lui paraître longs sans lui. Heureusement, le procès l'aiderait à faire passer le temps.

Il l'appela d'abord deux ou trois fois par jour pour la tenir au courant de ce qu'il faisait. Mais lorsque la situation commença à se durcir avec Eileen, il n'appela plus qu'une fois par jour. Il semblait très tendu. Mais comme la sélection des jurés avait commencé entre-temps et que Tana était complètement accaparée par le procès, elle ne se préoccupa pas de son silence jusqu'à ce qu'il rentre à Los Angeles. Il était resté plus longtemps que prévu, mais c'était « pour la bonne cause », comme il disait. Tana lui donna raison.

Drew était lui aussi pris par des obligations professionnelles, une semaine passa encore. Lorsqu'ils se retrouvèrent enfin, ils se sentaient presque étrangers l'un à l'autre. Il lui demanda en plaisantant si elle était tombée amoureuse de quelqu'un d'autre. Puis ils s'aimèrent passionnément toute la nuit.

— Demain, au tribunal, je veux que tout le monde se demande ce que tu as bien pu faire pendant la nuit, lança Drew entre deux étreintes.

Son vœu se réalisa. Tana se présenta au palais à

moitié endormie et ne songeant qu'à lui. Mais l'affaire était trop importante pour qu'elle se laisse aller, elle travailla donc sans relâche les jours suivants.

Le procès dura jusqu'à la fin du mois de mai. La première semaine de juin, le verdict fut enfin prononcé. C'était exactement celui que Tana avait espéré. La presse chanta ses louanges, comme d'habitude. Au fil des années, elle s'était fait la réputation d'être dure, conservatrice, impitoyable et brillante dans ses réquisitoires. Cela faisait souvent rire Harry lorsqu'il lisait des articles à son sujet.

— Je ne reconnais plus la libérale que j'ai connue et aimée, Tan, lui dit-il un jour en riant.

— Nous sommes tous obligés d'évoluer, tu ne crois pas ? J'ai trente et un ans cette année.

— Ce n'est pas une excuse pour être toujours inflexible.

— Je ne suis pas inflexible, Harry. Je suis juste. Il faut quelqu'un pour faire ce que je fais.

— Je suis content que ce soit toi et pas moi, Tan. Je me réveillerais la nuit avec la peur que des condamnés finissent par m'avoir, un jour.

Cela lui donnait du souci quelquefois, mais Tana ne semblait pas s'en inquiéter.

— A propos, comment va Drew ?

— Bien. Il va à New York pour affaires la semaine prochaine, et il ramène les filles avec lui.

— Quand allez-vous vous marier ?

— Du calme ! Nous n'avons même pas discuté depuis que le procès a commencé. En fait, j'ai à peine eu l'occasion de parler avec lui.

Mais lorsqu'elle avait appris son succès à Drew, avant que toute la presse en parle, il s'était contenté de répondre :

— C'est bien.

— Dis donc, arrête de t'exciter comme ça ! avait-elle ri. Ça pourrait être mauvais pour ton cœur...

— Ça va, ça va, excuse-moi. Je pensais à autre chose.

— A quoi ?

— Rien d'important.

Mais il garda cette attitude étrange jusqu'à son départ. Enfin, lorsqu'il rentra à Los Angeles, il ne lui donna aucune nouvelle. Tana en arriva à se demander si quelque chose n'allait pas, ou si elle ne devait pas venir le retrouver à l'improviste pour redresser la situation. Ils travaillaient trop dur, ils avaient besoin de passer un peu de temps ensemble pour y voir plus clair. Un soir, elle regarda sa montre avec l'intention de prendre le dernier avion. Finalement, elle se ravisa et décida de téléphoner. Elle composa le numéro qu'elle connaissait par cœur, entendit la sonnerie retentir trois fois, et sourit lorsqu'on décrocha, mais sa joie fut de courte durée. Une voix de femme lui répondit :

— Allô ?

Le cœur de Tana s'arrêta. Elle resta immobile dans l'obscurité, puis raccrocha précipitamment.

Son cœur battait à grands coups, elle avait le vertige. Complètement désorientée, elle n'arrivait pas à croire ce qu'elle venait d'entendre. Elle pensa qu'elle avait fait un faux numéro, mais avant qu'elle ait eu le temps de le recomposer le téléphone sonna. En entendant la voix de Drew, la jeune femme eut une brusque illumination. Il avait dû comprendre qu'elle avait appelé et, maintenant, il était pris de panique. Elle eut l'impression que sa vie venait de s'arrêter.

— Qui était-ce ? demanda-t-elle, à moitié hystérique.

Il semblait nerveux lui aussi.

— Quoi ?

— La femme qui a répondu au téléphone.

Elle essayait de se contenir, mais elle ne se maîtrisait plus.

— Je ne sais pas de quoi tu veux parler.

— Drew !... réponds-moi... ! Je t'en prie... hurla-t-elle d'une voix entrecoupée de sanglots.

— Il faut qu'on parle.

— Oh, mon Dieu, mon Dieu... qu'est-ce que tu m'as fait ?

— Ne sois pas si mélodramatique, s'il te plaît...

Elle lui coupa la parole.

— Mélodramatique ? Je t'appelle à onze heures du soir, une femme répond au téléphone et tu me dis que je suis mélodramatique ? Qu'est-ce que tu dirais si un homme te répondait quand tu m'appelles ici ?

— Arrête, Tan. C'était Eileen.

— Manifestement. Et où sont les filles ? poursuivit-elle, sans savoir pourquoi.

— A Malibu.

— A Malibu ? Tu veux dire que tu es tout seul avec elle ?

— Il fallait que nous parlions, fit-il d'une voix morne.

— Seuls ? A cette heure ? Mais qu'est-ce que ça veut dire ? Elle a signé les papiers ?

— Oui, non... Ecoute, il faut que nous ayons une discussion.

— Alors, maintenant, c'est à moi que tu dois parler... Veux-tu me dire ce qui se passe, bon Dieu ?

Il y eut un silence interminable. Tana raccrocha et pleura toute la nuit.

Le lendemain, il arriva à San Francisco. C'était un samedi, il savait que Tana serait chez elle. Il ouvrit avec sa clef, entra et la trouva assise dans son bureau, en train de contempler la Baie d'un air morose. Elle ne se retourna même pas lorsqu'elle l'entendit parler.

— Pourquoi avoir pris la peine de venir ? lui demanda-t-elle.

Il s'agenouilla à côté d'elle et lui répondit, en lui caressant la nuque :

— Parce que je t'aime, Tan.

— Non, tu ne m'aimes pas. Tu l'aimes, elle. Et tu l'as toujours aimée.

— Ce n'est pas vrai. La vérité, c'est que je vous aime toutes les deux. C'est affreux à dire, mais c'est vrai. Je ne sais pas comment cesser de l'aimer, et en même temps, je suis amoureux de toi.

— Plutôt malsain !

Elle continuait à fixer le paysage. Il dut lui tirer les

cheveux pour l'obliger à le regarder. Lorsqu'elle tourna son visage vers lui, il était baigné de larmes. Le cœur de Drew se serra.

— Je ne peux pas m'en empêcher, et je ne sais pas quoi faire. Elizabeth a raté son année scolaire, à cause de nous. Julie fait des cauchemars. Eileen a démissionné de son poste à l'O.E.A., elle a refusé celui qu'on lui proposait, et elle est revenue à la maison, avec les filles....

— Elles vivent avec toi ?

Tana le fixa comme s'il venait de lui planter un couteau dans le cœur. Il acquiesça, décidé à ne plus mentir.

— Quand tout cela est-il arrivé ?

— Nous en avons beaucoup discuté à Washington, pendant les fêtes de Pâques... Mais je ne voulais pas te déprimer avec ça, au moment où tu avais tant de travail, Tan...

Elle eut envie de le battre. Comment avait-il pu lui cacher une chose pareille ?

— ... D'autant que rien n'était sûr. Elle a tout décidé sans me demander mon avis, et me l'a annoncé seulement la semaine dernière. Et maintenant, qu'est-ce que tu crois que je peux faire ? Les mettre dehors ?

— Oui. Tu n'aurais jamais dû les laisser revenir.

— Il s'agit de ma femme et de mes enfants, se défendit-il d'une voix brisée.

— Je suppose que ça résout tout, n'est-ce pas ? répliqua Tana en se levant.

Elle se dirigea lentement jusqu'à la porte d'entrée, puis elle se retourna vers lui.

— Au revoir, Drew.

— Je ne vais pas partir comme ça. Je suis amoureux de toi.

— Alors débarrasse-toi de ta femme. C'est aussi simple que ça.

— Non, ça ne l'est pas, bon Dieu ! cria-t-il, exaspéré par ce qu'il estimait être de l'incompréhension. Tu ne sais pas ce que c'est... ce que je ressens... la culpabilité... la détresse...

Il se mit à pleurer. Bouleversée, Tana détourna les yeux.

— Va-t'en, s'il te plaît... fit-elle en luttant contre les larmes.

— Je ne partirai pas.

Il la prit dans ses bras. Elle tenta de se dégager, mais il resserra son étreinte. Brusquement elle succomba contre son gré. Ils firent l'amour, pleurant, suppliant, criant, maudissant leur destin funeste. Ensuite, ils restèrent dans les bras l'un de l'autre.

— Qu'allons-nous faire ? demanda-t-elle enfin.

— Je ne sais pas. Donne-moi seulement du temps.

Elle poussa un soupir las.

— Je m'étais juré de ne jamais me mettre dans une situation pareille...

Mais l'idée de le perdre ou de le quitter lui était insupportable. Ils passèrent les deux jours suivants à s'aimer et à se déchirer. Lorsqu'il reprit l'avion pour Los Angeles, rien n'était résolu. Ils savaient seulement que ce n'était pas encore fini. Elle avait accepté de lui accorder un délai. De son côté, il avait promis de trouver une solution. Ils passèrent les six mois suivants à se faire des promesses, à se lancer des menaces ou des ultimatums. Tana raccrocha au nez d'Eileen une bonne centaine de fois. Drew la suppliait de ne pas faire d'esclandre. Même les enfants s'étaient rendu compte du trouble de leur père. Tana se mit à éviter tout le monde, surtout Harry. Elle ne supportait pas les questions qu'elle lisait dans ses yeux, la tranquillité de sa vie, et ses enfants, qui lui rappelaient ceux de Drew. C'était une situation intolérable pour tout le monde. Même Eileen était au courant, mais elle affirmait qu'elle ne partirait plus, qu'elle attendrait que Drew règle cette affaire. Tana avait l'impression de devenir folle. Comme il fallait s'y attendre, elle passa toutes les fêtes seule.

— Qu'est-ce que tu attends de moi, Tan ? Tu veux que je les abandonne ? répétait Drew.

— Peut-être. Peut-être est-ce exactement ce que

j'attends de toi. Pourquoi serait-ce à moi d'être toujours seule ? C'est dur pour moi aussi...

— Mais j'ai les enfants...

— Fous le camp.

Mais elle ne pensait pas vraiment à la rupture, du moins jusqu'à ce qu'elle passe Noël toute seule. Il avait promis de venir la rejoindre le soir du Nouvel An, mais elle l'attendit en vain toute la nuit. Elle resta assise, en robe du soir, jusqu'à neuf heures du matin. Puis, lentement, elle l'enleva et la jeta aux ordures. Elle l'avait achetée exprès pour lui. Le lendemain, elle changea les serrures de la porte d'entrée, emballa toutes les affaires qu'il avait laissées chez elle au fil des mois, et les fit expédier chez lui, dans un paquet anonyme, suivi d'un télégramme qui disait seulement : « Au revoir. Ne reviens plus. » Après ce terrible effort de volonté, elle s'écroula, en larmes.

Drew prit l'avion aussitôt, terrifié à l'idée qu'elle puisse être sérieuse cette fois. Lorsqu'il ne parvint pas à ouvrir la porte, il en eut la certitude. Il se rendit comme un fou jusqu'à son bureau et insista pour la voir. Lorsqu'il fut devant elle, il fut frappé par la froideur de ses yeux, plus verts que Jamais.

— Je n'ai plus rien à ajouter, Drew.

Une part d'elle-même était morte, tuée à coups d'espoirs déçus et de mensonges. Tana se demanda tout à coup comment sa mère avait pu supporter toutes ces années sans avoir jamais éprouvé l'envie de se supprimer. Les affres par lesquelles elle venait de passer, Tana ne voulait jamais plus les vivre, et encore moins par la faute de Drew.

— Tan, je t'en prie...

— Au revoir.

La jeune femme quitta son bureau, et disparut dans une salle de conférences. Elle ne rentra chez elle que plusieurs heures plus tard. Mais lorsqu'elle arriva, il l'attendait toujours dehors, sous la pluie battante. Au lieu de garer sa voiture, elle repartit et passa la nuit dans un motel de Lombard Street. Lorsqu'elle revint, le lendemain matin, il dormait dans sa voiture. Le pas de Tana le réveilla.

Il bondit pour lui parler.

— Si tu ne me laisses pas tranquille, j'appelle la police, lui lança-t-elle, d'un ton dur et menaçant, le regard furieux.

Mais il ne sut rien de sa détresse, ensuite, des heures qu'elle passa à sangloter après son départ, et du désespoir qui l'envahit lorsqu'elle songea qu'elle ne le reverrait jamais plus. Elle pensa sérieusement à se jeter dans le vide, du haut du pont, mais quelque chose l'arrêta. Harry, à force de téléphoner sans obtenir de réponse, s'inquiéta. Tana croyait qu'il s'agissait de Drew. Elle restait étendue, dans le salon, songeant au soir où ils avaient fait l'amour et où il lui avait proposé de l'épouser. Elle entendit tout à coup frapper à la porte et reconnut la voix d'Harry. Lorsqu'elle lui ouvrit, elle ressemblait à une épave, le visage ravagé par les larmes, pieds nus, ses vêtements tout froissés.

— Mon Dieu, qu'est-ce qui t'est arrivé, Tana ?

Elle fondit en larmes et se laissa tomber contre lui. Il l'aida à s'installer sur le canapé, puis elle lui raconta ce qui venait d'arriver.

— C'est fini, maintenant... je ne le reverrai jamais...

— Tu as bien fait. Tu ne peux pas vivre comme ça : Tu étais l'ombre de toi-même depuis six mois. Ce n'est pas bon pour toi.

— Je sais... mais peut-être que si j'avais attendu... Je me dis qu'à la fin...

La voyant reculer, Harry s'écria :

— Non ! Arrête ! Il ne quittera jamais sa femme, ou il l'aurait déjà fait. S'il avait voulu partir, il en aurait trouvé la force, depuis le temps. Ne te fais pas d'illusions.

— Je m'en suis fait pendant un an et demi.

— Ça arrive quelquefois.

Il voulait adopter un ton philosophe, mais il avait envie de tuer le salaud qui avait fait ça à son amie.

— Il faut que tu reprennes le dessus.

— Oui, bien sûr...

Elle se remit à pleurer, et ajouta, oubliant à qui elle parlait :

— C'est facile pour toi de dire ça.

Il lui adressa un regard long et dur.

— Tu te souviens de l'époque où tu m'as forcé à reprendre le dessus et à faire mes études, ensuite ? Tu t'en souviens ? Alors, ne me fais pas rigoler, Tan. Si j'y suis arrivé, toi aussi tu peux. Tu t'en sortiras.

— Jamais je n'avais aimé quelqu'un comme lui.

La détresse qu'il lut dans son regard lui fendit le cœur. Il aurait fait n'importe quoi pour elle.

— Quelqu'un d'autre viendra. Mieux que lui.

— Je ne veux personne d'autre, jamais.

C'est ce qu'Harry craignait le plus.

Durant l'année qui suivit, elle s'en tint là. Elle refusa de voir quiconque, excepté ses collègues de travail. Elle ne sortit plus et déclina même l'invitation d'Harry et d'Averil pour Noël. Elle venait d'avoir trente-deux ans, elle était seule, et passait sa vie à travailler, assise à son bureau jusqu'à dix ou onze heures le soir, plongée dans les affaires de plus en plus nombreuses dont elle s'occupait. Elle riait rarement, ne téléphonait à personne, n'avait aucun rendez-vous, et mettait des semaines à répondre aux coups de fil d'Harry.

Il vint la trouver, un jour de février. Sa liaison avec Drew Lands avait cessé depuis plus d'un an. Elle avait appris par hasard, par des amis communs, qu'Eileen et lui étaient toujours ensemble et venaient d'acheter une maison magnifique à Beverly Hills.

— Dis donc, comment se fait-il que tu ne m'appelles jamais ?

— J'ai été occupée ces dernières semaines. Tu ne lis pas les journaux ? J'attends un verdict.

— Je m'en fiche complètement, et ça n'explique rien. Tu ne m'appelles plus. C'est toujours moi qui téléphone. A cause de quoi ? De mon quotient intellectuel ?

Elle se mit à rire. Harry ne changerait jamais.

— C'est un peu ça.

— Dis-moi, est-ce que tu vas passer ta vie à pleurer sur ton sort ? Ce type n'en vaut pas la peine, Tan. Surtout pendant un an. C'est ridicule.

— Ça n'a rien à voir, prétendit-elle, tout en sachant pertinemment qu'il avait raison.

— C'est nouveau, ça aussi. Tu ne mentais pas avant.

— D'accord, d'accord. C'était plus facile de ne voir personne.

— Pourquoi ? Tu devrais faire la fête ! Tu aurais pu imiter ta mère et rester comme ça pendant quinze ans. Au lieu de ça, tu as été assez intelligente pour tirer un trait. Alors, qu'est-ce que tu as perdu, Tan ? Dix-huit mois de ta vie ? Et alors ? Il y a des femmes qui se marient et qui en perdent dix... Elles perdent leur cœur, leur bon sens, leur temps, leur vie. Tu as eu de la chance, si tu veux savoir.

— Oui...

Quelque part, dans son cœur, elle savait qu'il avait raison, mais cela ne la consolait pas encore. Peut-être resterait-elle d'ailleurs inconsolable. Tantôt Drew lui manquait, tantôt elle le détestait. Elle refusait d'éprouver de l'indifférence. C'est ce qu'elle finit par avouer à Harry un jour qu'elle accepta de déjeuner avec lui.

— Ça prend du temps, Tan. Il faut que tu rencontres d'autres gens, que ton esprit soit accaparé par autre chose que par lui. Tu ne peux pas travailler tout le temps.

Il lui sourit avec douceur. Elle était comme une sœur pour lui, aujourd'hui. Il lui reparla de la terrible déception qu'il avait subie à cause d'elle, des années auparavant.

— Et j'ai survécu, ajouta-t-il.

— Ce n'était pas la même chose. Drew m'a demandée en mariage, quand même ! C'est le seul homme que j'aie jamais eu envie d'épouser. Tu le sais ?

— Oui. Mais c'est un mufle, on en a la certitude, et

toi tu es plutôt lente à comprendre. Tu verras, tu auras de nouveau envie de te marier un jour. Tu rencontreras quelqu'un d'autre.

— Je suis trop vieille pour m'embarquer dans des idylles d'adolescente. Ce n'est plus mon genre.

— Alors, trouve-toi un vieux à qui tu plaises, mais ne reste pas comme ça à gâcher ta vie.

— Elle n'est pas vraiment gâchée, Harry, répondit-elle, l'air sombre, j'ai mon travail.

— Ce n'est pas suffisant. Mon Dieu, que tu es pénible...

Il l'invita à une réception qu'il donnait avec Averil, la semaine suivante. Comme elle finissait toujours par refuser, il entreprit de la harceler, en vain d'ailleurs, pour la forcer à sortir de sa tanière. Puis, pour comble de malheur, elle perdit un grand procès, ce qui finit de la déprimer.

— Eh bien, voilà, tu n'es pas infaillible, c'est tout, conclut Harry. Change-toi les idées, un peu. Tu n'as rien d'autre à faire qu'à te tourmenter ? Pourquoi ne viens-tu pas passer un week-end avec nous à Tahoe ?

Ils y louaient une maison depuis peu. Harry aimait beaucoup s'y rendre avec les enfants.

— On ne pourra plus y aller ensuite, de toute façon.

— Pourquoi donc ?

Il lui sourit tout en payant l'addition. Elle lui avait donné bien du fil à retordre durant ces derniers mois, mais elle commençait à reprendre le dessus.

— Je ne pourrai plus emmener Averil. Elle est de nouveau enceinte, tu sais.

Durant une minute, Tana eut l'air complètement abasourdie.

— C'est déjà arrivé avant, fit Harry en rougissant. Après tout... Je veux dire, ça n'a rien d'extraordinaire...

Tana se mit à rire, tout à coup. La vie l'emportait brusquement, et l'image de Drew Lands s'effaçait pour de bon. Elle eut envie de crier et de chanter. C'était un peu comme un mal de dent qui aurait duré un an et cesserait d'un seul coup.

— Mais, dis-moi, vous n'arrêterez jamais ?

— Certainement pas. Et après celui-là, nous en ferons un quatrième. J'ai envie d'une autre fille cette fois, mais Averil préférerait un garçon.

Tana le serra dans ses bras. Ils quittèrent le restaurant.

— Dire que je vais être encore tante !

— Je trouve ça un peu facile, si tu veux savoir, Tan.

— Ça me convient parfaitement.

Une chose était certaine dans son esprit : elle n'aurait pas d'enfant, quel que soit l'homme qui partagerait un jour sa vie. Elle n'avait pas le temps, en outre elle se trouvait trop âgée. La jeune femme avait pris cette décision depuis longtemps ; son enfant, c'était son métier. Et puis elle avait ceux d'Harry, lorsqu'elle avait envie de pouponner. Ils étaient adorables, elle se réjouissait de l'arrivée d'un troisième. Harry et Averil formaient un couple heureux. Ils pouvaient se permettre d'en avoir autant qu'ils le désiraient.

Seule la mère de Tana exprima son désaccord, lorsqu'elle lui en parla.

— Je trouve ça complètement insensé.

Elle était opposée à toutes les nouveautés, estimant que tout le monde aurait dû choisir la sécurité, comme elle. Tana s'étonnait que sa mère, encore jeune, tienne de tels propos. Mais elle avait vieilli au contact d'Arthur. Cette vie qu'elle avait rêvé d'avoir pendant des années ne lui apportait pas tout ce qu'elle avait espéré, car Arthur était vieux et malade.

Lorsque Averil accoucha, le vingt-cinq novembre, son vœu fut exaucé. Elle donna naissance à un garçon éclatant de santé qui fut prénommé Andrew Harrison, comme son arrière-grand-père. En contemplant le nouveau-né dans les bras de sa mère, Tana fut bouleversée à la vue de tant d'innocence et de perfection. Quant à Harry et à Averil, ils étaient au comble du bonheur.

Averil rentra à la maison le lendemain de la naissance d'Andrew. Elle prépara elle-même le dîner du

Thanksgiving, refusant pratiquement toute aide. Tana l'observait, admirative.

— On a l'impression d'être complètement idiot, tu ne trouves pas ? dit-elle à Harry.

— Tu pourrais en faire autant, si tu voulais, Tan.

— N'y compte pas, je sais à peine me faire cuire un œuf. Alors quand je vois Averil qui vient juste d'accoucher et qui deux jours après prépare un repas pour toute la famille, j'ai l'impression que je n'ai rien fait de la semaine. Garde-la bien, Harry, et tâche qu'elle ne soit plus enceinte, ajouta-t-elle, en riant.

— Je ferai de mon mieux. A propos, tu viendras au baptême ? Ave désire qu'il soit célébré le jour de Noël, à condition que tu nous honores de ta présence.

— Où veux-tu que je sois ?

— Qu'est-ce que j'en sais ? Tu pourrais projeter de rentrer chez toi, à New York. Je pensais emmener les enfants chez papa à Gstaad, mais il part avec des amis, donc c'est hors de question.

— Tu me fends le cœur, répondit-elle en riant.

Elle n'avait pas vu Harrison depuis des années, mais Harry lui avait dit qu'il allait bien. Il semblait faire partie de ces hommes qui restent beaux et en bonne santé toute leur vie. Harry avait cessé de le haïr, et il savait que c'était grâce à Tana. Lorsqu'il annonça à la jeune femme qu'il souhaitait qu'elle soit encore la marraine d'Andrew, elle en fut touchée.

— Tu n'as pas d'autres amis ? Tes enfants en auront plein le dos de me voir quand ils vont grandir.

— Tu penses ! Jack Hawthorne est le parrain d'Andrew. Au moins, vous allez enfin finir par vous rencontrer. Il croit que tu l'évites.

Tana n'avait toujours pas eu l'occasion de faire sa connaissance depuis toutes ces années. Lorsqu'elle le vit pour la première fois à l'église, pour le baptême, il était exactement tel qu'elle se l'était imaginé : grand, blond, séduisant. Il avait la carrure d'un joueur de football, et beaucoup d'intelligence. Elle fut étonnée de sa douceur quand il s'empara du bébé. Elle l'en félicita gaiement, après la cérémonie :

— Vous vous en êtes très bien sorti, Jack.

— Merci. Je suis un peu rouillé, mais j'ai encore quelques notions.

— Vous avez des enfants ?

— Une fille. Elle a dix ans.

— Je ne l'aurais jamais cru.

Jack approchait de la quarantaine, mais il paraissait très jeune. Durant la réception chez Harry et Averil, il fit rire tout le monde, et même Tana, en racontant des plaisanteries.

— Ça ne m'étonne pas que tu l'aimes beaucoup. Il est très gentil, dit plus tard la jeune femme à Harry.

— Jack ?

Harry n'eut pas l'air surpris. C'était son meilleur ami, avec Tana. Leur cabinet marchait très bien depuis qu'ils s'étaient associés.

— Il est très intelligent aussi, mais il ne le montre pas.

— Je m'en suis aperçue.

Au premier abord, il semblait presque indifférent à ce qui se passait autour de lui, mais Tana avait remarqué rapidement qu'il était beaucoup plus fin qu'il n'y paraissait.

Vers la fin de la soirée, il proposa à la jeune femme de la raccompagner. Elle accepta avec empressement, car elle avait laissé sa voiture devant l'église.

— Eh bien, j'ai enfin rencontré la fameuse Tana Roberts, dit-il en conduisant. Les journalistes ont l'air d'aimer écrire des articles sur vous, je me trompe ?

— Seulement quand ils n'ont pas d'autre objet de préoccupation, répondit-elle, un peu gênée.

Il lui sourit, appréciant sa modestie. Et aussi les jolies jambes que laissait voir la jupe de velours.

— Harry est très fier de vous, vous savez. J'avais presque l'impression de vous connaître. Il parle de vous sans arrêt.

— J'ai le même défaut, et comme je n'ai pas d'enfants, tout le monde est obligé d'écouter nos histoires de jeunesse.

— Vous deviez vous entendre à merveille, à l'époque.

— Plus ou moins, répondit-elle en riant. Nous passions de très bons moments dans l'ensemble, mais il y avait aussi de sérieux accrochages.

Elle sourit à l'évocation de ces souvenirs, puis ajouta :

— Je dois vieillir, toute cette nostalgie...

— C'est cette période de l'année qui veut ça.

— Vous croyez, vous aussi ? Noël me produit toujours cet effet.

— A moi aussi. Vous êtes de New York, n'est-ce pas ?

Elle acquiesça.

— Et vous ?

— Du Midwest. Detroit, pour être exact. Une ville très agréable.

Il lui proposa de prendre un verre. Mais comme Tana trouvait triste de passer la nuit de Noël dans un bar, elle l'invita chez elle. Il se montra parfaitement correct et très agréable. Elle ne le reconnut pas tout de suite lorsqu'il vint la voir à son bureau, une semaine plus tard. C'était un de ces hommes grands, blonds, séduisants que l'on rencontre un peu partout. Elle le pria de l'excuser.

— Je suis désolée, Jack... j'étais distraite...

— Vous êtes en droit de l'être, étant donné vos activités.

Cela amusait la jeune femme de le voir si impressionné par son métier, mais elle se doutait qu'Harry y était pour quelque chose. Il racontait des mensonges et inventait des histoires vantant les mérites de Tana.

— Vous savez, c'est plus calme en ce moment. Et vous, comment ça va ?

— Pas mal. Nous traitons quelques bonnes affaires. Harry et Averil sont à Tahoe pour quelques semaines, alors c'est moi qui mène la barque.

Il la regarda avec hésitation ; il mourait d'envie de l'appeler depuis une semaine, mais il n'avait pas osé.

— Vous auriez le temps de déjeuner avec moi, par hasard ?

Elle accepta, ce qui le mit au comble de la joie. Ils allèrent au *Bijou*, un restaurant français où la nourriture était plus prétentieuse que bonne, mais Tana prit plaisir à discuter pendant une heure avec l'ami d'Harry.

— C'est ridicule, vous savez. Harry aurait dû nous présenter il y a des années.

— Je crois qu'il a essayé, répondit-il en souriant.

Il ne tenait pas à ce qu'elle sache qu'il était au courant de sa liaison avec Drew, mais Tana se sentait capable d'aborder la question.

— Je n'ai pas été facile à vivre pendant quelque temps, admit-elle.

— Et maintenant ?

— Je crois que j'ai retrouvé mon fichu caractère d'antan.

— Parfait.

— En fait, c'est Harry qui m'a sauvée, cette fois.

— Je sais que vous lui avez donné du souci pendant un temps.

— J'ai fait n'importe quoi... soupira la jeune femme. Je suppose que ça doit arriver parfois.

— C'est absolument mon cas. Il y a dix ans, pendant les vacances, j'ai séduit l'amie de ma sœur cadette. Elle est tombée enceinte. J'ignore encore ce qui m'a pris... C'était une très jolie petite rousse... elle avait vingt et un ans... Le temps de me retourner, j'étais marié. Elle détestait vivre ici, elle pleurait tout le temps. Après sa naissance, ma pauvre petite Barb a eu la colique pendant six mois. Un an plus tard, Kate est repartie. Ça s'est terminé comme ça. J'ai maintenant une ex-femme et une fille à Detroit. J'ai fait la plus grosse bêtise de ma vie, et je ne suis pas près de recommencer !

— Vous voyez votre fille, quelquefois ?

— Elle vient ici un mois par an. C'est un peu difficile de construire une relation dans ces conditions ! soupira-t-il.

Il avait toujours pensé qu'il agissait mal envers son enfant, mais il n'avait pas le choix.

— Nous sommes des étrangers l'un pour l'autre. Disons que je suis celui qui lui envoie une carte d'anniversaire tous les ans et qui l'emmène voir du baseball quand elle vient. Je ne sais pas quoi faire d'autre avec elle. Ave a été rudement gentille de s'en occuper pendant la journée, l'an dernier. En plus, ils m'ont prêté la maison de Tahoe pendant une semaine. Barb a adoré ça et moi aussi. Et puis c'est difficile de se faire des amies, avec une enfant de dix ans.

— Je veux bien le croire. Durant ma liaison... enfin... l'homme que je connaissais avant avait deux filles, et ça me paraissait étrange. Je ne connais rien aux enfants, bien que je voie régulièrement ceux de Harry. Tout d'un coup, il y avait ces deux êtres qui m'observaient. C'était une impression très bizarre.

— Vous vous étiez attachée à elles ?

— Pas vraiment. Je n'en ai pas eu le temps.

— Eh bien, je crois que vous avez quand même réussi à vous construire une existence plus simple que la mienne.

— Ça ne m'a pas empêchée de commettre des bêtises en d'autres circonstances. C'est simplement que je n'ai pas d'enfants pour en témoigner !

— Vous le regrettez ?

— Pas du tout. Il y a certaines choses pour lesquelles je ne suis pas faite, et les enfants en font partie. Je serais plutôt du genre marraine.

— Voilà à quoi j'aurais dû m'en tenir, au moins pour le bien de Barb. Enfin, sa mère est remariée maintenant, donc elle vit tout de même avec un père pendant les onze mois où je ne suis pas là.

— Ça ne vous chagrine pas ?

Elle se souvenait que Drew était très possessif envers ses filles, en particulier Elizabeth.

— Je la connais à peine. C'est terrible à dire, mais c'est vrai. Chaque année, il faut que je l'apprivoise de nouveau. Puis elle s'en va et quand elle revient l'année suivante, elle a grandi et tout est à recommencer.

Mais peut-être est-ce important pour elle, je ne sais pas. Je lui dois bien ça. De toute façon, je m'attends à ce qu'elle m'envoie balader dans quelques années, parce qu'elle aura un petit ami à Detroit.

— Peut-être l'amènera-t-elle.

— Dieu m'en préserve. Je suis comme vous, il y a des choses que je veux éviter dans la vie... la malaria, la typhoïde... le mariage... et les enfants !

La jeune femme fut amusée par cette confession qui n'aurait certainement pas été du goût de tout le monde. Mais ils avaient compris qu'ils pouvaient être honnêtes l'un envers l'autre.

— Je suis de votre avis. On ne peut pas exercer correctement son métier si l'on veut se consacrer pleinement à sa famille.

— Voilà une noble pensée, mon amie, mais nous savons tous deux que là n'est pas la question. La vérité c'est que j'ai une peur bleue de me retrouver avec une autre Kate qui pleurerait toute la journée parce qu'elle n'a pas d'amis. A moins que je tombe sur une femme qui passerait sa vie à me faire des scènes le soir, ou qui déciderait au bout de deux ans de mariage que la moitié de l'affaire que j'ai montée avec Harry lui revient de droit. Et vous, de quoi avez-vous peur ? demanda-t-il en souriant. De l'accouchement ? De devoir renoncer à votre carrière ? Ou d'être en rivalité avec un homme ?

Elle apprécia sa perspicacité.

— Touché. C'est un peu tout ça. Peut-être ai-je peur de mettre en danger ce que j'ai construit, de souffrir aussi... Je ne sais pas. Je crois que ça fait des années que j'ai des doutes au sujet du mariage, même si je ne le savais pas vraiment quand j'étais jeune. C'est tout ce que ma mère souhaitait pour moi, et j'avais toujours envie de répondre : « Attends... pas encore... j'ai bien d'autres choses à faire avant. » C'est un peu comme si on vous demandait quand vous voulez qu'on vous coupe la tête ; ce n'est jamais le bon moment !

Jack éclata de rire. Tana se souvint de Drew,

lorsqu'il lui avait proposé le mariage devant la cheminée, une nuit. Elle chassa cette pensée, ainsi que la
douleur soudaine qui la transperçait. Certaines ima-
ges de sa liaison avec Drew lui faisaient encore mal, et
celle-ci plus qu'une autre, parce qu'elle sentait qu'il
s'était joué d'elle. Elle avait sacrifié ses principes, en
acceptant de l'épouser. Mais lui, il n'avait rien trouvé
de mieux que d'accepter le retour d'Eileen à la vie
conjugale...

— Personne ne mérite de vous rendre si triste, Tan,
lui dit Jack qui observait son visage.

— Ce ne sont que de vieux, de très vieux souvenirs.

— Oubliez-les alors. Ils ne vous feront plus de mal.

Tana, qui appréciait de plus en plus la simplicité et
la sagesse de Jack, se mit à sortir avec lui, sans même
vraiment s'en rendre compte. Elle acceptait sa compagnie pour aller au cinéma, pour dîner, pour se
promener ou aller voir un match de football. Peu à
peu, ils devinrent des amis. Lorsqu'ils se retrouvèrent
au lit, à la fin du printemps, ce fut le plus naturellement du monde. Ils se connaissaient depuis cinq
mois. Leur relation, même si elle n'avait rien de
passionné, était très harmonieuse. Jack était intelligent, d'une compagnie agréable, il la comprenait
merveilleusement bien, respectait son travail, leur
meilleur ami était le même, et lorsque sa fille vint
passer les vacances, tout se passa pour le mieux.
C'était une jolie petite fille de onze ans, rousse comme
une Irlandaise. Tana était très prise à cause d'un
procès important, mais ils allèrent quand même à la
plage et partirent plusieurs fois pique-niquer.
Lorsqu'ils allèrent chez Harry, celui-ci les observa
longuement pour essayer de savoir si leur liaison était
sérieuse. Mais Averil pensait que non, et elle avait
raison. Leur relation manquait de passion, de
flamme, d'intensité. Elle était plutôt fondée sur
l'intelligence, la sérénité, l'humour quelquefois, et
une indéniable entente sexuelle. Au bout d'un an,
Tana se voyait très bien fréquenter Jack pour le reste
de sa vie. C'était une de ces liaisons comme peuvent

en avoir des gens qui n'ont jamais été mariés et ne désirent pas l'être, qui passent de bons moments ensemble, mais qui d'un jour à l'autre peuvent repartir chacun de son côté, et reprendre leurs habitudes en toute tranquillité. Cette relation convenait parfaitement à Tana et à Jack, mais Harry en devenait fou, ce qui les amusait beaucoup.

— Non, mais vous vous êtes vus ? Vous avez l'air tellement contents de vous que j'en pleurerais, leur dit-il, un jour qu'ils déjeunaient tous les trois ensemble.

Tana regarda Jack avec un sourire et répondit :

— Donne-lui un mouchoir, chéri.

— Bah, il se servira de sa manche, il fait toujours comme ça.

— Vous n'avez donc aucune décence ? Qu'est-ce qui vous prend ?

— Je crois qu'on est tout simplement des dégénérés, rétorqua Tana en prenant un air volontairement idiot.

— Vous ne voulez pas d'enfants ?

— Tu n'as jamais entendu parler du contrôle des naissances ? lui lança Jack.

Harry prit un air furieux qui fit rire Tana.

— Arrête un peu, tu veux ? lança-t-elle. Tu n'auras pas le dessus avec nous. Nous sommes heureux comme ça.

— Vous vous connaissez depuis un an. Ça ne signifie rien pour vous ?

— Si, que nous sommes très résistants. Je sais maintenant qu'il a des idées de meurtre si on l'empêche de voir l'émission de sport le dimanche et qu'il hait la musique classique.

— Et c'est tout ? Comment pouvez-vous être aussi insensibles ?

— Ça vient naturellement, répondit Tana avec un doux sourire.

— Regarde les choses en face, Harry. Tu es complètement dépassé, c'est tout, conclut Jack.

Mais quelques mois plus tard, Tana, qui avait maintenant trente-cinq ans et demi, désola son ami encore davantage.

— Vous allez vous marier ?

Harry osait à peine poser la question alors que Jack lui apprenait qu'ils cherchaient une maison. Mais Jack se mit à rire.

— Bien sûr que non ! Tu ne connais pas Tan si tu crois que c'est possible. Nous pensons vivre ensemble.

— Je n'ai jamais entendu quelque chose de plus dégoûtant. Je ne te laisserai pas lui faire ça, répliqua Harry, furieux.

— D'abord, c'est son idée à elle, et en plus, vous avez fait la même chose, jadis, Ave et toi.

La fille de Jack venait juste de partir. Lui et Tana avaient dû faire constamment des allées et venues pendant un mois.

— C'est trop petit chez Tana, et chez moi aussi. Et puis nous avons envie tous les deux de changer de quartier.

Harry semblait désespéré. Il avait rêvé d'une heureuse issue, avec mariage, grains de riz, pétales de rose et beaucoup d'enfants, et voilà que ni l'un ni l'autre n'y mettaient du leur.

— Est-ce que tu sais comme c'est compliqué de s'installer quand on n'est pas mariés ?

— Tout à fait. C'est pour ça que nous allons certainement chercher une location.

Et c'est exactement ce qu'ils firent. Ils trouvèrent la maison de leur rêve dans le quartier de Tiburon, avec une vue magnifique. Elle n'était pas très chère, et elle comprenait quatre chambres, ce qui leur permit d'avoir chacun son bureau et d'aménager une chambre pour Barb lorsqu'elle venait de Detroit. Lorsque Harry et Averil vinrent les voir avec les enfants, ils furent obligés d'admettre que la maison était très bien située, mais Harry n'était pourtant pas satisfait ; ce n'était pas ce qu'il avait espéré pour Tana. Le pire était que Jack avait les mêmes idées qu'elle ; il n'avait aucune intention de se lancer à nouveau dans le mariage. Sa petite incartade à Detroit, douze ans auparavant, lui avait coûté assez cher.

Jack et Tana fêtèrent Noël chez eux cette année-là. De leurs fenêtres on pouvait admirer la Baie et la ville étincelante de lumière dans le lointain.

— On croirait rêver, tu ne trouves pas ? lui murmura Jack à l'oreille, une fois les invités partis.

Ils menaient exactement la vie qui leur convenait. Tana avait fini par abandonner son appartement en ville. Elle l'avait gardé un temps, pour se donner une issue de secours, mais y avait finalement renoncé. Elle se sentait bien avec Jack, qui s'occupait beaucoup d'elle. Lorsqu'elle fut opérée de l'appendicite, cette année-là, il prit quinze jours de congé pour veiller sur elle. Pour les trente-six ans de sa compagne, il organisa une soirée dans un grand hôtel et invita près d'une centaine d'amis.

L'année suivante, il lui fit la surprise de l'emmener faire une croisière en Grèce. Elle revint reposée et bronzée, plus heureuse qu'elle ne l'avait jamais été. Il n'était jamais question de mariage entre eux, même s'ils parlaient de temps à autre d'acheter la maison qu'ils louaient, mais Tana n'était pas vraiment décidée. Jack restait lui aussi prudent. Ni l'un ni l'autre n'avaient envie de faire chavirer le bateau sur lequel ils naviguaient si confortablement. Ils vivaient ensemble depuis près de deux ans et tout allait merveilleusement bien pour eux. Du moins jusqu'au mois d'octobre, au retour de la croisière. Tana était chargée d'un procès important. Elle avait veillé toute la nuit, plongée dans ses notes et ses dossiers, pour finir par s'endormir sur son bureau. Le téléphone la réveilla juste au moment où Jack lui apportait une tasse de thé.

— Oui ?

Jack regarda en souriant son visage encore endormi. Il vit tout à coup ses yeux s'agrandir.

— Quoi ? Vous êtes fou ? Ne me dites pas que... oh, mon Dieu ! Je serai là dans une heure.

Elle raccrocha, le regard fixe. Il posa la tasse de thé, l'air soucieux.

— Quelque chose ne va pas ?

Il devait s'agir de son travail si elle avait promis d'être là-bas dans une heure.

— Qu'est-ce qui se passe, Tan ?

Elle continuait de le regarder, comme hébétée.

— Je ne sais pas... Il faut que je voie Frye.

— Le procureur ?

— Qui veux-tu que ce soit ?

— Et alors ? Qu'est-ce qui te met dans cet état ?

Il ne comprenait toujours pas. Mais elle non plus. Elle avait toujours exercé son métier à la perfection. Ça n'avait vraiment aucun sens ! Et ça faisait des années qu'elle était là... Elle se leva, les larmes aux yeux, sans même prêter attention à la tasse de thé qui venait de se répandre sur les dossiers.

— Il m'a dit que j'étais renvoyée.

Elle se mit à pleurer et se rassit. Jack la regarda, éberlué.

— C'est impossible, Tan.

— C'est bien ce que j'ai dit... ce métier est toute ma vie.

Et c'était vrai ; ils le savaient tous les deux.

CHAPITRE XVII

Tana se doucha, s'habilla, le visage fermé, l'air lugubre, comme si elle venait de perdre un être cher. Jack lui proposa de l'accompagner, mais elle refusa car il était lui-même fort occupé. Harry ne paraissait plus que rarement au bureau ces temps-ci, il devait donc tout assumer.

— Tu es sûre que tu ne veux pas que je t'amène, Tan ? Je n'ai pas envie que tu aies un accident.

Elle l'embrassa distraitement sur la bouche et

secoua la tête. C'était étrange ; ils étaient plutôt des amis malgré leur vie de couple. Tana pouvait discuter avec Jack, le soir, lui faire partager ses difficultés, ou encore parler de ses procès, pour qu'il l'aide à affiner sa stratégie. Il la comprenait, et n'exigeait pas grand-chose d'elle. Harry affirmait que ce n'était pas normal, car il vivait avec Averil une expérience bien différente.

Elle conduisit vite et arriva en ville en moins d'une heure. Elle ne frappa même pas à la porte du bureau du procureur. Les larmes qu'elle ne pouvait plus retenir roulèrent sur ses joues.

— Qu'est-ce que j'ai bien pu faire pour mériter ça ?

En voyant son air bouleversé, il fut pris de remords. Il avait seulement pensé que ce serait amusant de lui apprendre la nouvelle de façon négative mais il n'aurait jamais imaginé qu'elle réagirait ainsi.

— Vous faites trop bien votre travail, Tan. Arrêtez de pleurer et asseyez-vous.

— C'est pour ça que vous me fichez à la porte ?

Elle était restée debout et le regardait fixement.

— Je n'ai pas dit ça. J'ai dit que vous n'aviez plus votre place auprès de moi.

— Qu'est-ce que ça veut dire, alors ?

Elle fouilla dans son sac pour en sortir un mouchoir. Elle n'avait pas honte de montrer sa détresse. Elle adorait son travail depuis le premier jour. Elle aurait préféré renoncer à n'importe quoi plutôt qu'à ce poste au parquet, qu'elle occupait depuis des années. Le procureur, pris de pitié, fit le tour de son bureau et passa un bras autour de ses épaules.

— Allons, Tan, ne le prenez pas si mal. Vous aussi, vous allez nous manquer, vous savez.

En la voyant se remettre à sangloter, il en fut lui-même ému. Elle partirait bientôt, si elle acceptait. Jugeant qu'elle avait suffisamment souffert, il la força à s'asseoir et lui annonça la nouvelle en la regardant droit dans les yeux.

— On vous offre un poste de juge au tribunal de

district, ma chère. Qu'en dites-vous, madame le Juge ?

— Moi ?

Elle le regarda, incrédule, incapable de réaliser la portée des mots qu'il venait de prononcer.

— Moi ? Vous êtes sûr ? Je ne suis pas renvoyée ?

Elle se remit à pleurer de plus belle et se moucha encore tout en riant en même temps.

— Ce n'est pas moi... Vous me faites marcher...

— J'aimerais bien.

Mais il paraissait ravi pour elle. Comprenant enfin le tour qu'il lui avait joué, elle poussa un petit cri.

— Quand je pense que vous m'avez fait croire que j'étais mise à la porte !

Il se mit à rire.

— Je m'en excuse. Je voulais seulement mettre un peu de piment dans votre vie.

— Je vous retiens !

Elle était tellement abasourdie par la nouvelle qu'elle n'arrivait même pas à lui en vouloir.

— Mon Dieu... Comment est-ce arrivé ?

— Je le prévoyais depuis longtemps, Tan. Je savais que ça finirait par se produire. Simplement, j'ignorais quand. Et je mettrais ma tête à couper que vous siégerez à la Cour supérieure, d'ici un an. C'est exactement ce qu'il vous faut après votre passage ici.

— Oh, Larry... mon Dieu... un poste de juge... balbutia-t-elle, incapable de formuler ses sentiments. Je n'arrive pas à y croire. A seulement trente-sept ans, je n'y aurais jamais pensé.

— Eh bien, Dieu merci, quelqu'un l'a fait pour vous.

Il lui serra la main.

— Félicitations, Tan. Vous le méritez largement. Ils veulent que vous preniez votre charge dans trois semaines.

— Si tôt ? Et mon travail ?... C'est que j'ai une affaire qui passe en jugement le 23...

La voyant soudain préoccupée, il se mit à rire et agita la main, plein d'indulgence.

— Oubliez ça, Tan. Pourquoi ne prenez-vous pas un congé pour être d'attaque ? Pour une fois, donnez le dossier à quelqu'un d'autre et prenez le temps nécessaire pour emballer vos affaires et vous organiser.

— Mais pourquoi donc ? s'exclama-t-elle avec stupeur. Il faut que j'achète des robes ?

— Non, mais je crois qu'il va falloir vous mettre à la recherche d'un logement. Vous habitez toujours à Marin, n'est-ce pas ? Eh bien, il vous faut un pied-à-terre en ville.

— Et pourquoi ?

— C'est une obligation pour les juges de San Francisco. Vous pouvez garder l'autre maison, mais votre résidence principale doit se trouver ici.

— Il faut absolument que je me plie à ça ? protesta Tana d'une voix contrariée.

— Et comment ! Tout au moins cinq jours par semaine.

— Quelle barbe !

Elle regarda dans le vide, songeant à Jack. Sa vie venait d'être tout à coup bouleversée.

— Il faut que je m'occupe de ça.

— Vous aurez beaucoup à faire les jours qui viennent. Mais d'abord, il me faut votre réponse.

Il prit un ton très officiel.

— Tana Roberts, acceptez-vous le poste de juge au tribunal de la ville et du comté de San Francisco ?

— J'accepte.

Il se leva, heureux de cette promotion qu'elle méritait tant.

— Bonne chance, Tan. Vous nous manquerez ici.

Lorsqu'elle regagna son bureau, elle était encore sous le choc. Elle attrapa le téléphone et appela Jack.

— Tu ne vas pas me croire, Jack.

— Qu'est-ce qui se passe, Tan ?

— On vient de m'offrir un poste de juge au tribunal de district.

Il y eut un silence à l'autre bout du fil.

— Si jeune ?

294

— N'est-ce pas incroyable ? Tu te rends compte... Je n'aurais jamais cru...

— Je suis heureux pour toi, Tan, dit-il calmement.

Tana se souvint tout à coup de ce que lui avait dit le procureur au sujet de sa résidence en ville, mais elle ne voulait pas aborder cette question au téléphone.

— Merci, chéri. Je suis encore sous le choc. Harry est là ?

— Non, pas aujourd'hui.

— Il n'est pas souvent là en ce moment. Qu'est-ce qui se passe ?

— Je crois qu'il se trouve à Tahoe avec Ave et les enfants pour un week-end prolongé. Tu peux l'appeler là-bas.

— J'attendrai qu'il rentre. Je veux voir sa tête.

Mais la mine qu'elle aurait préféré ne pas voir, ce fut celle de Jack lorsqu'elle lui annonça qu'elle devait quitter Marin.

— Je me suis posé la question après ton appel.

Il avait l'air triste et vraiment contrarié. Elle l'était aussi d'ailleurs, mais elle se sentait en même temps très excitée. Elle avait même appelé sa mère qui était restée médusée. « Ma fille, juge ! » s'était-elle écriée, folle de joie, avant d'appeler Arthur, qui avait partagé son enthousiasme.

— Que penserais-tu de vivre en ville pendant la semaine ? demanda-t-elle à Jack.

— Je ne suis pas très enthousiaste, répondit-il honnêtement. On est tellement bien ici !

— Je pensais chercher quelque chose de petit qui ne nous donnerait pas de souci. Un appartement, un studio, même...

— On deviendrait fous après avoir été habitués à tant d'espace ici, rétorqua-t-il.

Ils vivaient comme des rois depuis deux ans, disposant d'une immense chambre, d'un bureau chacun, d'une salle à manger, d'un salon et d'une chambre d'amis pour Barbara, avec une immense vue sur la baie de San Francisco. Un studio leur donnerait l'impression d'être en prison.

— Eh bien, il faut que je trouve quelque chose, Jack, et je n'ai que trois semaines.

Elle lui en voulait un peu de ne pas lui faciliter la tâche. Mais elle fut bientôt tellement occupée qu'elle n'y pensa plus. Elle régla ses affaires au bureau et alla visiter toutes les locations qu'on lui proposait jusqu'au jour où l'agent immobilier lui téléphona, au milieu de la deuxième semaine. Elle avait quelque chose de « très spécial » qu'elle voulait montrer à Tana, dans le quartier de Pacific Heights.

— Ce n'est pas tout à fait ce que vous avez en tête, mais ça vaut le coup d'œil.

C'était effectivement le moins qu'on puisse dire. Elle en eut le souffle coupé. Cela ressemblait à une maison de poupée, un véritable petit joyau dans les tons crème et beige. L'intérieur était impeccable, avec de beaux planchers. Toutes les pièces avaient une cheminée en marbre, il y avait de grands placards, une luminosité parfaite, des portes-fenêtres, et la vue donnait sur la baie. Tana n'aurait jamais eu l'idée de chercher quelque chose de ce genre, mais maintenant qu'elle avait visité la maison, elle était sous le charme.

— Le loyer se monte à combien ?

— Ce n'est pas à louer, répondit en souriant l'agent immobilier. C'est à vendre.

Elle lui indiqua un prix qui parut à Tana tout à fait raisonnable. Ce n'était pas bon marché, mais elle ne serait pas obligée de sacrifier toutes ses économies. En outre c'était vraiment un bon investissement. La maison serait parfaite pour elle ; une grande chambre à coucher à l'étage, un cabinet de toilette aux murs couverts de miroirs, un petit cabinet de travail avec une cheminée, un salon spacieux et superbe au rez-de-chaussée et une petite cuisine rustique qui donnait sur un patio entouré d'arbres. Elle signa sans hésiter, déposa des arrhes, puis elle regagna le bureau de Jack avec une certaine nervosité. Elle savait qu'elle avait pris la bonne décision, mais tout de même... Elle avait agi toute seule sans l'avoir consulté.

— Mon Dieu, qui est mort ? s'exclama-t-il à la vue du visage tourmenté de la jeune femme.

Elle se mit à rire nerveusement.

— Voilà qui est mieux, approuva-t-il, avant de l'embrasser dans le cou. Tu t'exerces à te composer un visage de juge ? Tu vas effrayer les gens si tu te promènes avec une tête pareille.

— Je viens de faire une folie.

— Et quoi d'autre encore ? Entre et raconte-moi.

Tana vit que la porte d'Harry était fermée. Elle passa directement dans le grand bureau agréable de Jack. La maison de style victorien que les deux hommes avaient achetée cinq ans auparavant s'était révélée un très bon investissement. Tana espérait que cela aiderait Jack à comprendre ce qu'elle venait d'accomplir. Il s'assit à son bureau et lui sourit.

— Alors, qu'est-ce que tu as fait ?

— Je crois que je viens d'acheter une maison.

Elle avait l'air d'une petite fille effrayée, ce qui amusa Jack.

— Tu *crois* que tu l'as fait. Je vois. Et qu'est-ce qui te fait penser ça ?

Il avait gardé son ton habituel, mais l'expression de son regard avait changé.

— En fait, j'ai signé les papiers... Oh, Jack... j'espère que j'ai bien agi.

— Est-ce que ça te plaît ?

— J'en suis tombée amoureuse.

Il semblait surpris car ni l'un ni l'autre n'avait souhaité acheter une maison auparavant. Ils en avaient parlé souvent, mais ils ne désiraient pas se fixer. Jack n'avait pas évolué sur ce point. Elle oui, et il se demandait pour quelle raison. Beaucoup de choses avaient changé depuis dix jours, du moins en ce qui la concernait.

— Est-ce que cela ne va pas être une source d'embêtements, Tana ? Il faudra l'entretenir, se préoccuper des gouttières, et subir toutes ces contraintes dont nous ne voulions pas.

— Je ne sais pas... sans doute...

Elle le regarda nerveusement. Le moment était venu de lui poser la question.

— Tu seras là, toi aussi, n'est-ce pas ? s'enquit-elle d'une voix craintive.

Elle était à la fois si vulnérable, si douce, et si incroyablement forte. C'est cela qu'il aimait en elle et qu'il aimerait toujours. Harry l'aimait aussi pour les mêmes raisons, pour sa loyauté, son courage et son esprit brillant. Juge ou pas, elle était adorable. Elle ressemblait à une adolescente en ce moment, assise en face de lui en train de l'observer

— Il y a de la place pour moi ? demanda-t-il avec hésitation.

Elle acquiesça avec force, faisant danser ses cheveux qu'elle avait coupés au niveau des épaules récemment et qui ressemblaient à un rideau d'or brillant et soyeux.

— Bien sûr que oui.

Mais il en fut moins certain lorsqu'il vit la maison le soir même. Il reconnut qu'elle était magnifique, mais la trouva trop féminine pour son goût.

— Comment peux-tu dire une chose pareille ? Il n'y a que des murs et des planchers.

Il se tourna vers elle, l'air triste.

— Excuse-moi, Tan. C'est magnifique. Je ne voulais pas gâcher ton plaisir.

— Alors, c'est parfait. Je l'arrangerai confortablement pour nous deux, je te le promets.

Il l'emmena dîner. Ils discutèrent pendant des heures du nouveau poste de Tana et du stage qu'elle devrait effectuer à Oakland, où elle séjournerait à l'hôtel pendant trois semaines avec d'autres juges récemment promus. Cela faisait des années qu'elle n'avait pas ressenti une telle excitation.

— C'est comme si je commençais une nouvelle vie, tu ne trouves pas ?

— C'est un peu ça, admit-il en souriant.

Ils rentrèrent chez eux et firent l'amour, comme si de rien n'était. Elle passa la semaine suivante à faire des courses pour meubler sa nouvelle maison, s'occupa des derniers détails de la transaction et acheta une robe pour la réception donnée en l'honneur de sa promotion. Elle avait même demandé à sa mère de venir, mais Arthur n'allant pas très bien, Jane ne voulait pas le laisser seul. Heureusement, Harry serait là, avec Averil, Jack, et tous les amis qu'elle s'était faits au long des années. Il y eut deux cents personnes à la cérémonie. Ensuite, Harry fit donner une réception en son honneur dans un grand hôtel. Elle n'avait jamais assisté à pareille fête, et elle souffla à Jack, en riant et en l'embrassant :

— C'est un peu comme si on se mariait, tu ne trouves pas ?

Ils échangèrent un regard qu'ils étaient seuls à comprendre.

— C'est beaucoup mieux que ça, Dieu merci.

Ils dansèrent et, lorsqu'ils rentrèrent, ils étaient un peu gris. La semaine suivante, elle commença son stage. Elle avait prévu de passer les week-ends avec Jack à Tiburon, mais elle avait toujours quelque chose à faire dans sa nouvelle maison, un tableau à suspendre, des éclairages à installer, la livraison d'un divan, des conseils à demander à un jardinier, si bien que les deux premières semaines, lorsqu'elle ne suivait pas son stage, elle resta dormir chez elle.

— Pourquoi ne viens-tu pas dormir ici, avec moi ? demanda-t-elle à Jack d'une voix mi-plaintive, mi-irritée.

S'il ne l'avait pas vue ces derniers temps, c'est qu'elle était très occupée. Il ne pouvait pas le lui reprocher !

— J'ai beaucoup de travail, répondit-il d'un ton cassant.

— Tu peux l'amener ici, chéri. Je te ferai à manger et tu t'installeras dans mon petit bureau.

Il remarqua le possessif qui lui resta sur le cœur, comme beaucoup d'autres choses ces derniers temps. Une certaine rancœur s'amassait en lui.

— Tu sais ce que c'est que d'amener tout son travail chez quelqu'un d'autre ?

— Je ne suis pas quelqu'un d'autre. Je suis moi. Et toi aussi, tu vis ici.

— Depuis quand ?

Blessée par le ton de sa réplique, elle battit en retraite.

La fête de Thanksgiving qu'ils passèrent en compagnie d'Harry, d'Averil et des enfants fut tendue.

— Et cette nouvelle maison, Tan ?

Harry était content pour elle, mais Tana remarqua qu'il avait l'air éreinté et qu'Averil semblait nerveuse, elle aussi. La journée fut pénible pour tout le monde. Même les enfants pleurnichèrent plus que d'habitude. Tana poussa un soupir las tandis qu'ils regagnaient la ville. Jack semblait apprécier le silence de la voiture.

— Tu dois te féliciter de ne pas avoir d'enfants ! lança-t-il soudain.

— Un jour comme aujourd'hui, oui, mais lorsqu'ils sont bien habillés et mignons ou quand ils sont endormis, et que je surprends le regard qu'Harry pose sur Averil... quelquefois, je me dis que ce serait bon d'être comme eux... Mais je ne crois pas que je le supporterais, ajouta-t-elle en soupirant.

— Je t'imagine mal en train de siéger avec une ribambelle d'enfants ! lui dit-il d'un ton sarcastique.

Tana se mit à rire en se disant qu'il se montrait dur avec elle depuis quelque temps. Elle remarqua au même moment qu'il la ramenait chez elle au lieu de prendre la route de Tiburon.

— On ne rentre pas à la maison, chéri ? s'étonna-t-elle.

— Bien sûr que si... Je pensais seulement que tu voulais rentrer chez toi.

— Ça m'est égal... Je...

Elle se lança. Il fallait bien que ce soit dit, à la fin.

— Tu m'en veux parce que j'ai acheté cette maison, c'est ça ?

Il haussa les épaules et continua de conduire, les yeux fixés sur la route.

— Je suppose qu'il le fallait. Simplement, je ne m'attendais pas à ça de toi.

— Tout ce que j'ai fait, c'est acheter une petite maison parce que j'avais besoin d'une résidence en ville.

— Je ne pensais pas que tu avais envie de posséder quelque chose, Tan.

— Acheter ou louer, quelle différence ? Sauf qu'en plus, je fais un bon investissement. Nous en avions déjà discuté.

— Oui, mais pour décider de nous en abstenir. Pourquoi t'enfermer dans quelque chose de définitif ?

— Les choses changent quelquefois. C'était une occasion rêvée et j'ai eu le coup de foudre.

— Je le sais, c'est peut-être aussi ce qui me gêne. C'est vraiment à « toi » et pas à « nous ».

— Tu aurais préféré qu'on achète quelque chose ensemble ?

— Ça n'aurait fait que compliquer nos vies. Tu le sais.

— Tout ne peut pas être toujours simple. Bon sang, j'avais bien un appartement en ville avant ! Pourquoi toute cette histoire ? reprit-elle après un moment de réflexion.

Mais depuis quelques semaines, elle commençait à comprendre que c'était bel et bien sa nouvelle situation professionnelle qui était la cause de leur dissension, et non la maison. Tant qu'elle n'était que substitut, adjointe au procureur, il avait toléré sa notoriété, mais maintenant, elle était devenue Le juge Roberts... Votre Honneur...

— Tu sais, ce n'est pas juste de t'en prendre à moi, Jack. Je n'y suis pour rien. Quelque chose de merveilleux s'est produit dans ma vie. Il faut que nous apprenions à vivre avec. Cela aurait pu t'arriver à toi aussi. La balle pourrait être dans l'autre camp.

— Je pense que j'aurais réagi différemment.

— Et comment ? s'exclama la jeune femme, blessée au vif.

Il la regarda d'un air accusateur, comme soulagé de

laisser éclater la rancœur qui l'étouffait depuis trop longtemps.

— Je crois que je n'aurais pas accepté. Je trouve ça tellement prétentieux !

— Prétentieux ? Comment peux-tu dire une chose aussi affreuse ? Alors tu penses que c'est prétentieux d'avoir accepté le poste qu'on m'offrait ?

— Ça dépend comment on l'appréhende, répondit-il, énigmatique.

— Eh bien ?

Ils s'arrêtèrent à un feu rouge. Il se tourna une seconde vers elle, avant de poursuivre, le regard lointain :

— Ecoute... ça ne fait rien... mais je n'aime pas le changement que cette promotion a amené dans notre vie. Je n'aime pas que tu vives en ville, je n'aime pas ta foutue maison, je n'aime rien de tout ça.

— Alors, tu vas me le faire payer, si je comprends bien ? Dire que je fais ce que je peux pour que tout se passe le mieux possible ! Donne-moi une chance. Laisse-moi un peu de temps. Pour moi aussi, c'est un bouleversement, tu sais.

— Tu n'y avais jamais pensé, et pourtant tu nages dans le bonheur.

— Eh bien oui, je suis heureuse, avoua Tana. C'est merveilleux, flatteur et intéressant. Mon métier me passionne, mais cette nomination implique aussi l'inconnu et de nouvelles embûches. Je ne sais pas encore très bien comment je vais m'en sortir, mais je ne veux pas que tu en souffres...

— Ne t'occupe pas de ça...

— Que veux-tu dire par là ? Je t'aime, Jack. Je ne veux pas que cette histoire nous détruise.

— Alors, ça n'arrivera pas.

Il haussa les épaules, mais ils n'étaient convaincus ni l'un ni l'autre. Jack se montra très difficile les semaines suivantes. Tana mettait un point d'honneur à passer la nuit à Tiburon chaque fois qu'elle le pouvait, et le cajolait constamment, mais il lui en voulait. Le Noël qu'ils passèrent chez Tana fut morne.

Il ne se gêna pas pour lui répéter qu'il détestait sa maison et la quitta le lendemain matin à huit heures, prétextant qu'il avait des choses à faire.

Cependant, malgré les difficultés qu'elle rencontrait avec Jack, Tana tirait de grandes satisfactions de son nouveau poste. Seules les longues heures qu'elle devait passer à travailler ne l'enchantaient guère. Elle restait quelquefois dans son bureau jusqu'à minuit, mais elle avait beaucoup à apprendre. Elle devait lire de nombreux articles de loi relatifs aux affaires qu'elle suivait. Elle avait tant de responsabilités qu'elle se ferma à tout le reste, à tel point qu'elle ne vit pas la santé d'Harry se détériorer. Elle ne remarqua même pas qu'il ne venait presque plus travailler. Ce fut Jack, à la fin du mois d'avril, qui explosa :

— Tu es aveugle ou quoi ? Il se meurt, bon Dieu ! Cela fait six mois qu'il baisse. Mais tu te fous des autres maintenant, n'est-ce pas ?

— Ce n'est pas vrai... Il n'est pas en train... s'exclama avec horreur la jeune femme.

Mais tout à coup, la pâleur d'Harry, ses yeux cernés, tout s'expliquait. Pourquoi Jack ne lui avait-il rien dit ? Pourquoi ?

Elle leva les yeux, le regard accusateur.

— Pourquoi avoir gardé le silence ?

— Tu ne m'aurais pas entendu. Tu es tellement imbue de ta nouvelle charge que tu ne vois pas ce qui se passe autour de toi.

Devant une telle méchanceté, Tana quitta Tiburon sans un mot ce soir-là. Une fois chez elle, elle appela Harry. Avant même de parler, elle se mit à pleurer.

— Qu'est-ce qui se passe, Tan ? demanda-t-il d'un ton fatigué.

Elle eut l'impression que son cœur allait se briser.

— Je ne peux pas... Je... Mon Dieu, Harry...

Toutes les tensions accumulées depuis les derniers mois la submergeaient. Elle se sentait brisée par l'animosité de Jack, et par ce qu'il venait de lui dire ce soir à propos d'Harry. Elle ne voulait pas croire que son ami allait mourir. Mais lorsqu'elle déjeuna avec lui le lendemain, il la regarda calmement pour le lui confirmer. Elle le fixa, le souffle coupé.

— Mais ce n'est pas possible... ce n'est pas juste...

Elle se mit à sangloter, comme un petit enfant, incapable de le consoler, désespérée, trop bouleversée pour essayer de l'aider. Harry approcha d'elle son fauteuil roulant et posa son bras sur les épaules de Tana. Il avait les larmes aux yeux, lui aussi, pourtant il restait étrangement calme. Il en était sûr depuis un an, mais on l'avait prévenu depuis longtemps : ses blessures pouvaient abréger sa vie. C'est ce qui se produisait. Il souffrait d'une insuffisance rénale qui le tuait lentement. Actuellement, il s'acheminait vers une paralysie totale des reins. Ils avaient tout essayé, mais son corps se mourait peu à peu. Elle le regarda, terrifiée.

— Je ne peux pas vivre sans toi.

— Mais si, tu peux.

Il se faisait beaucoup plus de souci pour Averil et les enfants. Il savait que Tana y survivrait. Elle l'avait sauvé. Elle ne baisserait jamais les bras.

— Je veux que tu fasses quelque chose pour moi. Je veux que tu veilles sur Averil. Tout est prévu pour que les enfants et elle ne manquent de rien, mais elle n'est pas comme toi, Tan... elle a toujours été si dépendante de moi...

— Ton père est au courant ?

— Personne ne l'est, sauf Jack et Ave. Et toi, maintenant. Tu me promets de veiller sur elle ?

— Tu peux compter sur moi.

C'était horrible, il parlait comme s'il allait partir pour un long voyage. Elle le regardait, tandis que leurs vingt années d'amitié défilaient devant ses yeux... le bal où ils s'étaient rencontrés... les années de faculté... sa venue dans l'Ouest... le Vietnam... l'hôpital... les études de droit... l'appartement qu'ils avaient partagé... la nuit où son premier enfant était né... c'était incroyable, impossible. La vie de Harry ne pouvait pas se terminer si tôt, c'était impossible. Elle avait trop besoin de lui. Mais la vérité était là, il allait mourir. Elle se remit à sangloter. Il la serra contre lui.

— Pourquoi ?... Ce n'est pas juste... répétait-elle toujours.

— La vie l'est rarement, tu sais, répondit-il avec un pauvre sourire.

Son propre sort le préoccupait moins que celui de sa femme et de ses enfants. Depuis des mois, il essayait d'apprendre à Averil à se débrouiller toute seule, mais sans résultat. Complètement désespérée, elle s'y refusait, comme pour repousser l'inéluctable. Mais il s'affaiblissait de jour en jour. Il n'allait plus à son bureau qu'une ou deux fois par semaine. C'est pour cette raison qu'il n'était jamais là quand Tana allait voir Jack. Elle lui parla de leur relation, qui se détériorait chaque jour davantage.

— Il commence à me haïr.

Elle semblait si triste qu'il en fut peiné pour elle. Quant à lui, il se sentait disparaître au fil des jours jusqu'à n'être plus rien. C'était tout. Ils se réveilleraient un matin et il s'en serait allé sans bruit. Existait-il une autre vie, dans l'au-delà ? Harry n'en savait rien et s'en inquiétait encore moins. Il était trop préoccupé par tous ceux qu'il laissait derrière lui : son associé, sa femme, ses enfants, ses amis. Ils semblaient tous se reposer sur lui, et il était à bout. Mais d'un autre côté, cela le maintenait en vie, comme en ce moment avec Tana. Il sentait qu'il avait quelque chose à partager avec elle avant de mourir. Quelque chose d'important. Il voulait qu'elle change de vie avant qu'il soit trop tard. Il en avait dit autant à Jack, mais il ne voulait pas l'écouter.

— Il ne te hait pas, Tan. Il est harcelé par le travail, et en plus, il se fait du souci pour moi depuis des mois.

— Il aurait au moins pu m'en parler.

— Je lui ai fait jurer de s'en abstenir, tu ne peux pas le lui reprocher. Pour le reste, tu es devenue un personnage important maintenant, Tan. Ton métier a plus de prestige que le sien. C'est comme ça. C'est difficile pour vous deux et il faudra qu'il s'y fasse.

— Dis-le-lui.

— Je l'ai fait.

— Il me punit de ce qui est arrivé. Il déteste ma maison, il n'est plus le même homme.

— Mais si.

Beaucoup trop d'ailleurs, au goût d'Harry. Jack défendait toujours ses principes ridicules qui l'amenaient à refuser tout engagement, toute attache. C'était une existence dépourvue de sens. Harry le lui avait souvent fait remarquer, mais Jack se contentait de hausser les épaules. Il appréciait cette façon de vivre, du moins jusqu'à ce que Tana ait obtenu sa promotion. Cela l'avait terriblement affecté. Il ne s'en était d'ailleurs pas caché.

— Il est peut-être jaloux de toi. Ce n'est pas très joli, c'est certain, mais c'est humain, après tout.

— Quand se conduira-t-il comme un adulte, alors ? Ou faudra-t-il que je me résigne ?

C'était un soulagement pour Tana de converser avec Harry, comme si le cauchemar à venir ne devait pas se produire, comme si, en parlant de quelqu'un d'autre avec lui, les jours anciens, tellement heureux, revenaient tout à coup... A cette pensée, elle eut les larmes aux yeux.

— Bien sûr que non, assurait Harry. Donne-lui seulement du temps.

Il se tut pendant quelques secondes avant de poursuivre :

— Il faut que je te dise quelque chose, Tan, deux choses, en fait.

Son regard était si intense que son corps semblait habité par une flamme intérieure dont la force frappa vivement Tana.

— Je ne sais pas de quoi demain sera fait, et si je serai là... si... mais il faut que je te le dise. Ecoute-moi bien. D'abord, je veux te remercier de ce que tu as fait pour moi. Les seize années que je viens de passer, c'est à toi seule que je les dois. Tu m'as forcé à vivre, à continuer.. Sans toi, je n'aurais jamais rencontré Averil, ni eu d'enfants...

Des larmes roulaient sur ses joues.

— Cela m'amène à la seconde chose. Tu te leurres toi-même, Tan. Tu ignores ce que tu perds et tu ne pourras pas le savoir si tu persistes. Tu te punis toi-même en ne te mariant pas, en ne t'engageant pas, en refusant de connaître le véritable amour, celui qui n'est ni prêté, ni loué, ni temporaire. Je sais que cet idiot est amoureux de toi et que tu l'aimes, mais en refusant de se passer la corde au cou, de peur de faire à nouveau une erreur, il fait la plus grave de toutes. Mariez-vous, Tan, ayez des enfants... c'est la seule chose qui donne un sens à la vie... la seule chose qui m'importe vraiment... le seul héritage important que je laisse derrière moi... Peu importe qui on est et ce qu'on fait. Avant d'avoir fait ça, on n'est rien, ni personne... on ne vit qu'à moitié... Tana, ne triche pas avec toi-même... je t'en prie...

Il pleurait vraiment à présent. Il l'aimait tant et depuis si longtemps qu'il ne voulait pas qu'elle manque ce qu'il avait partagé avec Averil. Et tandis qu'il lui parlait, Tana se remémorait tout à coup leurs regards complices, leur bonheur tranquille, leurs rires qui n'en finissaient pas... et qui allaient cesser si brusquement. Au fond de son cœur, elle était persuadée depuis toujours qu'il disait vrai mais elle avait si peur... tous les hommes qu'elle avait connus y étaient rebelles... Yael McBee... Drew Lands... et Jack maintenant... Aucun ne l'avait vraiment aimée, sauf le père d'Harry, peut-être, mais c'était si loin maintenant...

— Si l'occasion se présente, saisis-la, Tan. Sacrifie tout s'il le faut. Mais si tu fais le bon choix, ce ne sera même pas un sacrifice.

— Et qu'est-ce que tu me conseilles de faire ? De sortir dans la rue avec un badge, genre « Epousez-moi et faisons des enfants » ?

Ils éclatèrent de rire, pendant un instant, comme au bon vieux temps.

— Pourquoi pas, petite idiote ?

— Je t'aime, Harry, laissa-t-elle échapper, et elle se remit à pleurer.

Il la serra contre lui.

— Je ne partirai jamais vraiment, Tan. Tu le sais. Nous avons été trop liés pour nous perdre... comme Averil et moi, d'une manière différente. Je serai là, et je garderai un œil sur tout.

Ils pleuraient sans retenue à présent. Tana se disait qu'elle ne pourrait pas vivre sans lui. Quant à l'état d'Averil, elle avait du mal à l'imaginer. Ce fut la période la plus dure de leur vie. Durant les trois mois suivants, ils le regardèrent s'éteindre peu à peu. Puis, par une belle journée d'été, alors que le soleil était au zénith, elle reçut l'appel. Elle reconnut Jack, la voix brisée par les sanglots. Son cœur s'arrêta. Elle avait encore vu Harry le soir précédent. Elle allait le voir chaque jour, dès qu'elle le pouvait, à n'importe quel moment. La veille au soir, il lui avait pris la main en souriant. Il pouvait à peine parler, mais elle l'avait embrassé sur la joue, se remémorant tout à coup son séjour à l'hôpital, des années auparavant. Elle aurait voulu lui redonner le goût de vivre, l'envie de lutter, mais c'était impossible.

— Il vient de mourir.

La voix de Jack se brisa. Tana éclata en sanglots. Elle aurait voulu le voir seulement encore une fois... l'entendre rire... voir ses yeux... Elle resta muette pendant une minute.

— Comment va Ave ? réussit-elle enfin à articuler.

— Ça a l'air d'aller.

Harrison était arrivé la semaine précédente et s'était installé chez eux. Tana consulta sa montre.

— J'y vais tout de suite. J'avais demandé une suspension de séance cet après-midi, de toute façon.

Elle le sentit se crisper, comme s'il se disait qu'elle voulait l'impressionner. Mais c'était pourtant vrai ; en tant que juge, elle avait demandé une suspension.

— Où es-tu ?

— Au bureau. Son père vient de m'appeler.

— Je suis contente qu'il soit là-bas. Tu viens tout de suite ?

— Je ne peux pas me libérer dans l'immédiat.

Elle se rendit compte que, si elle avait fait la même réponse, il lui aurait certainement décoché une remarque désobligeante sur l'importance qu'elle s'accordait. Harry n'avait pas réussi à l'amadouer avant de mourir, en dépit de ses efforts. Il avait encore tant de choses à dire, à partager avec les siens... tout s'était terminé trop tôt. Tana prit sa voiture, le visage baigné de larmes, et tout à coup, elle crut le sentir à côté d'elle et sourit. Il était parti, mais sa présence était partout désormais. Il était auprès d'elle, de sa femme, de son père, de ses enfants...

Quand elle arriva à la maison, il n'était plus là. On l'avait déjà emmené pour préparer l'enterrement. Harrison était assis dans le salon, l'air hébété. Il paraissait tout à coup très vieux. Tana réalisa qu'il avait presque soixante-dix ans. Le chagrin ravageait son visage encore beau et le faisait paraître plus âgé. Elle s'approcha de lui en silence, et ils s'étreignirent. Averil sortit de la chambre peu après, vêtue d'une simple robe noire, ses cheveux blonds tirés en arrière, son alliance à la main gauche. Harry lui avait offert de très beaux cadeaux au fil des années, mais ce qu'elle arborait maintenant, c'était son chagrin, sa fierté, et leur amour. La vie, les enfants, la maison qu'ils avaient voulus l'entouraient. Elle était d'une beauté singulière. Tana l'enviait presque, d'une certaine façon. Harry et elle avaient partagé quelque chose de rare et de précieux, plus important que tout à leurs yeux. Pour la première fois de sa vie, Tana ressentit un vide. Elle regrettait de ne pas l'avoir épousé, lui ou quelqu'un d'autre... de ne pas avoir eu d'enfants... Durant la cérémonie religieuse, puis au cimetière, et lorsqu'elle se retrouva seule, elle éprouva un sentiment inexprimable. Quand elle voulut en parler à Jack, il posa sur elle des yeux surpris.

— Ce n'est pas la peine de t'emballer maintenant, Tan, parce que Harry est mort.

Elle lui avait dit qu'elle réalisait tout à coup que sa vie était un gâchis, parce qu'elle ne s'était pas mariée et n'avait pas d'enfants.

— J'ai fait les deux, et crois-moi, ça ne change rien du tout. Ne te fais pas d'illusions, ce qu'ils ont partagé est exceptionnel. D'ailleurs, je n'ai jamais rencontré d'autres couples comme le leur. Et si tu te mariais pour vivre la même expérience, tu serais déçue.

— Comment le sais-tu ?

— Crois-moi sur parole.

— Tu ne peux pas porter de jugement là-dessus. Tu as épousé par obligation une fille de vingt et un ans, parce qu'elle attendait un enfant de toi. Ça n'a rien à voir avec un choix délibéré, comme on peut en faire à nos âges.

— Est-ce que tu essaierais de faire pression sur moi, Tan ?

Il semblait mécontent et épuisé. La mort d'Harry l'avait beaucoup éprouvé lui aussi.

— Epargne-moi ça, tu veux ? Ce n'est pas le moment.

— Je te dis seulement ce que je ressens.

— Tu es lessivée parce que ton meilleur ami est mort, mais n'en profite pas pour tomber dans le mélo et croire que le secret de la vie réside dans le mariage et les enfants. Crois-moi, ce n'est pas le cas.

— Bon Dieu, mais qu'est-ce que tu en sais, après tout ? Ce que tu dis est peut-être vrai pour toi, mais n'en fais pas une règle générale qui s'appliquerait aussi à moi, Jack. Tu crèves de peur d'avoir à donner quoi que ce soit à quelqu'un et tu pousses des cris dès qu'on s'approche un peu trop de toi. Et tu veux savoir quoi ? J'en ai plus qu'assez que tu me punisses sans cesse d'avoir été nommée juge.

— Tu crois vraiment ça de moi ?

La situation devint si tendue qu'il partit en claquant la porte et qu'elle ne le revit pas pendant trois semaines. C'était leur plus longue séparation volontaire depuis qu'ils se connaissaient, mais ils ne s'appelèrent ni l'un ni l'autre. Elle n'eut plus aucune nouvelle de lui jusqu'à ce que sa fille vienne pour les vacances. Elle l'invita chez elle, en ville. Lorsque Barbara arriva, enchantée, Tana reçut un choc en la trouvant si changée. Elle venait juste d'avoir quinze ans. Elle avait l'air d'une femme, avec sa taille élancée, ses hanches fines, ses grands yeux bleus et sa chevelure rousse flamboyante.

— Comme tu es belle, Barb !

— Merci, toi aussi.

Tana la garda cinq jours et l'emmena même au tribunal, mais ce fut seulement à la fin de la semaine qu'elles parlèrent de Jack et de tout ce qui avait changé entre eux.

— Il ne cesse de m'agresser, soupira la jeune femme.

Barbara en supportait tout autant. Son séjour avec son père n'était pas très agréable.

— Ma mère dit qu'il était toujours comme ça, mais il n'était pas pareil avec toi, Tan.

— Je crois qu'il est très nerveux ces jours-ci.

Elle lui cherchait des excuses, pour que Barb ne se sente pas fautive, mais c'était en fait un concours de circonstances : Tana, Harry et le poids de son travail. Tout semblait l'accabler. Lorsque Tana réussit à dîner avec lui, après le départ de Barbara, la soirée se termina encore plus mal. Ils discutaient d'Averil, pour savoir ce qu'elle devait faire de la maison ; Jack pensait qu'elle aurait dû la vendre et s'installer en ville, alors que Tana soutenait le contraire.

— Cette maison représente beaucoup pour elle ; ils y ont vécu trois ans.

— Elle a besoin de changement, Tan. On ne peut pas s'accrocher au passé.

— Je me demande pourquoi tu as tellement peur de t'accrocher à quelque chose. On dirait que tu crains de te sentir responsable.

Elle l'avait bien vu récemment ; il voulait à tout prix rester libre et sans attaches. C'était étonnant que leur relation ait duré si longtemps. Pour finir de la mettre à l'épreuve, le sort porta un nouveau coup à leur liaison. Comme on le lui avait prédit, lorsqu'elle avait été nommée juge, un poste se libéra, et elle fut appelée à la Cour supérieure. Elle ne se sentit même pas le courage de l'annoncer à Jack, mais elle ne voulait pas non plus qu'il l'apprenne par quelqu'un d'autre. Les dents serrées, elle l'appela un soir chez lui, et elle retint sa respiration lorsqu'il répondit.

— Salut, Tan, quoi de neuf ?

Il semblait plus détendu que les mois précédents. Elle s'en voulut de lui gâcher sa bonne humeur, ce qui ne manqua pas d'arriver. Lorsqu'elle lui annonça sa nomination, il lui donna l'impression d'avoir reçu un coup de poing.

— Très bien. C'est pour quand ? demanda-t-il d'une voix sans timbre.

— Dans quinze jours. Tu préfères venir à la cérémonie, ou pas ?

— Si tu me le demandes, c'est que tu n'en as pas envie.

Il était tellement susceptible qu'on ne pouvait plus lui parler.

— Je n'ai pas dit ça, mais tu es tellement chatouilleux pour ce qui touche à mon travail.

— Qu'est-ce qui te fait penser ça ?

— Oh, je t'en prie, Jack, on ne va pas revenir là-dessus...

Sa longue journée de travail l'avait épuisée. Tout lui semblait plus dur, plus triste, plus difficile maintenant que Harry était parti. Et sa relation avec Jack n'arrangeait rien.

— J'espère que tu viendras.

— Est-ce que cela signifie que je ne te verrai pas d'ici là ?

— Bien sûr que non. Tu peux me voir chaque fois que tu le désires.

— Demain soir, ça t'irait ?

C'était un peu comme s'il la mettait à l'épreuve.

— Parfait. Chez toi ou chez moi ?

Elle se mit à rire, mais il garda son sérieux.

— Ta maison me rend claustrophobe. Je viendrai te prendre à six heures à ton travail.

— Bien, monsieur, répondit-elle avec une pointe d'espièglerie qui ne le dérida pas.

Lorsqu'ils se retrouvèrent, le lendemain, ils n'étaient guère d'humeur à rire. Harry leur manquait terriblement, mais seule Tana en parlait. Jack avait pris un autre associé qu'il semblait apprécier ; il en parlait beaucoup, louait sa brillante carrière et insistait sur tout l'argent qu'ils allaient gagner, ce qui prouvait à l'évidence qu'il n'avait toujours pas accepté la promotion de Tana. Finalement, lorsqu'il la déposa devant le tribunal, le lendemain, elle se sentit soulagée. Il allait à Pebble Beach ce week-end pour jouer au golf avec des copains et ne l'avait pas invitée. Tana poussa un soupir en montant l'escalier ; il ne lui facilitait pas la vie ces temps-ci. Pourtant, elle songeait parfois à ce que lui avait dit Harry avant de mourir. Mais il était inutile de vouloir construire une relation durable avec Jack ; ce n'était pas son genre. Ils avaient pu vivre ensemble tant qu'elle avait eu les mêmes principes que lui. Mais leur mésentente actuelle devenait insupportable, si bien qu'elle fut vraiment soulagée d'apprendre qu'il allait partir à Chicago pour affaires, ce qui ne lui permettrait pas d'être là lors de sa nomination.

Averil était en Europe avec Harrison et les enfants. Elle avait décidé de passer l'hiver à Londres cette année, pour s'éloigner un peu, et elle avait mis les enfants à l'école là-bas. C'est Harrison qui l'y avait encouragée, heureux de s'occuper de sa belle-fille et de ses petits-enfants.

La cérémonie, sous l'autorité du président de la Cour supérieure, fut simple et discrète, cette fois. Une demi-douzaine de juges étaient présents, ainsi que le vieil ami de Tana, le procureur, et quelques relations auxquelles elle tenait.

Ce fut un juge de la Cour de Cassation qui fit prêter serment à la jeune femme. Tana l'avait rencontré une ou deux fois ; il avait d'épais cheveux noirs, des yeux sombres et durs, et un regard qui effrayait tout le monde, lorsqu'il siégeait dans sa robe noire. Mais il savait être aussi spirituel, plein d'humour, et d'une gentillesse surprenante. Il était particulièrement connu à cause de certains de ses jugements, très controversés, qui avaient défrayé la presse nationale. Tana, qui avait lu nombre d'articles à son sujet et s'interrogeait sur sa prétendue férocité, n'en appréciait que plus sa gentillesse. Ils bavardèrent un moment sur sa carrière à la Cour de Cassation, et elle apprit qu'il avait également dirigé le plus important cabinet juridique de la ville, avant de devenir juge. Il avait déjà une belle réussite derrière lui, pour un homme qui, selon elle, ne devait même pas avoir cinquante ans ; il était d'ailleurs considéré comme un « cas » depuis longtemps. Avant de partir, il serra avec effusion la main de Tana et la félicita encore chaleureusement.

— Je suis impressionné.

Son vieil ami le procureur souriait à Tana.

— C'est la première fois que je vois Russel Carver assister à ce genre de cérémonie. Vous êtes en train de devenir quelqu'un de terriblement important, ma chère.

— Il devait probablement mettre de l'argent dans le parcmètre, quand on l'a entraîné ici.

Ils éclatèrent de rire. En fait, Russel Carver était l'ami intime du président de la Cour supérieure. Il s'était proposé pour faire prêter serment à Tana ; ce rôle lui allait d'ailleurs très bien avec ses cheveux noirs et son visage sérieux.

— Si vous l'aviez vu quand il était président ici, Tan ! Il avait mis au trou pour trois semaines un de nos substituts, pour outrage à la cour. J'ai eu un mal fou à faire sortir le pauvre diable.

— Encore heureux que ça ne me soit pas arrivé ! s'exclama Tana, amusée.

— Vous ne l'avez jamais eu comme juge ?

— Seulement deux fois. Il est à la Cour de Cassation depuis un bon bout de temps ?

— Je crois, oui. Pourtant il n'est pas très vieux, d'après mes estimations. Il doit avoir autour de la cinquantaine.

— De qui parlez-vous ?

Le président de la Cour supérieure s'approchait. Il serra de nouveau la main de Tana. Elle était heureuse et finalement soulagée que Jack soit absent ; c'était quand même plus simple de ne pas être obligée de retenir sa respiration ou de lui présenter des excuses.

— Nous parlions du magistrat Carver.

— Russ ? Il a quarante-neuf ans. Il a fait ses études à Stanford avec moi, même si je dois avouer, continua le président en souriant, qu'il était quelques années derrière moi.

En réalité, il était en première année lorsque le président avait obtenu son diplôme, mais leurs familles étaient liées.

— C'est un type très bien, et très doué.

— C'est mon impression, répondit Tana, admirative.

La Cour de Cassation. Une autre étape à franchir, peut-être dans dix ou vingt ans... Mais en attendant, Tana se réjouissait de sa nomination à la Cour supérieure, où elle allait se voir confier les affaires criminelles qui étaient sa spécialité.

— C'est vraiment gentil de sa part d'avoir accepté de me faire prêter serment.

Pour le remercier d'avoir été présent à la cérémonie, Tana lui envoya un petit mot. Le lendemain, il l'appela et lui dit d'un ton enjoué :

— Vous êtes extraordinairement polie. Je n'ai pas reçu de lettre aussi gentille depuis au moins vingt ans.

Elle se mit à rire, un peu gênée, et le remercia de son appel.

— Votre présence m'a beaucoup touchée. C'est un peu comme si le pape venait pour une petite religieuse qui prononce ses vœux...

— Mon Dieu... quelle comparaison ! Vous preniez donc le voile la semaine dernière ? Dans ce cas, je regrette de m'y être prêté...

Ils se mirent à rire, bavardèrent un moment, et Tana l'invita à venir la voir si jamais il passait près de son bureau.

Elle se sentait bien parmi les juges, qui travaillaient tous dans le même esprit. Par certains côtés, sa charge lui paraissait plus simple que lorsqu'elle devait assumer le rôle de procureur. Maintenant, il lui fallait plus que jamais garder la tête froide, considérer les faits objectivement. Pour ce faire, elle se remit à étudier le droit comme jamais elle ne l'avait fait, et lorsque le magistrat Carver entra dans son bureau, quinze jours plus tard, il ne vit d'abord que des piles de livres.

— Vous aurais-je condamnée à ça ?

Il se tenait en souriant dans l'encadrement de la porte. Le clerc de Tana était parti depuis longtemps. Les sourcils froncés, elle examinait en même temps six recueils, où elle comparait ordonnances et articles de jurisprudence. Elle le regarda en souriant.

— Quelle bonne surprise !

Elle se leva promptement pour lui indiquer un confortable fauteuil en cuir.

— Asseyez-vous, je vous en prie.

Elle l'observa. C'était un bel homme, mais son charme était dû surtout à son aspect tranquille, viril, plutôt intellectuel ; rien à voir avec Jack et son physique de joueur de football.

— Je peux vous offrir un verre ?

Elle disposait d'un petit bar discret, pour des occasions comme celle-ci.

— Non, merci. J'ai trop de travail à faire chez moi ce soir.

— Vous aussi ? Est-ce que vous réussissez à en venir à bout ?

— Non. Quelquefois, j'ai envie de baisser les bras et de me mettre à pleurer, mais j'arrive à m'en sortir. Sur quoi travaillez-vous en ce moment ?

Elle lui résuma rapidement l'affaire, et il acquiesça, songeur.

— Ce doit être très intéressant, d'autant que je vais peut-être en hériter.

Elle se mit à rire.

— On ne peut pas dire que vous ayez grande confiance en moi, si vous pensez qu'ils vont faire appel.

— Non, non, se hâta-t-il de répondre, ce n'est pas ça, c'est plutôt que vous êtes nouvelle ici. Quoi que vous décidiez, s'ils n'apprécient pas, ils feront appel, et ils essaieront de se pourvoir en cassation. Faites bien attention à ne pas leur laisser une marge de manœuvre.

C'était de bon conseil, et ils bavardèrent un moment. Les yeux sombres et pensifs de Russel Carver lui donnaient presque un air sensuel, qui contrastait avec son apparence sérieuse et intriguait Tana. Il l'accompagna à sa voiture, en l'aidant à transporter une pile de livres, puis il lui demanda, après une hésitation :

— Puis-je vous proposer de manger un hamburger avec moi, quelque part ?

Elle lui sourit, séduite. Elle n'avait jamais rencontré quelqu'un de semblable, auparavant.

— Vous le pouvez, si vous promettez de me ramener chez moi assez tôt pour que je puisse travailler.

Au milieu des hamburgers, des frites, des milk-shakes et des enfants, ils discutèrent d'affaires difficiles qu'ils avaient eu à traiter et comparèrent les mérites de Boalt et de Stanford. Tana finit par céder plaisamment.

— D'accord, d'accord. Je l'admets. Votre école est meilleure que la mienne.

— Je n'ai pas dit ça ! J'ai dit que nous avions une meilleure équipe de football.

— Eh bien, là, au moins je n'y suis pour rien. Je n'ai jamais fait de football.

— J'en avais comme l'intuition...

La conversation fut très agréable. Comme ils avaient des centres d'intérêt communs, des amis communs, le temps passa très vite. Il la ramena chez elle. Au moment où il allait la déposer, elle lui proposa d'entrer prendre un verre. Il admira la jolie petite maison et la félicita pour la décoration. C'était un vrai nid douillet qui donnait envie de s'étirer devant la cheminée et de s'attarder un peu.

— Je me plais ici, affirma Tana.

Et c'était vrai, malgré sa solitude. Il n'y avait que lorsque Jack était là qu'elle se sentait mal à l'aise. Russ alluma un feu dans la cheminée, puis elle lui servit un verre de vin rouge. Ils bavardèrent un moment à propos de leur vie et de leur famille. Elle apprit qu'il avait perdu sa femme dix ans auparavant et qu'il avait deux filles, toutes deux mariées.

— Heureusement, je ne suis pas encore grand-père, ajouta-t-il en souriant. Beth suit des cours d'architecture à Yale où son mari étudie le droit, et Lee est modéliste à New York. Elles s'en sortent très bien, et je suis fier d'elles... mais pour les petits-enfants, je ne suis pas encore prêt.

— Vous n'avez jamais eu envie de vous remarier ?

— Non. Je n'ai rencontré personne qui compte assez pour moi.

Il jeta un coup d'œil autour de lui, puis la regarda à nouveau.

— Vous savez ce que c'est, on s'arrange une vie confortable, et c'est difficile de changer tout ça pour quelqu'un d'autre.

— C'est possible, admit-elle en souriant. Je n'ai jamais vraiment essayé. Par manque de courage, je suppose.

Elle le regrettait parfois. Peut-être se serait-elle décidée si Jack lui avait forcé la main avant que la situation se dégrade...

— Le mariage m'a toujours effrayée.

— Ce qui est normal. C'est une affaire des plus délicates. Mais quand ça marche, c'est merveilleux.

Ses yeux s'illuminèrent. La jeune femme comprit aisément qu'il avait été heureux avec sa femme.

— Je n'en ai gardé que de bons souvenirs... Et mes

filles sont formidables. Il faudra que vous fassiez leur connaissance, un jour.

— J'en serais très heureuse.

Ils bavardèrent encore quelques minutes, puis il termina son verre de vin et partit. Tana monta dans son cabinet de travail avec sa pile de livres, et travailla tard dans la nuit.

Le lendemain, elle éclata de rire lorsqu'un coursier du tribunal lui remit un petit mot de Russ, qui ressemblait tout à fait à la lettre de remerciement qu'elle lui avait envoyée quelque temps plus tôt. Elle l'appela aussitôt et ils s'en amusèrent ensemble en bavardant gaiement. Mais la conversation qu'elle eut le jour même avec Jack fut bien différente ; il était à nouveau de très mauvaise humeur. Comme ils ne parvenaient pas à se mettre d'accord sur le calendrier de leurs week-ends, Tana finit par renoncer à tous leurs projets.

Le samedi suivant, elle se retrouva tranquillement chez elle. Elle regardait de vieilles photos lorsqu'on sonna à la porte ; Russell Carver se tenait sur le seuil, l'air confus, un bouquet de roses à la main. Il portait avec élégance une veste de tweed et un col roulé.

— Ce que je fais est très impoli. J'implore d'avance votre indulgence.

— Je n'ai jamais entendu dire qu'apporter des roses était impoli, répondit-elle en souriant joyeusement.

— C'est pour faire passer ma visite impromptue, qui révèle un manque de politesse certain, je l'admets, mais... je pensais à vous et je n'avais pas votre numéro de téléphone ici. Je suppose qu'il est sur la liste rouge, alors j'ai tenté ma chance...

Tana lui fit signe d'entrer.

— Je n'avais absolument rien de prévu et je suis ravie que vous soyez passé.

— Je suis étonné de vous trouver chez vous. J'étais certain que vous seriez sortie.

Elle lui versa un verre de vin puis ils s'assirent sur le canapé.

— En réalité, j'avais des projets, mais j'ai tout annulé.

— Je m'en réjouis. Voudriez-vous m'accompagner à Butterfield ?

— La salle des ventes ? demanda-t-elle, intriguée.

Une demi-heure plus tard, ils déambulaient parmi les meubles et les objets d'art, tout en discutant à bâtons rompus. Il avait un côté simple et agréable qui mettait Tana parfaitement à l'aise, et leurs points de vue était souvent semblables. Ce qui la décida même à lui parler de sa mère.

— Je crois qu'elle est pour beaucoup dans le fait que je n'aie jamais voulu me marier. Je continue à la revoir assise à côté du téléphone, attendant un appel de lui...

— Raison de plus pour épouser quelqu'un et trouver la sécurité.

— Mais je savais aussi qu'il mentait à sa femme. Je n'ai jamais eu envie de tenir l'un des deux rôles.

— Ça a dû être dur pour vous, Tan.

Sentant qu'il la comprenait, elle se mit à lui parler d'Harry, tandis qu'ils se promenaient dans Union Street ; elle évoqua leur long passé et dit la solitude qu'elle ressentait à présent, sans lui.

— Ce devait être un homme bien, lui dit Russ d'une voix qui la toucha comme une caresse.

— Il était bien plus que ça. C'est le meilleur ami que j'aie jamais eu. Il était exceptionnel... Même sur le point de mourir, il donnait quelque chose à chacun, une part de lui-même...

Elle leva les yeux.

— J'aurais aimé que vous le connaissiez, Russ.

— Moi aussi.

— Vous étiez amoureuse de lui ? demanda-t-il en posant sur elle un regard tendre.

— Il a eu le béguin pour moi quand nous étions tout jeunes. Mais Averil lui convenait parfaitement.

— Et vous, Tana ? Qui a été le grand amour de votre vie ?

C'était une question un peu étrange, mais il avait la

conviction qu'il y avait eu quelqu'un. Il était impossible qu'une femme comme elle n'ait jamais eu d'attache.

— Personne. Quelques histoires seulement, et des échecs... J'ai toujours manqué de temps.

Il acquiesça. Là encore, il comprenait parfaitement.

— Vous payez le prix de votre carrière. La solitude en est souvent la rançon.

Curieux de savoir s'il y avait quelqu'un dans sa vie en ce moment, il le lui demanda sans détour.

— Je connais un homme depuis plusieurs années, nous avons même vécu ensemble pendant un temps. Nous continuons à nous voir, mais la situation s'est dégradée. C'est « le prix à payer », comme vous l'avez dit. Les choses ont changé depuis ma promotion, l'an dernier... et puis, Harry est mort... notre relation s'en est ressentie.

— C'est une liaison sérieuse ? demanda-t-il, à la fois intrigué et intéressé.

— Ça l'a été pendant longtemps, mais plus maintenant. Je suppose que nous sommes encore ensemble par loyauté en quelque sorte.

— Vous ne vous êtes donc pas séparés ?

— Pas pour le moment. Cela nous a arrangés pendant longtemps. Nous avions la même philosophie. Pas de mariage et pas d'enfants. Tant que nous avons été d'accord là-dessus, tout allait très bien...

— Et maintenant ?

Les grands yeux noirs la scrutaient, et elle se sentit brusquement attirée par cet homme. Mais il y avait Jack...

— Je ne sais pas. La situation a changé depuis la mort d'Harry. Ce qu'il m'a dit m'a fait réfléchir sur ma propre vie. J'ai mon métier, bien sûr, que je continuerai d'exercer, avec ou sans Jack, mais est-ce suffisant ? Peut-être que j'attends davantage de l'avenir. Je n'avais jamais ressenti cela auparavant, et voilà que j'y pense tout à coup et qu'il m'arrive de me poser des questions.

— Je crois que vous êtes sur la bonne voie.

— C'est ce que dirait Harry, soupira Tana. Qui sait, peut-être que ça n'a aucune importance, de toute façon. La vie est si brève... Et une fois qu'on est parti, qui s'en préoccupe...

— C'est justement là que cela prend toute son importance, Tana. J'ai ressenti la même chose que vous il y a dix ans, quand ma femme est morte. C'est difficile d'accepter cette idée, parce qu'elle nous oblige à réaliser que nous sommes mortels. Il faut comprendre alors que chaque instant compte et que si on gaspille sa vie, si on est malheureux, on peut se réveiller trop tard. Alors il vaut mieux essayer d'être heureux.

Il fit une pause puis ajouta, en la regardant :

— Vous l'êtes ?

— Heureuse ?

Elle hésita un long moment.

— Dans mon travail, oui.

— Et pour le reste ?

— Pas vraiment, en ce moment. Nous vivons une période difficile.

— Je suis indiscret ?

Il voulait tout savoir, et c'était parfois difficile de lui répondre.

— Non, pas du tout.

— Vous voyez toujours votre ami... enfin celui avec qui vous avez vécu ?

— Oui, de temps en temps.

— Je voulais savoir où vous en étiez.

Elle eut envie de lui demander pourquoi, mais n'osa pas.

Il l'emmena chez lui, pour lui faire visiter sa maison. Dès qu'elle eut franchi le seuil, elle eut le souffle coupé. Rien dans l'apparence ou le comportement de Russ ne laissait supposer une telle opulence. Il était simple, naturel, habillé avec un goût discret, mais c'était lorsqu'on pénétrait chez lui qu'on comprenait qui il était. Il habitait une maison dans Broadway, entourée d'un jardin parfaitement entretenu, avec un hall d'entrée vert et blanc, orné de hautes colonnes en marbre, et où trônait une commode Louis XV sur laquelle était posé un plateau d'argent pour les cartes de visite. Sans oublier les miroirs dorés, les beaux parquets et les rideaux de satin. Le rez-de-chaussée n'était qu'une série de magnifiques pièces de réception. Le premier étage était plus intime, avec une vaste suite, une jolie bibliothèque lambrissée, un petit cabinet de travail douillet doté d'une cheminée de marbre. Au deuxième étage se trouvaient les chambres inoccupées de ses filles.

— Evidemment je n'ai plus beaucoup de raisons de rester ici, mais j'y vis depuis longtemps, et j'ai horreur de déménager...

— Je crois que je n'ai plus qu'à brûler ma maison après avoir vu celle-ci ! s'exclama gaiement Tana.

Elle se souvenait à présent d'avoir entendu dire que Russ avait une fortune personnelle considérable. En outre, elle savait qu'il avait dirigé un cabinet juridique prospère des années auparavant. Il avait très bien réussi dans la vie.

Il la promena fièrement de pièce en pièce, lui montrant la salle de billard, la salle de gymnastique et les râteliers où il rangeait ses fusils pour la chasse au canard. C'était un homme complet, qui s'intéressait à tout. En remontant au premier étage, il se tourna vers elle et lui prit la main avec un sourire timide.

— Vous me plaisez beaucoup, Tana... J'aimerais vous voir davantage, mais je ne veux pas vous compliquer la vie, surtout en ce moment. Pourrez-vous me prévenir quand vous serez libre ?

Elle acquiesça, abasourdie. Peu après, il la ramena chez elle. Elle resta longtemps assise dans son salon, fixant le feu dans la cheminée. Il ressemblait tout à fait à ce genre d'hommes que l'on trouve dans les romans ou les magazines. Et voilà qu'il était là, brusquement, et lui disait être épris d'elle. Il lui apportait des roses, l'emmenait à Butterfield. Elle se sentait déconcertée, mais elle était tout de même persuadée d'une chose : lui aussi lui plaisait beaucoup.

Cette certitude rendit la situation encore plus difficile avec Jack pendant les semaines suivantes. Elle se força à passer plusieurs nuits à Tiburon, mais elle ne cessait de penser à Russ, surtout lorsqu'elle faisait l'amour. Elle devint aussi irritable que Jack, si bien que vers Thanksgiving elle était à bout de nerfs. Russ était parti voir sa fille Lee, dans l'Est. Il avait invité Tana à l'accompagner, mais elle avait refusé, par honnêteté. Plus le temps passait, plus la présence de Russ lui devenait indispensable. Elle ne songeait qu'à leurs conversations tranquilles, leurs longues promenades, leurs visites chez les antiquaires, dans les galeries d'art, leurs repas dans de petits restaurants où ils discutaient des heures. Il apportait une dimension nouvelle à sa vie. Lorsqu'elle avait un problème à résoudre, elle s'adressait toujours à Russ, et non à Jack qui se contentait de lui aboyer après. Ce besoin qu'il avait de la punir lassait Tana. Elle ne se sentait plus suffisamment coupable pour le supporter encore.

— Pourquoi vous accrocher à lui ? lui demanda Russ un jour.

— Je ne sais pas.

Tana déjeunait avec Russ, quelques jours avant que le tribunal cesse de siéger pour toutes les vacances.

— Peut-être parce que dans votre esprit il est associé à votre cher Harry.

Elle n'y avait jamais songé et admit que c'était possible.

— Est-ce que vous l'aimez, Tan ?

— Ce n'est pas ça... c'est plutôt que nous sommes ensemble depuis si longtemps.

— Ce n'est pas une raison. D'après ce que vous dites, vous n'êtes pas heureuse avec lui.

— Je sais. Et c'est cela qui est fou. Peut-être est-ce plutôt que c'est tellement commode...

— Pourquoi ?

— Jack et moi, nous avons toujours voulu les mêmes choses. Pas d'engagement, pas de mariage, pas d'enfants...

— Et c'est ce qui vous fait peur maintenant ?

— Oui, je crois...

— Tana, vous avez peur de moi ? demanda-t-il en lui prenant la main.

Elle secoua lentement la tête. Il lui dit alors ce qu'elle avait à la fois le plus désiré et le plus redouté, depuis leur toute première rencontre.

— Je veux vous épouser. Vous vous en doutiez ?

Elle nia d'abord, puis acquiesça, riant et pleurant à la fois.

— Je ne sais que dire, balbutia-t-elle enfin.

— Vous n'êtes pas obligée de dire quelque chose. Je voulais seulement mettre les choses au clair. Maintenant c'est à vous de clarifier votre situation, quelle que soit votre décision. Vous vous sentirez mieux ensuite.

— Est-ce que vos filles ne vont pas s'y opposer ?

— C'est ma vie, pas la leur, n'est-ce pas ? En plus, elles sont adorables. Il n'y a aucune raison pour qu'elles fassent obstacle à mon bonheur.

Tana acquiesça. Elle avait l'impression de vivre un rêve.

— Vous êtes sérieux ?

— Je ne l'ai jamais été autant de toute ma vie. Je vous aime tellement.

Lorsqu'ils quittèrent le restaurant, il l'embrassa pour la première fois sur les lèvres. Elle sentit son cœur chavirer.

— Je vous aime, Russ.

Les mots venaient si naturellement tout à coup... !

— Moi aussi, je vous aime. Et maintenant, mettez de l'ordre dans votre vie, comme une bonne petite fille.

— Il me faudra peut-être un peu de temps.

Ils regagnaient lentement le tribunal.

— Très bien. Deux jours, ça vous ira ? suggéra-t-il avec malice. Nous pourrions aller au Mexique pour les vacances.

Tana frémit. Elle avait déjà promis à Jack d'aller skier avec lui.

— Donnez-moi jusqu'au premier de l'an, et je vous promets que j'aurai tout réglé.

— Alors j'irai peut-être au Mexique tout seul.

Elle le regarda d'un air inquiet.

— Qu'est-ce qui vous préoccupe ?

— J'ai peur que vous tombiez amoureux de quelqu'un d'autre.

— Alors, dépêchez-vous.

Il l'embrassa à nouveau avant de la quitter. Tout l'après-midi, elle siégea avec une expression étrange dans les yeux et un petit sourire sur les lèvres, sans pouvoir parvenir à se concentrer sur quoi que ce soit. Chaque fois qu'elle regarda Jack, ce soir-là, le souffle lui manqua. Il voulait être sûr qu'elle avait tout son équipement de ski. L'appartement était loué et ils partaient avec des amis. Subitement, au milieu de la soirée, elle se leva.

— Qu'est-ce qui ne va pas, Tan ?

— Rien... tout... Il faut que je m'en aille.

— Maintenant ? Tu rentres chez toi ? fit-il sur un ton furieux.

— Non.

Elle s'assit et se mit à pleurer. Par où commencer ? Que lui dire ? A force de lui en vouloir à propos de son travail et de son succès, à cause de son amertume, de son refus de s'engager, il avait fini par l'éloigner de lui. Ce qu'elle voulait maintenant, il ne le lui donnerait jamais. Elle savait qu'elle était dans le vrai, mais c'était difficile à exprimer. Elle le regardait tristement. Il lui semblait presque que Russ et Harry étaient assis à côté d'elle, en train de l'encourager.

— Je ne peux pas.

— Tu ne peux pas quoi ?

— Je ne peux pas continuer comme ça.

— Et pourquoi ?

— Parce que c'est mauvais pour nous deux. Cela fait un an que tu me bats froid, je ne le supporte plus.

Elle se leva et regarda autour d'elle. Cette maison où elle avait vécu deux ans lui paraissait maintenant étrangère.

— Je veux plus que ça, Jack.

— Nous y voilà ! Et quoi, par exemple ?

— Quelque chose de durable, comme Harry et Averil.

— Je te l'ai dit, tu ne trouveras jamais une entente comme la leur. Ça leur appartenait. Et tu ne ressembles pas à Averil, Tan.

— Ce n'est pas une raison pour abandonner. Je persiste à vouloir quelqu'un qui soit à moi, qui s'y engage devant Dieu et les hommes et qui demeure à mes côtés pour le reste de ma vie...

Il la regarda, horrifié.

— Tu veux que je t'épouse ? Je pensais qu'on s'était mis d'accord...

— Détends-toi, fit-elle doucement. Oui, on s'était mis d'accord, et je n'attends pas ça de toi. Ce que je veux, c'est partir, et je crois qu'il est temps, Jack.

Il resta longtemps silencieux. Il sentait qu'elle avait raison, mais ça faisait quand même mal.

— Tu vois, dit-il enfin, ça confirme bien ce que je crois : tôt ou tard, la séparation a lieu. Et c'est plus facile ainsi. Tu fais tes valises, moi les miennes, on se dit au revoir, on souffre pendant quelque temps mais, au moins, on ne s'est pas menti et on ne traîne pas derrière nous une flopée de gamins.

— Je ne suis pas certaine que cela aurait été si terrible. Au moins nous aurions su combien nous nous étions aimés.

Elle était triste, un peu comme si elle venait de perdre un être cher. Et c'était vrai car il avait beaucoup compté pour elle.

— Nous avons été très proches, Tan, et c'était bien. Si je pensais que c'est une solution, je t'épouserais.

— Cela ne te conviendrait pas.

— De toute façon, tu ne serais pas heureuse dans le mariage, Tan.

— Pourquoi donc ?

Elle ne voulait pas qu'il parle ainsi, surtout maintenant que Russ voulait l'épouser. C'était comme s'il lui lançait une malédiction.

— Parce que ce n'est pas ton genre ! Tu es trop forte. D'ailleurs, tu n'as pas besoin de mariage, tu es mariée avec le Code civil. C'est une histoire d'amour qui te prend tout ton temps.

— On ne peut pas en avoir deux à la fois ?

— Certains peuvent. Pas toi.

— Je t'ai tant fait souffrir que ça, Jack ?

Il se leva, ouvrit une bouteille de vin et lui tendit un verre. Brusquement, elle ne se sentait plus rien de commun avec cet homme qui lui apparaissait comme un étranger. Devant tant d'amertume, de superficialité, elle se demandait comment elle avait pu rester si longtemps avec lui. Elle avait refusé la profondeur, elle avait préféré être libre, comme lui, mais elle avait grandi. Aujourd'hui, même si la proposition de Russ la terrifiait encore, elle désirait passionnément l'accepter.

Jack leva son verre.

— A toi, Tan. Bonne chance.

Elle but son verre, puis le reposa.

— Je pars tout de suite.

— D'accord. Appelle-moi de temps en temps.

Il lui tourna le dos et elle sentit une vague douleur la traverser. Elle aurait voulu revenir vers lui, mais il était trop tard.

— Au revoir, murmura-t-elle seulement avant de partir.

Elle rentra chez elle aussi vite que possible, prit un bain et se lava les cheveux, comme pour effacer son chagrin et ses larmes. A trente-huit ans, elle repartait de zéro, mais cette fois pour une vie nouvelle, avec un homme qui ne ressemblait à aucun autre. Elle pensa l'appeler, mais son esprit était tellement accaparé par Jack qu'elle eut soudain peur d'annoncer à Russ qu'elle était libre. Elle garda le silence jusqu'à ce qu'ils déjeunent ensemble, le jour de son départ pour le Mexique. Elle le regarda tout à coup avec un sourire énigmatique.

— Qu'est-ce qui fait sourire cette jolie frimousse ?

— La vie, tout simplement.

— Et c'est ce qui t'amuse ?

— Quelquefois. Je... enfin...

Elle s'empourpra, en le voyant se moquer d'elle.

— Ne me rends pas les choses si difficiles, sois gentil...

Il lui prit la main en souriant.

— Qu'est-ce que tu essaies de me dire ?

Elle se lança :

— J'ai mis les choses au point cette semaine.

— Avec Jack ? demanda-t-il, surpris. Si tôt ?

— Je ne pouvais plus continuer comme ça.

— Il a été très contrarié ?

— Oui, bien qu'il se refuse certainement à l'admettre. Et il m'a dit que je ne serai jamais heureuse dans le mariage.

— C'est gentil de sa part. Mais je prends le risque, merci.

— Tu veux toujours m'épouser ? demanda Tana.

Pendant une minute, rien qu'une minute, elle eut la tentation de reprendre son ancienne vie. Elle comprit qu'elle ne le désirait plus. Il lui avait fallu des années pour en arriver là, mais elle était prête à présent et elle en était fière.

— Bien sûr que oui. Tu imagines que j'aurais pu changer d'avis ?

— Tu en es certain ?

— C'est plutôt à toi qu'il faut poser la question.

— Peut-être pourrions-nous en discuter un peu, fit-elle avec nervosité.

— Pendant combien de temps ? Six mois ? Un an ? Dix ans ?

— Peut-être plutôt cinq... Tu ne veux pas d'enfants, n'est-ce pas ? demanda-t-elle brusquement.

— Tu t'inquiètes pour tout, c'est ça ? Non, je ne veux pas d'enfants. J'aurai cinquante ans le mois prochain et j'en ai déjà deux. Et non, je ne me ferai pas faire une vasectomie, mais je ferai tout ce que tu voudras pour que tu ne sois pas enceinte. Ça va comme ça ? Tu veux que je signe avec mon sang ?

— Oui, répondit-elle en éclatant de rire avec lui.

Il paya l'addition, puis lorsqu'ils se retrouvèrent dehors il la tint contre lui comme jamais un homme ne l'avait fait. Une vague de bonheur la submergea. Il consulta brusquement sa montre et la pressa de monter dans sa voiture.

— Qu'est-ce que tu fais ?

— Nous avons un avion à prendre.

— Nous ? Mais je ne peux pas... je ne suis pas...

— La cour où tu sièges est bien fermée pour les vacances ?

— Oui, mais...

— Est-ce que ton passeport est valide ?

— Je... oui... enfin, je crois...

— Nous vérifierons à la maison... tu pars avec moi... on va organiser le mariage... je vais appeler mes filles... Que dirais-tu de février... c'est dans six semaines environ... pour la Saint-Valentin... Est-ce assez vieux jeu pour toi, Tan ?

Fous de joie, ils prirent l'avion le soir même pour le Mexique, où ils passèrent une semaine merveilleuse à se gorger de soleil et à faire enfin l'amour. A leur retour, il lui offrit une bague de fiançailles, puis ils prévinrent tous leurs amis. Jack appela Tana lorsqu'il lut la nouvelle dans les journaux. Ce qu'il lui dit la piqua au vif.

— Alors, c'était ça la vraie raison ? Pourquoi ne m'as-tu pas dit que tu couchais avec quelqu'un d'autre ? Et un magistrat, en plus ! Ça va certainement t'aider dans ta carrière.

— Tu n'as pas honte de dire ça ? Je n'avais rien fait avec lui.

— A d'autres !

— Tu sais, tu te donnes tant de mal pour éviter de t'engager avec qui que ce soit que tu ne comprends plus rien à rien.

— Au moins, je sais quand on me trompe, Tan.

— Je ne te trompais pas.

— Alors quand tu te donnais à lui à l'heure du déjeuner, ça ne comptait plus vers six heures du soir ?

Elle avait raccroché, désolée que leur histoire se

termine de cette façon. Elle avait écrit à Barbara aussi, lui expliquant que son mariage avec Russ était précipité, mais que c'était un homme vraiment adorable, et que sa porte lui serait toujours ouverte lorsqu'elle viendrait voir son père pour les vacances. Elle ne voulait pas que la jeune fille croie qu'elle la rejetait. Elle envoya également un mot à Averil, à Londres.

Lorsqu'elle téléphona à sa mère, Jane faillit en avoir une attaque.

— Tu es bien assise ?

— Mon Dieu, Tana, il t'est arrivé quelque chose ?

Elle n'avait que soixante ans, mais moralement, elle en avait le double, car Arthur devenait sénile et lui donnait beaucoup de soucis.

— C'est quelque chose de bien, maman. Quelque chose que tu espères depuis très, très longtemps.

— Je ne vois pas ce que ça peut être.

— Je me marie dans trois semaines.

— Toi ! Avec qui ? Cet homme avec qui tu vis depuis des années ?

— Non. Il s'agit de quelqu'un d'autre. Un juge de la Cour de Cassation. Il s'appelle Russell Carver, maman.

— Ma chérie... cela fait si longtemps que je souhaitais vivre cet instant.

— Moi aussi. Et ça valait la peine d'être patiente, maman. Attends de le voir. Tu viendras au mariage ? La date est fixée au 14 février.

— Le jour de la Saint-Valentin... comme c'est charmant... Je ne manquerai ce jour pour rien au monde, mais comme je ne pense pas qu'Arthur pourra m'accompagner, je ne pourrai pas rester longtemps.

Songeant à toutes les dispositions qu'il lui faudrait prendre, Jane était déjà impatiente de raccrocher. Ann venait de se remarier pour la cinquième fois, mais qui s'en souciait encore à présent ? Tana allait se marier ! Et avec un juge de la Cour de Cassation ! Et en plus, elle disait qu'il était très séduisant !

Jane fut bouleversée tout le reste de l'après-midi. Le

lendemain, elle partit en ville. Il lui fallait une robe...
ou peut-être plutôt un tailleur... Elle n'arrivait toujours pas à croire que c'était enfin arrivé. Cette nuit-
là, dans son lit, elle pria silencieusement.

CHAPITRE XVIII

La réception de mariage, qui eut lieu chez Russ, fut
merveilleuse. Brahms, interprété par un piano et
deux violons, salua l'apparition de Tana, en haut de
l'escalier. Elle portait une robe simple en crêpe de
Chine blanc, une capeline ornée d'un petit voile et des
chaussures de satin ivoire. Une centaine d'invités se
trouvaient à la réception. Jane passa la plus grande
partie de la journée à pleurer de bonheur dans un
coin. Elle s'était acheté un magnifique tailleur beige
de chez Givenchy. Elle semblait si fière que l'émotion
étreignait Tana chaque fois qu'elle la regardait.

— Heureuse, mon amour ? demanda Russ avec un
regard qui la bouleversa de bonheur.

Il lui paraissait impossible d'avoir eu la chance de
rencontrer un homme tel que lui, dont elle se sente si
proche. C'était un peu comme si elle était venue au
monde pour lui appartenir. Elle songea tout à coup à
Harry et crut entendre sa voix tout près d'elle. Elle
savait que Harry aurait beaucoup apprécié Russ, et
cela aurait été réciproque. Harrison et Averil envoyè-
rent un télégramme et les filles de Russ assistèrent à la
cérémonie. Elles étaient toutes deux minces, sédui-
santes et agréables, et leurs maris plurent tout de
suite à Tana. Il n'était pas difficile de les aimer car
tous les quatre firent leur possible pour bien
l'accueillir. Lee, qui n'avait que douze ans de moins
que Tana, se montra particulièrement gentille avec sa
belle-mère.

— Dieu merci, il a eu l'intelligence d'attendre que

nous soyons mariées ! D'abord, la maison est plus tranquille maintenant, et en plus vous n'aurez pas à vous habituer à nous. Il est seul depuis si longtemps ! Beth et moi, nous sommes vraiment heureuses que vous l'épousiez. Je n'aime pas le savoir seul dans cette maison.

En regardant le petit groupe si uni, Jane remercia le ciel que Tana n'ait pas été assez folle pour s'enticher de Billy, au moment où elle était la première à la pousser dans ses bras. Comme Tana avait su faire preuve de sagesse en attendant de rencontrer cet homme extraordinaire ! Et quelle vie elle allait mener ! Jane n'avait jamais vu une maison aussi belle. Tana se montrait parfaitement à l'aise avec le maître d'hôtel et le domestique qui étaient attachés à la maison depuis des années. Elle allait de pièce en pièce, s'occupant de ses amis.

Après cette merveilleuse journée, Tana et Russ repartirent au Mexique pour leur lune de miel. La jeune femme avait pris un mois de congé. Lorsqu'elle reprit son travail, son nouveau nom la faisait sourire chaque fois qu'elle le prononçait. Juge Carver... Tana Carver... Tana Roberts Carver... Elle avait ajouté le nom de Russ partout, n'en déplaise aux féministes. Après avoir refusé le mariage si longtemps, elle était bien décidée à en profiter pleinement maintenant qu'elle avait cédé. Elle rentrait chaque jour détendue et toujours heureuse de retrouver Russ. A tel point qu'il la taquina à ce sujet.

— Quand vas-tu commencer à te comporter comme une véritable épouse et me chercher querelle ?

Elle se contenta de sourire.

Ils reparlèrent de la maison de Tana. Elle pensait la louer. Même si elle savait qu'elle n'y vivrait plus, elle ne pouvait se résoudre à la vendre.

— Et si je te la louais pour Beth et John lorsqu'ils viennent ici ? proposa son mari.

— Ce serait merveilleux. Voyons... tu peux l'avoir contre deux baisers et... un voyage au Mexique.

Ils finirent par garder la maison.

Tana ne s'était jamais sentie aussi heureuse de sa vie. Elle vivait l'une de ces rares périodes où tout vous donne satisfaction. Un jour, quittant précipitamment la salle d'audience pour retrouver Russ à déjeuner, elle tomba sur Drew Lands. Il parut terrassé en la voyant. Ils discutèrent une minute ou deux. C'était incroyable de songer à quel point il avait pu la faire souffrir autrefois, et encore plus surprenant de réaliser que Julie et Elizabeth avaient dix-huit et vingt-deux ans.

— Mon Dieu, c'est donc si loin que ça ?

— Eh oui, Tan, répondit-il d'une voix douce.

En discernant dans ses yeux des prétentions qui n'avaient plus de raison d'être, et cela depuis bien longtemps, elle se sentit agacée.

— Eileen et moi sommes divorcés depuis six ans, maintenant.

Comment osait-il le lui dire... après tout ce que Tana avait souffert...

— C'est vraiment dommage, répondit-elle avec froideur, se désintéressant de ce qu'il lui racontait.

Elle ne voulait pas être en retard pour Russ, qui travaillait sur une très grosse affaire.

— Tu vois... je me disais que nous pourrions nous voir de temps en temps. J'habite San Francisco maintenant... suggéra Drew.

— Nous serons ravis de te voir un de ces jours. Mais mon mari est submergé de travail pour l'instant, lança-t-elle suavement.

Elle agita la main avec un petit sourire diabolique tout en murmurant quelques mots incompréhensibles, et s'éloigna.

Lorsqu'elle retrouva Russ, au restaurant, elle avait encore sur le visage un air de victoire.

— Qu'est-ce qui te rend si contente ?

— Rien...

Mais elle poursuivit, incapable de lui cacher quelque chose :

— Je viens juste de tomber sur Drew Lands, que je

n'avais pas revu depuis presque sept ans. Quel salaud ! Il n'a pas changé.

— Mais, dis-moi, qu'est-ce qu'il t'a fait pour que tu le traites comme ça ?

— C'est l'homme marié dont je t'ai parlé...

— Ah !

Russ s'amusait de la fureur qu'il voyait dans les yeux de Tana. Il savait qu'il ne risquait pas de la perdre, non pas parce qu'il était sûr de lui, mais à cause de la qualité de leur amour.

— Et tu sais la meilleure ? Eh bien, il a fini par divorcer !

— Je l'aurais parié. Et maintenant, il te reverrait volontiers, c'est ça ?

— Je lui ai dit que nous serions enchantés de le voir un jour, et puis je me suis sauvée, expliqua la jeune femme en riant.

— Tu es une petite sorcière, mais je t'aime quand même. Comment ça s'est passé au tribunal, aujourd'hui ?

— Pas mal. J'ai une affaire très embrouillée, mais intéressante. Et toi, où en es-tu avec ton monstrueux dossier ?

— Je crois que je suis en train de l'apprivoiser.

Il se tut un instant, la fixant de façon curieuse.

— Et puis, j'ai eu un appel de Lee, reprit-il enfin.

— Comment va-t-elle ?

— Bien.

— Russ, qu'est-ce qui ne va pas ?

— C'est arrivé. Ils ont fini par me faire le coup. Je vais être grand-père.

Devant sa mine à la fois ravie et désespérée, Tana éclata de rire.

— Oh, non, alors ! Comment a-t-elle pu te faire une chose pareille ?

— C'est exactement ce que je lui ai demandé ! Mais tu te rends compte, Tan ?

— Pas vraiment. Il va falloir acheter une perruque blanche pour que tu aies le physique de l'emploi. Quand doit-elle accoucher ?

— En janvier. Pour mon anniversaire, manifeste-ment. Ou pour le réveillon du nouvel an.

En fait, le bébé naquit le jour de l'an. Russ et Tana partirent à New York pour l'occasion. Russ fut enchanté de voir sa première petite-fille. Lorsqu'il fit l'amour avec Tana, le soir à l'hôtel, il lui demanda gaiement :

— Au moins, je ne suis pas complètement sur la touche. Quel effet cela produit-il de faire l'amour avec un grand-père, chérie ?

— Je trouve que c'est encore mieux qu'avant.

Mais l'expression de la jeune femme le préoccupa. Elle avait tendance à se replier sur elle-même quand quelque chose n'allait pas. C'était le cas à cet instant.

— Quelque chose te tracasse, chérie ? lui murmura-t-il à l'oreille.

Elle se tourna vers lui, l'air surpris.

— Pourquoi cette question ?

— Je te connais mieux que tu ne le crois. On ne peut pas tromper un vieil homme comme moi, sur-tout quand il t'aime autant que je t'aime.

Elle essaya de nier durant un long moment, puis, à la grande stupeur de Russ, elle se mit à pleurer dans ses bras. Le spectacle de Lee avec son bébé avait suscité en elle une terrible douleur, une sensation de vide qu'elle n'avait jamais ressentie auparavant. Russ restait immobile à la regarder, aussi étonné qu'elle par ce flot d'émotions.

— Tu veux un enfant, Tan ?

— Je ne sais pas... Je n'ai jamais été comme ça avant... et j'ai presque quarante ans... je suis trop vieille...

La maternité devenait son plus cher désir, tout à coup. Elle entendait les paroles d'Harry résonner à ses oreilles.

— Ecoute, je te propose d'y réfléchir, et nous en reparlerons.

Le mois qui suivit, elle ne cessa d'être hantée par le souvenir de Lee et de son enfant. Elle commença à voir des femmes enceintes partout, des bébés dans leur poussette à chaque coin de rue. C'était comme si tout le monde avait un enfant, sauf elle... Un sentiment d'envie et de solitude indescriptible s'empara d'elle. Russell le vit sur son visage, mais il n'y fit pas allusion jusqu'à leur anniversaire de mariage. Lorsqu'il aborda la question, elle lui répondit durement, ce qui était inhabituel de sa part, un peu comme si cela lui faisait trop mal d'en parler.

— Tu as dit que tu étais trop vieux pour ça. Et moi aussi.

— Pas si c'est important pour toi. Ça peut paraître un peu fou, au premier abord, mais je crois que je pourrais m'y faire. D'autres hommes ont fondé une seconde famille à mon âge, certains même étaient d'ailleurs plus vieux... bien plus vieux.

Lui aussi avait ressenti, non sans surprise, une certaine émotion en contemplant le bébé de Lee. Avoir un enfant de Tana le rendrait sûrement fou de joie. Voyant qu'elle réagissait de plus en plus mal lorsqu'il abordait le sujet, il préféra ne plus en parler. Ils retournèrent au Mexique en mars, et passèrent de merveilleuses vacances, mais dès leur retour, elle ne se sentit pas bien.

— Je crois que tu travailles beaucoup trop.

Elle traînait un rhume depuis trois semaines. Il la harcelait pour qu'elle aille voir le médecin.

— Je n'ai pas le temps.

Mais elle se sentait si fatiguée, si nauséeuse, qu'elle finit par accepter.

Chez le médecin, elle reçut le choc de sa vie. Cet événement qu'elle avait désiré si ardemment allait bel et bien se produire. Mais cette réalité la terrifiait à présent. Elle n'aurait jamais le temps... elle avait un métier prenant... elle aurait l'air ridicule... Russ lui en voudrait énormément... Elle était dans un tel état qu'elle ne rentra chez elle que vers sept heures, ce soir-là. En posant les yeux sur elle, Russ comprit immédiatement que quelque chose de grave venait d'arriver. Il la laissa se détendre, lui servit un verre, puis ouvrit une bouteille de château-latour pour le dîner, mais elle n'y toucha pas. Lorsqu'ils montèrent se coucher, elle était toujours aussi tendue. Russ commençait vraiment à se faire du souci.

— Très bien, maintenant tu vas me dire ce qui t'est arrivé aujourd'hui. Tu as dû au moins perdre ton travail...

Elle lui sourit d'un air penaud et se laissa un peu aller tandis qu'il lui prenait la main.

— Tu me connais trop bien.

— Alors fais-moi le plaisir de me mettre dans la confidence.

— C'est impossible.

Elle avait déjà pris sa décision : elle ne garderait pas le bébé. Mais Russ n'était pas décidé à renoncer. Sa voix monta d'un ton, et un froncement de sourcils changea son visage.

— Tu sais, tu fais vraiment très peur, comme ça, lui dit-elle en riant.

— On ne dirait pas pourtant ! Est-ce que tu vas enfin parler, bonté divine ! Qu'est-ce qui t'arrive ?

— Tu ne le croiras jamais, chéri, fit-elle après un moment de silence.

— Tu veux divorcer ?

— Non, bien sûr que non.

— Tu as une liaison ?

— Encore manqué.

— Tu t'es fait virer.

— Pire que ça...

Le visage de Tana s'assombrit car, dans son esprit, cela revenait au même. Comment pourrait-elle garder sa charge ? Elle eut les larmes aux yeux tout à coup.

— Je suis enceinte, Russ...

Durant un instant, tout cessa d'exister autour d'eux, puis Russ se jeta dans les bras de sa femme en riant.

— Chérie... je suis si content.

Il rayonnait de bonheur. Tana le regardait, abasourdie.

— C'est vrai ? Je croyais que tu ne voulais plus d'enfant. Nous avions décidé...

— Aucune importance. Notre enfant va être magnifique... ce sera une petite fille qui te ressemblera...

Il la serrait toujours contre lui, fou de joie, mais Tana semblait contrariée.

— Mais ça va tout flanquer par terre...

— Quoi, par exemple ?

— Mon travail. Comment être juge avec un enfant sur les bras ?

— Soyons pratiques. Tu travailles jusqu'au dernier moment et puis tu prends six mois de congé. Ensuite, tu choisis une bonne nurse et tu recommences à travailler.

— C'est aussi simple que ça ? demanda-t-elle, étonnée.

— Aussi simple que tu le voudras, chérie. Il n'y a aucune raison pour que tu n'aies pas un métier et une famille. Evidemment, ça demande quelques tours de passe-passe, mais avec un tout petit peu d'organisation, c'est tout à fait faisable.

Il lui sourit. Lentement, le visage de Tana s'éclaira. Il était possible qu'il ait raison, et dans ce cas... Pendant des années, elle avait cru devoir choisir entre une famille et sa profession... aujourd'hui, elle voulait les deux. Brusquement, ce douloureux sentiment de vacuité qu'elle éprouvait depuis des mois disparut.

— Je suis tellement fier de toi, chérie ! Tout va se passer merveilleusement bien, et tu vas être si belle...

— Eh bien, j'ai déjà pris trois kilos ! précisa-t-elle.

— Ah bon ? Où ça ?

Immédiatement, il entreprit de localiser les rondeurs superflues tandis que Tana riait dans ses bras.

CHAPITRE XIX

Le juge Tana Roberts gagna lourdement son siège. Elle s'assit avec précaution, donna deux coups de marteau et énuméra le calendrier des séances du matin. Son huissier lui apporta une tasse de thé à dix heures. Lorsqu'elle se leva, vers midi, après la suspension de séance, elle regagna à grand-peine son bureau. Le bébé avait exactement neuf jours de retard. Elle avait d'abord prévu de s'arrêter de travailler quinze jours avant la date présumée de la naissance. Mais elle s'était tellement bien organisée chez elle qu'elle avait décidé d'attendre le dernier moment. Russ vint la chercher en voiture, ce soir-là.

— Comment ça s'est passé aujourd'hui ?

La fierté qu'il éprouvait se lisait aisément sur son visage. Tana lui sourit. Ils venaient de vivre une période merveilleuse. Elle savourait le plaisir de passer bientôt quelques jours seule avec lui, même si elle devait admettre qu'elle se sentait de plus en plus mal. Ses chevilles enflaient terriblement dès quatre heures de l'après-midi. Elle avait par ailleurs du mal à rester assise longtemps.

Elle soupira.

— On en est à la dernière plaidoirie. Je pense que je pourrai m'arrêter à la fin de la semaine. Qu'en dis-tu ?

— Je pense que c'est une excellente idée, Tan. Ça te permettrait de te reposer un peu.

— Tu crois ça.

Mais elle n'en eut pas le temps. Quand les contractions commencèrent vers huit heures, ce soir-là, Tana se tourna vers Russ, terrifiée. Elle savait bien que cela finirait par arriver. Maintenant, le moment était venu. Elle se sentit une envie irrésistible de s'enfuir, mais pour aller où ? Son corps la suivrait partout, inexorablement. Russ, la sentant effrayée, essaya de la réconforter.

— Tout va très bien se passer.

— Comment tu le sais ? Et si j'ai besoin d'une césarienne ? Mon Dieu, mais c'est que j'ai cent ans !

— Tu veux t'étendre un peu, Tan, ou tu préfères aller à l'hôpital ?

— Je veux rester ici.

Il appela le médecin, puis apporta à Tana un verre d'eau, le sourire aux lèvres. Ils allaient vivre une nuit extraordinaire. Il était confiant et se sentait très excité. Elle avait insisté pour qu'ils suivent ensemble les cours d'accouchement sans douleur. Russ n'avait pas assisté à la naissance de ses deux filles, plusieurs années auparavant, mais il serait avec Tana lorsque leur enfant naîtrait. Il le lui avait promis et se sentait très impatient. Elle avait fait faire tous les examens voulus au cours des mois, mais ils avaient choisi de ne pas connaître à l'avance le sexe de leur enfant. Vers minuit, après s'être un peu assoupie, Tana se réveilla tout à fait. Il minuta les contractions et rappela le médecin. Celui-ci leur conseilla de partir. Il prit le sac de Tana, qui attendait dans la penderie depuis trois semaines, et ils partirent pour l'hôpital.

Des heures plus tard, Tana était toujours étendue, geignant de douleur, s'accrochant au bras de Russ, qui sentait la panique monter en lui. Il n'avait pas du tout prévu ça. Vers huit heures du matin, le bébé n'était toujours pas né. Elle gisait dans d'horribles souffrances, les cheveux trempés de sueur, les yeux égarés et rivés sur Russ, comme s'il pouvait l'aider. Or, tout ce qu'il pouvait faire, c'était lui tenir la main en lui répétant qu'il était fier d'elle. Vers neuf heures du matin, tout le monde commença à s'activer autour d'elle. On la transporta jusque dans la salle d'accouchement où elle ressentit des douleurs encore plus aiguës. N'en pouvant plus, elle en venait à souhaiter la mort.

— Je vois la tête... s'exclama Russ. Oh, mon Dieu... chérie... il est là...

Et tout à coup, un minuscule visage rouge fit son apparition. Tana poussa avec vigueur et expulsa enfin le bébé de son ventre. Le médecin le prit dans ses mains tandis qu'il commençait à pleurer. Il lui coupa le cordon ombilical, lui fit une toilette rapide, et le tendit à Russ.

— Votre fils, Russ... dit-il en souriant.

Tana le regardait, victorieuse.

— Tu as été merveilleux, chéri, lui dit-elle d'une voix rauque.

— Moi, j'ai été merveilleux ?

Il était profondément impressionné par ce que sa femme avait accompli devant lui. C'était le plus grand miracle qu'il ait jamais vu. A quarante ans, elle était comblée. Elle le regarda, les larmes aux yeux. Elle avait tout ce qu'elle avait désiré... tout... Russ posa doucement l'enfant dans ses bras.

— Oh, il est tellement beau...

— Non, Tan... c'est toi qui es la plus belle femme du monde. Mais il est très mignon lui aussi... ajouta-t-il doucement.

Harrison Carver. Ils s'étaient mis d'accord depuis longtemps sur le prénom.

Tana fut ramenée dans sa chambre un peu avant midi. Russ resta à ses côtés jusqu'à ce qu'elle sombre dans le sommeil. Elle ouvrit les yeux une fois, malgré le somnifère qu'on lui avait administré, et murmura :

— Je t'aime tellement, Russ...

Le cœur à jamais plein d'elle après cette nuit qu'ils avaient partagée, il répondit :

— Chut... dors maintenant... Je t'aime, moi aussi.

CHAPITRE XX

Lorsque le petit Harry eut six mois, Tana regarda le calendrier avec désespoir. Elle devait recommencer à travailler la semaine suivante. Elle l'avait promis, mais le bébé était adorable et elle était si bien avec lui. Elle lui faisait faire de longues promenades, et chaque fois qu'elle le voyait sourire, elle riait. De temps en temps, elle passait même voir Russ au bureau avec lui. C'était une vie de loisirs qu'elle n'avait jamais connue. Elle regrettait de devoir y renoncer, mais elle ne voulait pas non plus abandonner sa carrière.

Une fois qu'elle eut repris sa charge, elle s'en félicita. Les journées passaient à toute allure. Il lui tardait chaque soir de retrouver Harry et Russ. Quelquefois, son mari était déjà à la maison en train de jouer à quatre pattes sur le tapis avec son fils. Harry était leur plus grande joie et ils le considéraient comme une vraie merveille. Lee les taquina à ce sujet lorsqu'elle vint les voir avec Francesca, sa petite fille. Elle en attendait déjà un second.

— Et toi, Tan ?

— Tu sais, à mon âge, Harry est déjà un miracle. Alors, ne tentons pas le diable !

Même si sa grossesse s'était très bien passée, l'accouchement avait été plus douloureux qu'elle ne l'avait imaginé. Pourtant, avec le recul, cette impression s'était comme estompée.

— Si j'avais ton âge, je pourrais, Lee, et encore... On ne peut pas tout avoir, un métier et dix enfants.

Lorsqu'elle rentra, ce soir-là, elle se pencha pour embrasser Russ qui tenait Harry dans ses bras, puis elle consulta sa montre. Elle allaitait encore son fils trois fois par jour ! Le matin, le soir, et tard dans la nuit. Elle aimait l'intimité que cela créait entre eux. Elle adorait ces minutes silencieuses passées dans la chambre du bébé à trois heures du matin, lorsque eux seuls étaient réveillés. Ce bien-être qu'elle lui procurait était pour elle aussi un plaisir et une satisfaction.

— Tu crois que ça poserait un problème si je le nourrissais jusqu'à douze ans ? demanda-t-elle à Russ pour plaisanter.

Leur vie était parfaitement heureuse. Elle se félicitait d'avoir su attendre, même si cela avait été long.

— Tu sais, tu as l'air fatiguée, Tan, remarqua Russ d'une voix soucieuse. Je crois que c'est trop dur pour toi de continuer à le nourrir maintenant que tu as recommencé à travailler.

Elle ne voulait pas l'admettre, mais peu à peu, dans les semaines qui suivirent, son lait se tarit. C'était comme si son corps se refusait à alimenter davantage Harry. Quand elle alla chez le médecin pour un bilan de santé, il la pesa, lui palpa les seins, et lui dit qu'il voulait lui faire faire une analyse de sang.

— Quelque chose ne va pas ?

Elle regarda sa montre. Elle devait être de retour au tribunal pour deux heures.

— Je veux seulement vérifier quelque chose. Je vous appellerai cet après-midi.

Dans l'ensemble, elle était en bonne santé, et elle n'avait pas le temps de s'en préoccuper davantage. Lorsque son clerc l'appela, à cinq heures, elle avait complètement oublié le médecin.

— Il dit qu'il veut vous parler.

— Merci.

Elle l'écouta au téléphone et griffonna quelques notes. Tout à coup, elle s'arrêta. Ce n'était pas possible, il devait se tromper. Elle allaitait encore Harry la semaine dernière... elle n'avait pas... elle le remercia et raccrocha. Et voilà. Elle était encore enceinte ! Harry était merveilleux, mais elle ne voulait pas d'autre enfant. Elle était trop vieille, et puis il y avait sa carrière... cette fois, elle devrait y renoncer... c'était impossible... Elle avait le choix, bien sûr, mais que dirait-elle à Russ ? Qu'elle avait avorté ? Elle ne pouvait pas faire ça. Elle passa une nuit blanche, refusant de révéler à Russ ce qui la tracassait. C'était impensable cette fois. Rien n'allait plus... elle était trop vieille... et sa carrière comptait tellement pour elle... pourtant Lee allait bien continuer à travailler après la naissance de son deuxième... Devrait-elle renoncer à son métier ? Les enfants l'emporteraient-ils pour finir ? Elle fut tiraillée toute la nuit. Lorsqu'elle se réveilla, elle avait un visage de cauchemar. Russ l'observa par-dessus sa tasse, au petit déjeuner, mais garda le silence. Puis, juste avant de partir, il se tourna vers elle.

— Tu es prise pour le déjeuner aujourd'hui, Tan ?

— Non, pas que je sache... mais j'ai des affaires que je veux absolument traiter.

Elle évitait son regard.

— Il faut que tu manges. Je t'apporterai des sandwiches.

— Entendu.

Elle se sentit fautive de ne rien lui dire, et partit travailler le cœur gros. Elle eut toute une série de petits délits à traiter. A onze heures vingt le tour d'un homme au regard sauvage et à la tignasse grise. Il avait posé une bombe devant un consulat étranger et avait été inculpé. Elle parcourut d'abord les attendus. Lorsqu'elle découvrit son nom, elle demanda à être dessaisie du dossier. L'homme s'appelait Yael McBee. C'était bien celui qu'elle avait connu durant sa dernière année à Boalt. Elle vit qu'il avait fait à nouveau deux fois de la prison. Comme la vie était étrange... Il y avait si longtemps... le souvenir d'Harry ressurgit aussitôt... et la petite maison qu'ils avaient partagée, Averil, si jeune à l'époque... Elle le regarda dans la salle d'audience. Il avait vieilli. Il avait quarante-six ans mais il luttait toujours au nom de ses principes révolutionnaires. Le dossier précisait qu'il s'agissait d'un terroriste. Et elle, elle était juge. C'était une route sans fin... Harry était parti... et toutes leurs brillantes idées s'étaient affadies, ou tout simplement évanouies... Sharon... Harry... et de nouvelles vies pour prendre la relève... son fils, le petit Harry, et maintenant cet enfant qu'elle portait dans son sein... La vie continuait et chacun allait son chemin... Elle releva les yeux et vit son mari qui entrait. Elle lui sourit et, après avoir annoncé une suspension de séance, gagna son bureau en compagnie de Russ.

— Qui était-ce ? demanda-t-il, intrigué.

— Il s'appelle Yael McBee, si ça te dit quelque chose. Je l'ai connu quand j'étais à Boalt.

— Un ami à toi ?

— Oui, que tu le croies ou non !

— Eh bien, tu as fait du chemin depuis, mon amour.

— C'est exactement ce que je me disais.

Puis, se souvenant d'autre chose, elle le regarda avec hésitation.

— Il faut que je te dise quelque chose...

— Tu es de nouveau enceinte, fit-il avec tendresse.

— Comment le sais-tu ? Le médecin t'a appelé aussi ?

— Non, mais je suis plus finaud que ça. Je m'en suis douté la nuit dernière, et je me suis dit que tu finirais bien par me l'avouer. Bien sûr, tu dois penser que ta carrière est finie, qu'il nous faudra vendre la maison, que je vais perdre mon emploi, ou même bien pire... J'ai raison ?

Elle se mit à rire.

— Parfaitement.

— L'idée ne t'a pas effleurée que si tu es juge avec un enfant, tu peux l'être avec deux ? Et un excellent juge, de surcroît ?

— Ça m'est venu à l'esprit au moment où je t'ai vu.

— Tu vois bien...

Il se pencha pour l'embrasser. Ils échangèrent un regard complice. Le clerc de Tana, qui était entré à l'improviste, se retira à la hâte en les voyant s'enlacer. Tana remercia en silence sa bonne étoile. Grâce à elle, elle avait su choisir la bonne route, rencontrer cet homme, faire les bons choix. Elle qui n'avait eu d'abord qu'un métier avait réussi à tout concilier : sa carrière, son mari et ses enfants. Et maintenant qu'elle avait bouclé la boucle, les fleurs qu'elle avait cueillies une à une formaient un bouquet qu'elle tenait à pleines mains, sereine et comblée.

Table

Les femmes
au Livre de Poche

(Extrait du catalogue)

Autobiographies, biographies, études...

Arnothy Christine
  J'ai 15 ans et je ne veux pas mourir.

Badinter Elisabeth
  L'Amour en plus
  Emilie, Emilie. L'ambition féminine
  au XVIIIe siècle (*vies de Mme du Châtelet, compagne de Voltaire, et de Mme d'Epinay, amie de Grimm*).
  L'un est l'autre.

Berteaut Simone
  Piaf.

Bertin Celia
  La Femme à Vienne au temps de Freud.

Boissard Janine
  Vous verrez... vous m'aimerez.

Boudard Alphonse
  La Fermeture – 13 avril 1946 : La fin des maisons closes.

Bourin Jeanne
  La Dame de Beauté (*vie d'Agnès Sorel*).
  Très sage Héloïse.

Buffet Annabel
  D'amour et d'eau fraîche.

Carles Emilie
  Une soupe aux herbes sauvages.

Chalon Jean
  Chère George Sand.

Champion Jeanne
  Suzanne Valadon ou la recherche de la vérité.
  La Hurlevent (*vie d'Emily Brontë*).

Charles-Roux Edmonde
L'Irrégulière (*vie de Coco Chanel*).
Un désir d'Orient (*jeunesse d'Isabelle Eberhardt, 1877-1899*).

Chase-Riboud Barbara
La Virginienne (*vie de la maîtresse de Jefferson*).

Contrucci Jean
Emma Calvé, la diva du siècle.

Darmon Pierre
Gabrielle Perreau, femme adultère (*la plus célèbre affaire d'adultère du siècle de Louis XIV*).

David Catherine
Simone Signoret.

Delbée Anne
Une femme (*vie de Camille Claudel*).

Desanti Dominique
La Femme au temps des années folles.

Desroches Noblecourt Christiane
La Femme au temps des pharaons.

Dolto Françoise
Sexualité féminine. Libido, érotisme, frigidité.

Dormann Geneviève
Amoureuse Colette.

Elisseeff Danielle
La Femme au temps des empereurs de Chine.

Frank Anne
Journal.
Contes.

Girardot Annie
Vivre d'aimer.

Giroud Françoise
Une femme honorable (*vie de Marie Curie*).
Leçons particulières.

Gronowicz Antoni
Garbo, son histoire.

Groult Benoîte
Pauline Roland (*militante féministe, 1805-1852*).

Hans Marie-Françoise
Les Femmes et l'argent.

Hanska Evane
La Romance de la Goulue.

Higham Charles
La scandaleuse duchesse de Windsor.

Kofman Sarah
L'Enigme de la femme *(la femme dans les textes de Freud).*

Loriot Nicole
Irène Joliot-Curie.

Maillet Antonine
La Gribouille.

Mallet Francine
George Sand.

Mehta Gita
La Maharani *(vie de la princesse indienne Djaya).*

Martin-Fugier Anne
La Place des bonnes *(la domesticité féminine en 1900).*
La Bourgeoise.

Nègre Mireille
Une vie entre ciel et terre.

Nin Anaïs
Journal, t. 1 *(1931-1934)*, t. 2 *(1934-1939)*, t. 3 *(1939-1944)*, t. 4 *(1944-1947).*

Pernoud Régine
La Femme au temps des cathédrales.
La Femme au temps des Croisades.
Aliénor d'Aquitaine.
Vie et mort de Jeanne d'Arc.

Sabouret Anne
Une femme éperdue *(Mémoires apocryphes de Mme Caillaux).*

Sadate Jehane
Une femme d'Egypte *(vie de l'épouse du président Anouar El-Sadate).*

Sibony Daniel
Le Féminin et la séduction.

Spada James
Grace. Les vies secrètes d'une princesse *(vie de Grace Kelly).*

Stéphanie
Des cornichons au chocolat.

Thurman Judith
Karen Blixen.

Verneuil Henri
 Mayrig (*vie de la mère de l'auteur*).

Vlady Marina
 Vladimir ou le vol arrêté.
 Récits pour Militza.

Yourcenar Marguerite
 Les Yeux ouverts (*entretiens avec Matthieu Galey*).

Et des œuvres de :

 Isabel Allende, Nicole Avril, Béatrix Beck, Karen Blixen, Charlotte Brontë, Pearl Buck, Marie Cardinal, Hélène Carrère d'Encausse, Françoise Chandernagor, Madeleine Chapsal, Agatha Christie, Michelle Clément-Mainard, Colette, Christiane Collange, Jeanne Cordelier, Régine Deforges, Sylvie Dervin, Christiane Desroches-Noblecourt, Françoise Dolto, Daphné Du Maurier, Françoise Giroud, Viviane Forrester, Benoîte Groult, Mary Higgins Clark, Patricia Highsmith, Xaviera Hollander, P.D. James, Mme de La Fayette, Doris Lessing, Carson McCullers, Antonine Maillet, Françoise Mallet-Joris, Silvia Monfort, Janine Montupet, Anaïs Nin, Joyce Carol Oates, Catherine Paysan, Anne Philipe, Marie-France Pisier, Suzanne Prou, Ruth Rendell, Christine de Rivoyre, Marthe Robert, Christiane Rochefort, Jacqueline de Romilly, Françoise Sagan, George Sand, Albertine Sarrazin, Mme de Sévigné, Simone Signoret, Christiane Singer, Danielle Steel, Han Suyin, Valérie Valère, Virginia Woolf...

Composition réalisée par JOUVE

IMPRIMÉ EN FRANCE PAR BRODARD ET TAUPIN
Usine de La Flèche (Sarthe).
LIBRAIRIE GÉNÉRALE FRANÇAISE - 43, quai de Grenelle - 75015 Paris.

ISBN : 2 - 253 - 05002 - 4 ◈ 30/6644/6